Les souvenirs d'Évangéline

LOUISE TREMBLAY D'ESSIAMBRE

Les souvenirs d'Évangéline

Guy Saint-Jean
ÉDITEUR

Guy Saint-Jean Éditeur
4490, rue Garand
Laval (Québec) H7L 5Z6
450 663-1777
info@saint-jeanediteur.com
saint-jeanediteur.com

· · · · · · · · · · · · · · · · ·

**Données de catalogage avant publication disponibles à Bibliothèque
et Archives nationales du Québec et à Bibliothèque et Archives Canada**

· · · · · · · · · · · · · · · · ·

Nous reconnaissons l'aide financière du gouvernement du Canada par l'entremise du
Fonds du livre du Canada (FLC) ainsi que celle de la SODEC pour nos activités d'édition.
Nous remercions le Conseil des Arts de l'aide accordée à notre programme
de publication.

Gouvernement du Québec – Programme de crédit d'impôt pour l'édition de livres –
Gestion SODEC

Édition : Isabelle Longpré
Révision : Isabelle Pauzé
Mise en pages : Christiane Séguin
Conception graphique de la page couverture : Christiane Séguin et Olivier Lasser
Page couverture : Toile peinte par Louise Tremblay d'Essiambre, « Évangéline et ses
garçons »

Dépôt légal – Bibliothèque et Archives nationales du Québec, Bibliothèque et
Archives Canada, 2020
ISBN : 978-2-89758-989-9
ISBN EPUB : 978-2-89758-990-5
ISBN PDF : 978-2-89758-991-2

Imprimé et relié au Canada
1re impression, novembre 2020

 Guy Saint-Jean Éditeur est membre de
l'Association nationale des éditeurs de livres (ANEL).

À mes enfants,
où que vous soyez et quoi que vous fassiez,
je vous aime de tout mon cœur

« Nul ne peut porter la peine de l'autre,
mais marcher à ses côtés est toujours possible. »

Emma Scali

NOTE DE L'AUTEUR

C hers amis, il y a maintenant plusieurs semaines, j'ai terminé l'écriture du tome 3 de la série *Du côté des Laurentides* et je sais que tous ces beaux personnages, depuis les Lafrance jusqu'aux gens du manoir O'Gallagher, en passant par Fulbert et les Théberge de Saint-Clément-des-Laurentides, sont sur le point de quitter ma vie. J'avais le cœur triste, je vous l'avoue, et depuis ce jour, j'avais la sensation de tourner en rond, d'autant plus qu'on pouvait difficilement se changer les idées, puisqu'on était tous confinés dans nos maisons.

Puis, un bon matin, j'ai reçu un appel de mon éditrice. Par besoin de rafraîchir la série *Mémoires d'un quartier,* que nous allions vous présenter dans un nouveau format très bientôt, j'ai eu à me pencher sur le tome 1, *Laura,* pour ajuster quelques petits détails. Cela m'a fait plaisir de la retrouver, de revoir sa rue, ses amies, sa famille. Durant plus d'une heure, j'ai donc travaillé au téléphone avec Isabelle, confinement oblige, et quand j'ai raccroché, devinez qui était là, juste derrière moi ?

Allez, pensez-y comme il faut... Vous devez bien vous en douter, non ?

Eh oui, c'était Évangéline.

— Viarge, c'est ben beau, chez vous! qu'elle m'a dit en s'installant avec désinvolture dans la chaise berçante, comme si je l'avais invitée.

Puis, elle s'est mise à détailler mon bureau sans dire un mot, peut-être pour ne pas me déranger, car j'étais en train de lire. Je vous l'avoue, à ce moment-là, je ne lui ai pas vraiment prêté attention et je l'ai laissée faire sans argumenter.

Malgré cet accueil un peu froid, c'est ici que je l'ai retrouvée, ce matin: assise dans mon bureau, elle continuait de se bercer.

À croire qu'elle avait passé la nuit à m'attendre!

Ce qui ne me surprendrait pas de sa part, je vous l'avoue. Quand Évangéline Lacaille a une idée en tête!

Puis, avant même que je puisse lui demander ce qu'elle faisait chez moi, elle m'a fait remarquer que j'étais du genre à avoir la bougeotte.

— Ça fait combien de maisons au juste que j'ai connues? T'es-tu capable de me le dire? Si ma mémoire est fiable, j'ai ben dû m'asseoir dans trois ou quatre bureaux différents...

À ces mots, je me suis sentie rougir, car Évangéline n'a pas tout à fait tort: j'aime bien déménager, modifier mon décor, découvrir de nouveaux quartiers. Mais de là à prétendre que j'ai la bougeotte... Quand elle parle de quatre endroits différents, elle exagère quand même un peu, la madame. Toutefois, avant que j'aie pu protester en bonne et due forme, elle a poursuivi en me regardant droit dans les yeux, et c'est là que je me suis souvenue de cette façon bien particulière qu'avait Évangéline Lacaille de nous fouiller du regard sans la moindre complaisance, au point de nous mettre mal à l'aise, parfois.

— Ça a juste pas d'allure, ton affaire, a-t-elle ajouté, en arrêtant brusquement de se bercer.

Ensuite, les avant-bras appuyés sur ses cuisses, elle s'est penchée vers moi, tout en continuant de me fixer.

— Moé, j'ai pour mon dire qu'une maison, c'est pour la vie... On la fait solide pis ben à notre goût, pour pas avoir à changer aux deux ans, maudit bâtard ! Ouais, c'est de même qu'on voyait ça, mon Alphonse pis moé, pis on s'était pas trompés. Pis pas pantoute, à part de ça. Je sais pus trop combien ça fait d'années que je vis à la même place, dans le même appartement, avec quasiment les mêmes meubles, pis ça a pas vraiment d'importance. Non, l'important, c'est que chus toujours pas tannée... Que c'est tu dis de ça, l'écrivaine ?

Connaissant intimement la drôle de femme assise devant moi, ma réponse a fusé sans la moindre hésitation, allant dans le sens de ce qu'elle voulait bien entendre, j'en étais persuadée.

— J'en dis que vous êtes chanceuse, Évangéline, parce que c'est tout un aria, déménager.

On dirait bien que je m'étais trompée, car là-dessus, la vieille femme a poussé un long soupir d'impatience, qui a gonflé son opulente poitrine.

— Chanceuse, chanceuse, faudrait quand même pas charrier, a-t-elle grommelé en se redressant.

J'ai petête fait des bons choix, c'est sûr, mais la vie m'a pas juste fait des cadeaux, tu sauras... Oh non, cré moé... Même qu'a' s'est faite ben dure par bouttes, la vie, ben ben dure...

Sur ce, Évangéline a baissé les yeux, laissant le silence envahir mon bureau, et moi, je n'ai pas osé profiter de cette pause pour lui demander ce qu'elle faisait chez moi, finalement, à part rouspéter. Mais je l'ai pensé, croyez-moi! Et je me suis dit que si se trouver une oreille compatissante à tous ses griefs était le but premier de sa visite chez moi, la pauvre femme n'avait qu'à faire demi-tour, car je n'avais pas la moindre envie de l'écouter se lamenter. Douze tomes en sa compagnie me suffisent largement, même si j'ai appris à découvrir une femme de cœur et de principes, au fil des mots que j'ai écrits sur elle.

Et Dieu sait que j'en ai noirci, des pages, en sa compagnie!

Mais avant que je puisse ouvrir la bouche pour lui rétorquer quoi que ce soit, Évangéline a poursuivi sur un ton las, toujours sans me regarder, comme si elle ne parlait que pour elle-même.

— Ouais, la vie a été ben dure, par bouttes, a-t-elle donc répété, tout en levant enfin la tête pour porter son regard jusqu'à l'orée du bois qu'elle peut apercevoir par la fenêtre de mon bureau.

Puis, sautant du coq à l'âne, comme elle seule arrive à le faire sans paraître ridicule, elle a souligné:

— Remarque que toé avec, t'es chanceuse, l'écrivaine, pasque t'as une verrat de belle vue! J'ai pour mon dire que c'est important d'avoir quèque chose de beau à regarder, quèque chose qui nous fait du bien à l'âme... Moé, vois-tu, quand j'étais une enfant, pis que je vivais encore chez mes parents, en campagne, je prenais du temps chaque jour pour regarder les champs qui changeaient au gré des saisons. D'être connectée avec la nature, ça me faisait du bien. Pis plus tard, quand j'observais la vie de mon quartier à partir de la fenêtre de mon salon, ça me faisait le même effet.

Puis, lentement, elle s'est tournée vers moi.

— Dans mon temps, la vie était ben différente de celle d'aujourd'hui. Ouais, ben différente... Des fois, je me dis que c'était plus facile, pasqu'on se parlait pas mal plus, pis on s'aidait vraiment les uns les autres, quand le besoin s'en faisait sentir. Remarque ben qu'on agissait comme ça aussi ben en campagne qu'en ville. J'ai connu les deux, ça fait que chus ben placée pour en parler... C'était normal, dans c'te temps-là, de penser aux autres. C'est petête pour ça que ça m'arrive encore souvent de m'ennuyer du bon vieux temps, comme y disent, des fois, dans le radio. Mais d'autres fois, je sais apprécier les inventions du monde moderne, comme la machine à faire sécher le linge... Ouais, ça, c'est une fichue de belle invention! Tu dois ben connaître ça, toé avec, non? Comme le disait justement Bernadette, l'autre jour, c'est pratique en verrat, c'te machine-là! Surtout en hiver, comme de raison. Finies les mains gercées! Mais l'été, pour pas trop l'user, on continue d'étendre le linge dehors. Là-dessus, Bernadette était ben d'accord avec moé. De toute façon, le linge sent pas mal meilleur quand y sèche au soleil, pis le blanc est plus blanc. Tu trouves pas, toé ?

— C'est bien certain.

— Me semblait aussi... *Anyway,* tout ça m'empê-chera pas de m'ennuyer de ma jeunesse pis de mon Alphonse, malgré ce que la vie m'avait réservé de bon, à travers mes malheurs... Mais j'y pense ! Tant qu'à être icitte, avec toé, pis en plus, on est toutes seules, veux-tu que je te raconte ?

L'idée est séduisante, j'en conviens, mais j'hésite quand même un peu. Je m'étais bien promis de ne jamais retourner dans ce quartier-là. J'ai encore aujourd'hui la sensation d'en avoir fait le tour, et deux fois plutôt qu'une !

Pourtant...

C'est vrai qu'Évangéline n'est plus toute jeune. Les rides et les cheveux gris en témoignent, le flé-trissement de sa peau aussi. Ce qui me donne à penser que l'entendre parler de sa jeunesse, ce serait quelque chose de nouveau pour moi. Au fil des années où j'ai côtoyé Évangéline, c'est à peine si elle a effleuré son passé. D'autant plus que j'aime bien découvrir la vie que l'on menait jadis, lorsque mes propres parents n'étaient encore que des enfants. C'est peut-être mon père, le plus merveilleux des conteurs que j'aie pu rencontrer dans ma vie, qui m'a insufflé cette envie difficilement contrôlable de souvent retourner dans le passé, à force de me parler de son enfance, de me répéter à quel point c'était agréable de vivre en ce temps-là.

Puis, voilà que le nom des Gariépy me traverse subitement l'esprit. Vous souvenez-vous? Les Gariépy étaient ces voisins qu'Évangéline détestait au point de se lever la nuit pour les maudire? J'aimerais bien savoir, en fin de compte, ce qui s'est réellement passé pour qu'elle leur en veuille à ce point. Oh bien sûr, elle en a déjà parlé, de ces quelques mois! On connaît l'existence de sa jeune sœur Estelle et de sa nièce Angéline. On a même rencontré sa sœur, la grande Georgette, une femme désagréable et de mauvaise foi, comme on en voit rarement, et on a entendu parler d'Arthémise Gariépy, son ancienne voisine et amie. Néanmoins, il me semble que j'aimerais en savoir plus.

Pas vous?

Alors, pourquoi pas?

Je vais laisser Évangéline commencer à me raconter à quoi ressemblait sa vie durant ces années qu'on a baptisées « La belle époque ». Oh! Juste un petit bout, pour voir de quoi il retourne.

Est-ce que ça vous tente? Oui?

Alors asseyez-vous avec moi pour l'écouter. Si ensemble nous trouvons que ce qu'elle a à dire est intéressant, ou amusant, ou encore émouvant, nous irons jusqu'au bout de l'histoire d'Évangéline. Sinon, je lui offrirai une tasse de thé, pour la route, et quelques biscuits maison, question de savoir s'ils sont aussi bons que ceux de Bernadette. Je lui dirai alors que j'ai un livre à écrire, mais que malheureusement, ce ne sera pas avec elle que je vais le faire.

Évangéline est une femme intelligente, elle devrait comprendre le message.

Toutefois, avant d'en arriver à prendre une décision, je vous invite à retrouver la rue cul-de-sac, celle que l'on surnomme « L'Impasse ». Nous sommes dans un coin quelconque de Montréal, tout comme dans *Mémoires d'un quartier*. Mais cette fois-ci, nous remonterons le fil des années encore plus loin pour nous arrêter en 1921. Évangéline est alors une jeune femme heureuse au bras de son mari Alphonse.

Et Adrien, le grand frère de Marcel, n'est toujours qu'un bambin.

PARTIE 1

1921-1922

CHAPITRE 1

« Y'a d'la joie, bonjour, bonjour les hirondelles
Y'a d'la joie dans le ciel par-dessus les toits
Y'a d'la joie et du soleil dans les ruelles
Y'a d'la joie partout, y'a d'la joie »

Y'a d'la joie (C. TRENET/M. EMER)
PAR CHARLES TRENET, 1936

Le 1ᵉʳ mai 1921, à Montréal, dans la rue cul-de-sac, appelée « L'Impasse » par les gens du quartier

Le bras de son mari Alphonse passé autour de ses épaules, et la main de son petit garçon Adrien emprisonnée dans la sienne, Évangéline Lacaille, née Bolduc, détaillait la maison qui se dressait fièrement devant elle. Puis, elle hocha la tête, de haut en bas avec une certaine vigueur, secouant ainsi son lourd chignon mordoré qu'elle portait sur la nuque. Visiblement, la jeune femme appréciait ce qu'elle voyait.

— Y a pas à dire, mon Alphonse, t'as ben travaillé.

— Une chance que j'étais pas tout seul, sinon, j'y serais jamais arrivé, fit remarquer l'interpellé.

Calvase! Ça va nous avoir pris ben des mois pour arriver à tout finir... Mais on est de même, nous autres, dans la construction : quand quèqu'un décide de se bâtir, on est toutes prêts à l'aider, même si les travaux sont pour durer longtemps. Pis avec nos corps de métiers différents, on aboutit à de quoi qui a ben de l'allure pour finalement un peu moins cher que si on avait donné le contrat à un entrepreneur.

— C'est ben certain ! Pis jamais je voudrais dénigrer tes amis, sont ben que trop *smattes* pour ça ! C'est pas des maudites farces, durant plus qu'un an, chaque fois que t'as eu besoin d'eux autres, y étaient là comme un seul homme. On est ben redevables à tes amis, Alphonse, chus pas une ingrate, pis je sais le reconnaître. Mais y en reste pas moins que c'était ton idée, c'te maison-là...

— C'est sûr.

— Pis en plus, c'est toé-même qui a dessiné le plan, pis qui a dit aux autres quoi faire. C'est quand même quèque chose, ça, *ronner* un gros chantier de même !

À ces mots, Alphonse redressa les épaules.

Plutôt élancé, Alphonse Lacaille était un jeune homme aux yeux bleu ciel, à la belle crinière ondulée tirant déjà sur le gris, et aux épaules carrées d'un bon travaillant. Il paraissait immense aux côtés d'Évangéline, une jeune femme délicate, pas très grande, et ma foi, assez jolie sous sa chevelure qui jetait des éclats acajou au moindre rayon de soleil. Elle avait des yeux noisette pétillants d'intelligence et de malice.

— C'est vrai que chus ben fier de moé, ma femme, concéda donc Alphonse, visiblement satisfait de ce qu'il pouvait enfin admirer dans son ensemble. Même si mon métier m'amène à dessiner toutes sortes d'affaires, je pense que j'ai pas mal ben réussi mon coup, c'te fois-citte...

— Et comment! Un bâtiment de deux étages pis trois logements, deux petits en bas pis un grand en haut pour nous autres, c'est pas mal gros... Pis cré maudit, toute se tient! C'est ben spécial de voir qu'à partir d'un crayon pis d'une feuille de papier, t'as réussi à faire une maison qui est pas toute croche.

— Pour ça, par exemple, j'y suis pour rien. C'est comme plus fort que moé : quand j'ai un crayon dans les mains, on dirait que le dessin apparaît tout seul par lui-même sur le papier...

— C'est vrai que tu dessines ben en verrat! Je sais pas trop comment le diable t'arrives à faire ça, mais des fois, on dirait quasiment une photographie, tellement c'est ressemblant.

— Tu trouves? Chus content de te l'entendre dire, pasque je me demandais si j'étais tout seul à voir ça... Je pense que si j'étais pas devenu menuisier, j'aurais peut-être aimé ça faire de la peinture...

— De la peinture? Bâtard, Alphonse, que c'est qu'y aurait d'intéressant à barbouiller des murs avec de la couleur? Ça ressemble pas à un dessin, ça là, pas pantoute, pis je trouve que...

— Non, pas peinturer de même, interrompit Alphonse, un sourire amusé sur les lèvres. J'aurais aimé ça faire des peintures comme celles qu'on accroche sur les murs... Des paysages, des portraits, des fleurs...

— Ah bon... Là, c'est clair.

Évangéline resta silencieuse un instant, soupesant ce que son mari venait de lui confier, puis elle secoua la tête et ajouta :

— Je savais que t'aimais ça en verrat, dessiner tes meubles avant de les fabriquer. Tu peux passer des heures, par bouttes, à faire juste ça sans jamais t'en fatiguer. Mais je pensais jamais, par exemple, que ton attirance pour le dessin allait jusqu'au point d'en faire un métier.

— Pourquoi pas ? Tu sauras que j'y ai pensé un peu... Passer toutes mes grandes journées à dessiner, ça me tentait en s'il vous plaît ! Mais au bout du compte, c'est l'odeur du bois, j'cré ben, qui m'a fait choisir le métier de menuisier, même si jouer avec les couleurs...

— Pis c'est un bon choix que t'as faite, Alphonse, coupa Évangéline, qui était plutôt du genre à aller droit au but sans se préoccuper des fioritures. Si je dis ça, c'est pasque tu gagnes ben ta vie, mon mari. Chus pas sûre qu'à essayer de vendre tes peintures, comme tu dis, t'aurais réussi à manger à ta faim tous les jours... Bâtard ! Y a ben juste les riches de Westmount qui peuvent avoir assez d'argent pour gaspiller de même en s'achetant des cadres qui servent à rien... J'ai pour mon dire qu'un beau crucifix en bois, pour nous faire penser à prier le Bon Dieu, un calendrier avec un beau dessin ben coloré, pis une couple de belles images de la Sainte Vierge ou de la bonne Sainte Anne, ça fait la *job* pour garnir un appartement, tu penses pas, toé? Pas besoin d'avoir des peintures qui doivent coûter les yeux de la tête pour se sentir ben chez nous! Tandis que des meubles pis des maisons, tout le monde a besoin de ça, un jour ou l'autre, dans sa vie. Ouais, t'as toutes les raisons d'être fier de toé, Alphonse, d'avoir ben choisi ton métier.

Puis, se penchant vers son fils, Évangéline ajouta:

— Pis toé, Adrien, arrête de tirer sur le bras à moman. Ça sera pas long, mon garçon, on va rentrer.

Sur ce, sachant qu'Adrien se tiendrait tranquille parce qu'il était un enfant particulièrement sage, et qu'on n'avait jamais besoin de répéter les choses avec lui, Évangéline se redressa et leva les yeux vers son mari.

— Mais si un jour tu préfères te mettre à la peinture, précisa-t-elle, tu feras ben comme tu l'entends. Dans ce domaine-là, c'est pas de ma vie qu'on parle, c'est de la tienne. Pis moé, ben, j'te fais confiance pour prendre les bonnes décisions concernant le bien de notre famille.

— Merci de le dire... Mais pour astheure, je me tanne pas de l'odeur du bois qu'on scie, pis qu'on gosse avec les ciseaux. Faire une belle moulure, un beau meuble, c'est satisfaisant en masse pour un homme comme moé, tu sauras! Pis monter des charpentes ben drettes aussi, comme de raison! Y a juste à voir notre maison pour comprendre que c'est de la belle ouvrage qui a été faite dans le plaisir de ben travailler.

À l'unisson, Évangéline et Alphonse reportèrent alors les yeux sur la grosse bâtisse grise qui se tenait au fond de la rue cul-de-sac. Faite en pierres de taille, le seul élément luxueux auquel Alphonse tenait mordicus, à cause de la durabilité du matériau, cette maison aux boiseries blanches et vert forêt avait vraiment fière allure.

— Ouais, t'as raison de parler de même, approuva alors Évangéline. On tire ben de la satisfaction devant les choses ben faites... C'est comme moé, quand je travaillais chez Ogilvy... Ajuster un vêtement pour qu'y tombe juste comme y faut, ça me plaisait pas mal. Mais j'ai toujours aimé mieux partir de rien pour coudre une robe... Pis moé, j'ai pas besoin d'un dessin pour faire ça. Encore une chance, pasque chus ben malhabile avec un crayon. Mais donne-moé un bon mannequin en broche que j'peux ajuster pour les mesures, pis j'vas te bâtir un patron dans le temps d'le dire. Pour moé, les crayons, ça sert à faire des calculs pis des lignes... Ouais, coudre une robe ou un manteau à partir de rien, ça me rend fière en verrat!

— Pis t'as ben raison de l'être! Faut toujours être fier de ce qu'on fait... *Anyway,* regarde le p'tit!

Évangéline baissa les yeux vers le blondinet frisé d'au plus deux ans, se demandant ce que leur fils venait faire dans la discussion, maintenant qu'il se tenait tranquille, tout en regardant autour de lui de ses grands yeux bleu ciel comme ceux de son père. Un pouce dans la bouche, le petit Adrien attendait sagement que ses parents aient fini de discuter.

— J'ai jamais vu un enfant ben habillé de même, poursuivit Alphonse pour expliquer sa pensée. Ça avec, ça me rend fier, tu sauras... T'avoir à mes côtés, toujours *tchèquée* comme une image de mode, pis tenir Adrien beau comme un prince dans mes bras, ça rendrait n'importe quel homme un brin vaniteux.

Peu habituée aux compliments, Évangéline se sentit rougir.

— Ben voyons donc, toé... J'vas dire comme on dit : à chacun son talent ! bougonna-t-elle, tentant ainsi de cacher son émotion.

— C'est ben certain, mais je te remercie pareil, ma femme, de savoir reconnaître le mien... Quand je regarde c'te belle grosse maison grise, pis que je me dis que c'est notre « chez-nous », à toé pis à moé, ça me fait un p'tit velours, comme disait ma défunte mère, quand on la complimentait pour quèque chose... Mais dis-toé ben, ma Line, que si j'me suis dépassé de même, c'était ben pasque je le faisais pour toé pis le p'tit, pasque je vous aime pas mal gros tous les deux.

En prononçant ces derniers mots, Alphonse avait resserré l'étreinte de son bras autour des épaules d'Évangéline, qui leva les yeux vers lui. Ils échangèrent un regard qui en disait long sur l'affection qu'ils se portaient, l'un à l'autre.

— T'es ben fin de me dire ça, murmura la jeune femme, tout en dévorant son mari des yeux.

— C'est pas pour faire mon *smatte* si j'dis ça, c'est juste pasque c'est vrai... On s'accorde ben ensemble.

— T'as raison... Pis j'pense qu'on est chanceux de ben s'adonner de même, toé pis moé. C'est pas tout le monde qui peut en dire autant. J'ai juste à me rappeler les parents chez nous pour m'en convaincre. Du temps que j'ai grandi dans leur maison, y passaient leur temps à s'ostiner pour toute.

— Moé, la chicane, j'haïs ça. Pis tu le sais. C'est un peu pour ça que je me tiens loin de ma famille, moé avec! C'est juste une bande de critiqueux qui se gênent pas pour donner leur opinion sur toute. C'est fatigant en calvase!

Sur ce, Alphonse recula d'un pas et, s'accroupissant sur les talons, il tendit les bras à son fils.

— Envoye, mon chenapan, viens voir popa!

Le petit garçon ne se le fit pas dire deux fois, et il se précipita dans les bras de son père, qui se redressa en le tenant assis sur son avant-bras. Adrien était tout souriant. Un bras accroché comme un hameçon autour du cou de son père, il aimait bien regarder le monde vu d'en haut.

— Astheure, ma belle Line, on va rentrer, avant que les voisins nous prennent pour des « m'as-tu-vu »! suggéra Alphonse. Je trouve qu'on est en train d'afficher un peu trop notre contentement, debout comme ça, toé pis moé, au beau milieu de la rue, en train d'admirer notre maison.

Évangéline observa discrètement tout autour d'elle. Depuis que les amis d'Alphonse étaient repartis avec le camion poussif qui avait transporté les quelques meubles qu'ils possédaient, incluant un vieux piano automatique que son mari avait hérité

d'un oncle récemment décédé, tous les voisins semblaient rentrés chez eux, tout comme cette Noëlla
Pronovost, qui était venue se présenter à elle.

— Pour vous accueillir dans le quartier, avait-elle
prétendu en s'avançant vers elle.

Intimidée, Évangéline s'était contentée de
décliner son nom.

Mais là, présentement, il n'y avait pas âme qui
vive.

— Mais, t'as petête pas tort, approuva cependant
la jeune femme, en glissant la main sous le bras de
son mari. On sait jamais qui peut écornifler par les
fenêtres ! Ça fait que oui, on va rentrer chez nous,
dans une maison qui s'adonne à être la plus belle de
la rue, pis ça, mon homme, y a pas personne qui va
me faire dire le contraire !

— C'est vrai que c'est la plus grosse de la rue.

— Ben voyons donc, toé ! C'est pas pasqu'a' l'est
la plus grosse que je dis qu'est belle... Avec son
bel escalier tourné, pis ses fenêtres à carreaux,
a' l'a plus que du bon sens, notre maison. Astheure,
y reste juste à se trouver des bons locataires pour
les deux p'tits logements du bas, pis la vie va être
parfaite !

— Ça, c'est ben parler, ma Line ! Surtout que je
dois encore une beurrée à la banque... Mais c'est
pas grave. J'vas travailler pour deux, pis un jour,
a' va être à nous autres, c'te maison-là. De la cave
au grenier. Pis en attendant, on se trouve à être ben
confortables pour élever notre famille... Pasque c'est

comme rien qu'Adrien sera pas notre dernier, hein, ma femme ?

Ce fut sur ces paroles remplies d'espoir heureux qu'Évangéline et son mari se dirigèrent ensemble vers leur maison, main dans la main, la tête haute et le cœur content. Ils avaient toute la vie devant eux, ils s'aimaient profondément, et leur petit Adrien, sage et gentil comme il l'était, ferait assurément le meilleur des grands frères.

* * *

Depuis qu'elle avait emménagé dans sa maison, et quand il faisait beau, Évangéline avait pris l'habitude de venir attendre son Alphonse sur la galerie, tous les jours de la semaine, en fin d'après-midi. Sauf le dimanche, bien entendu, alors qu'Alphonse ne travaillait pas. Ce jour-là, ils se rendaient à l'église, toujours main dans la main. Le petit Adrien profitait de l'occasion pour observer le quartier, bien installé sur le bras de son père, et un peu plus tard, après la messe, il découvrait le plaisir de manger de la crème glacée, assis sagement à côté de sa mère, sur l'une des banquettes du casse-croûte Chez Albert, qui venait tout juste d'ouvrir ses portes au coin de leur rue. Sinon, du lundi au samedi, Évangéline faisait en sorte que le souper soit prêt tôt pour pouvoir venir s'asseoir sur la galerie, et quand il pleuvait, elle surveillait l'arrivée de son homme depuis la fenêtre du salon. Elle prétendait que d'admirer la rue qui s'ouvrait devant elle valait bien tous les champs de blé d'Inde du monde, à l'image de ceux qu'elle avait pu contempler à satiété depuis la maison de ses parents, à Saint-Eustache, quand elle était enfant.

En effet, afin d'aider sa mère qui en avait plein les bras avec sa famille nombreuse, Évangéline avait quitté l'école très jeune. Elle n'avait jamais su pourquoi son père avait jeté son dévolu sur elle, puisque la petite Évangéline avait deux sœurs plus âgées, Georgette et Murielle. Toutefois, ses deux grandes sœurs avaient alors déjà quitté la maison, car elles travaillaient comme bonnes au village. Malgré cela, Évangéline s'était dit que l'une d'entre elles aurait pu revenir pour aider leur mère, afin qu'elle-même puisse rester à l'école le plus longtemps possible. Mais la petite fille n'avait rien dit, rien demandé. Chez les Bolduc, on ne commentait jamais les décisions du paternel. N'empêche que c'est la mort dans l'âme qu'elle avait laissé tomber l'école, à tout juste dix ans, essayant de se convaincre que les études, après tout, c'était sans importance pour une fille parce que, au bout de la ligne, elle allait finir par se marier et rester à la maison, comme la plupart des femmes le faisaient. De toute façon, son père l'avait dit : « Pour une femme, savoir lire pis compter, c'est ben en masse ! »

Heureusement, sa mère était une femme avisée.

Voyant la déception qui se lisait sur le visage de sa fille, elle lui avait confié les soins à donner aux poules et aux agneaux.

— On va dire que ça va faire comme une sorte de récréation à travers tes journées. Comme si t'étais encore à l'école !

— C'est ben que trop vrai... Merci moman, c'est ben gentil de votre part, d'avoir pensé à ça ! En plus, j'aime vraiment ça m'occuper des moutons, sont toutes doux. Mais les poules, par exemple, je les haïs en verrat, pasqu'elles picossent mes mains quand j'vas chercher les œufs.

— Petête ben, mais oublie jamais que c'est avec les œufs qu'on peut faire des crêpes, ma fille, pis que t'aimes ça en s'y vous plaît, des crêpes, quand sont ben arrosées de m'lasse ! Ça va petête t'aider à moins haïr les poules... De toute manière, ça prend quèqu'un pour y voir, pis j'ai décidé que ça serait toé, rapport que j'ai pas le temps de toute faire ici d'dans... T'as rien à redire là-dessus.

— Ouais, moman. C'est ben certain que c'est vous qui décidez.

— Je voudrais ben te voir penser autrement ! avait alors souligné sa mère, en la tançant du doigt.

Puis, le ton s'était radouci. Si la petite Évangéline n'avait pas froid aux yeux et savait dire clairement ce qu'elle pensait, il n'en restait pas moins qu'elle était une enfant obéissante, ce que sa mère appréciait grandement.

— Par contre, quand l'hiver va être pogné pour de bon, avait-elle ajouté gentiment, pis si tu fais ton travail ben comme y faut durant tout l'été, comme de raison, j'vas te montrer à te servir du moulin à coudre. J'pense que t'as les jambes assez longues, astheure, pour arriver à toucher à la pédale à bascule. Tu vas voir! C'est ben agréable de réussir à faire du linge pour habiller les p'tits.

Effectivement, Évangéline avait vite admis que fabriquer un pantalon ou une veste avec pas grand-chose d'autre que les vêtements usés des plus vieux lui procurait une bonne dose de satisfaction.

Ça valait pour la couture, certes, mais aussi pour le tricot, qu'elle avait appris un peu plus jeune à l'école. Partir du mouton pour aboutir à une tuque ou des bas la rendait très fière d'elle-même.

Et ma foi, la petite Évangéline était plutôt habile de ses dix doigts! Au point où ses frères, qui ne disaient pas grand-chose à part un bref merci marmonné après les repas, avaient apprécié les bas tricotés par leur jeune sœur et le lui avaient dit.

— T'es grosse comme un pou, mais tu sais y faire, la sœur! Sont chauds en gériboire, tes bas! C'est ben confortable pour travailler aux champs.

Ce compliment avait mis un baume sur la déception d'Évangéline qui, autrement, se voyait plutôt comme la servante de ces trois grands garçons, quasiment des hommes, qui mangeaient en sapant et qui lançaient parfois des blagues grivoises qu'elle ne comprenait pas nécessairement, mais qui la faisaient tout de même rougir, à cause des mots crus qu'elle entendait.

Et tous les matins, de septembre à juin, la jeune Évangéline continuait d'envier ses deux plus jeunes frères, qui avaient la chance de partir pour le village afin d'aller à l'école. Le temps d'un soupir discret, elle les suivait des yeux, alors qu'ils gambadaient le long du rang, puis quand ils disparaissaient derrière l'érablière de leurs voisins, elle se retroussait les manches pour aider sa mère, là où elle avait le plus besoin d'elle, gardant la couture et le tricot pour le soir, ce qu'elle voyait comme une récompense à la fin d'une longue journée bien remplie.

En fait, dans sa famille, il n'y avait eu que sa grande sœur Georgette pour se moquer d'elle, devant son engouement pour la couture.

— T'es ben niaiseuse de te pâmer devant une paire de culottes que t'as faites avec les vieux pantalons du père ! Ça a l'air d'une guenille, ton affaire. Moé, tu sauras, c'est du linge « neu » que je porte, pis pas d'autre chose.

Mortifiée, la jeune Évangéline en avait ravalé quelques larmes pour ne pas se donner en spectacle devant la grande Georgette. Et dans son cas, le mot « grande » ne s'appliquait pas uniquement à son rang dans la famille, puisqu'elle en était l'aînée des filles !

En effet, Georgette Bolduc était une sorte de géante qui devait frôler les six pieds. Toutefois, personne ne savait pourquoi elle avait poussé comme une asperge, les parents étant plutôt bas sur pattes.

Cela faisait quelques années que la grande Georgette travaillait comme domestique chez le médecin du village quand elle avait annoncé, au souper du dimanche, que bientôt, elle partirait pour la ville.

— Avec la fille du docteur qui se marie à l'été pis qui va avoir besoin d'une bonne...

Depuis, chaque fois que Georgette était revenue pour une courte visite chez les parents, elle faisait sa fraîche.

— On rit pus, la mère, je vis dans une grande maison de trois étages, pis le soir, je me promène en ville ousque j'ai l'occasion de voir du beau monde... Ouais, du ben beau monde. Je vous le dis : dans pas longtemps, moé avec, j'vas me marier, pis j'vas avoir une belle maison juste à moé ! Pis toé, Évangéline, pendant ce temps-là, tu vas continuer à coudre tes guenilles sur un rang perdu de Saint-Eustache, pis à frotter les planchers pasque la mère te le demande. Tu parles d'une vie !

Ce fut à partir de ce moment-là qu'Évangéline avait décrété que dans le cas de Georgette, être désagréable allait de pair avec le fait qu'elle était démesurément grande : les deux attributs étaient poussés à l'extrême, et elle la trouvait terriblement énervante. Ce fut ce même jour que la pauvre Évangéline, qui craignait et détestait la grande Georgette, avait décidé de l'ignorer, et dès lors, elle n'y avait plus pensé.

Il n'en demeure pas moins qu'elle avait suivi ses traces, quelques années plus tard. À dix-sept ans, à l'automne 1915, elle avait quitté Saint-Eustache pour venir tenter sa chance à Montréal. Évangéline avait la très nette impression d'avoir fait le tour de son village, plus souvent qu'autrement, et elle en avait assez d'obéir aux ordres de ses parents et de ses trois frères aînés. Une brève fréquentation avec son jeune voisin Onésime avait rapidement scellé son avenir :

Évangéline Bolduc n'avait aucune envie de ressembler à sa mère en devenant la femme d'un cultivateur, né pour un petit pain. Un bon samedi, sa valise en carton bouilli à la main, et deux grosses piastres au fond d'une poche, Évangéline avait quitté son village pour se rendre à Montréal, et personne n'aurait pu la faire changer d'idée. Seule sa petite sœur Estelle avait pleuré à son départ, sachant fort bien que très bientôt, ce serait elle qui prendrait la relève auprès de leur mère. C'était leur père qui l'avait déclaré, et il avait ajouté qu'Évangéline partie, ce serait une bouche de moins à nourrir.

Heureusement, Georgette s'était mariée entre-temps, exactement comme elle l'avait prédit, et elle avait déménagé ses pénates à Québec. Évangéline ne risquait donc pas de tomber sur elle en pleine rue à Montréal.

Ayant appris à être débrouillarde par la force des choses, Évangéline avait vite compris qu'à défaut d'être instruite, elle avait un beau talent, et c'était la couture. Elle avait donc offert ses services dans les grands magasins de la rue Sainte-Catherine et c'est chez Ogilvy qu'elle avait trouvé un emploi.

La première année avait été passablement difficile. Elle logeait dans une chambre en demi-sous-sol, et elle ne mangeait qu'un seul repas par jour, le midi, afin d'économiser le reste de sa paye pour s'acheter un moulin à coudre qui lui permettrait peut-être d'arrondir les fins de mois en offrant ses services aux bien nantis. Si Évangéline Bolduc n'avait pas d'instruction, elle avait cependant la volonté farouche d'une femme décidée, qui voulait réussir à tout prix et en mettre plein la vue à sa sœur Georgette, si par malheur, il arrivait un beau dimanche qu'elle la croise chez leurs parents.

Son opiniâtreté avait finalement porté fruit, et ce fut précisément le jour où elle venait d'acheter ladite machine à coudre, qui lui serait livrée le lundi suivant, alors qu'elle ne travaillait pas en matinée, faute de clientèle au magasin, qu'elle avait croisé un beau jeune homme dans l'ascenseur qui redescendait au sous-sol où se trouvait l'atelier de couture. Sa première réflexion avait été que ce garçon était beaucoup trop grand pour être gentil, l'image de sa sœur Georgette s'étant vite substituée à celle du grand jeune homme de l'ascenseur. Par contre, cet inconnu avait les plus beaux yeux bleus qu'elle n'ait jamais vus.

Et la petite brunette aux yeux pétillants n'était pas passée inaperçue, elle non plus !

Le soir même, Alphonse Lacaille l'attendait à la porte du magasin pour se présenter et lui offrir de prendre un café.

Et la jeune femme avait dit oui !

Sans le savoir, Évangéline venait de sceller son avenir.

Quelques rencontres, et les deux jeunes gens avaient compris qu'ils étaient faits l'un pour l'autre. Le moindre petit baiser volé donnait des palpitations à la jeune Évangéline. Tout rouge d'embarras, Alphonse avait confié qu'il en était de même pour lui.

Trois mois plus tard, en avril, ils se mariaient en toute sobriété à l'église de Saint-Eustache, non parce qu'Évangéline tenait tellement à souligner l'événement avec sa famille, mais bien parce que les règles de l'époque le voulaient ainsi. La mariée portait une jolie robe de dentelle qu'elle avait elle-même cousue, en soustrayant quelques heures à son sommeil chaque nuit, et le marié avait fait l'achat d'un pantalon et d'une chemise neuve. Heureusement, comme la grande Georgette était « en famille », selon l'expression consacrée, elle avait décliné l'invitation.

Évangéline avait tout juste dix-neuf ans.

Elle quitta donc sa chambre sombre pour un petit « deux pièces », lumineux mais bruyant et nauséabond, car il était situé au-dessus d'un garage. Mais peu importe! À ses yeux de jeune femme mariée, c'était là le plus bel endroit au monde. Toutefois, Évangéline Bolduc, dite maintenant Lacaille, continua de travailler, question d'occuper ses journées.

— J'peux pas m'imaginer en train de tourner en rond chez nous en t'attendant, Alphonse. Demande-moé pas ça... C'est au-dessus de mes forces de passer des grandes journées à rien faire!

Elle attendit donc la naissance de son premier enfant, le petit Adrien, pour abandonner son poste chez Ogilvy, et ce fut le jour où l'on souligna le premier anniversaire de leur fils, en février 1920, que son mari Alphonse lui apprit qu'il possédait un terrain, situé un peu plus loin, vers le nord de l'île.

— Me semble, calvase, astheure que toute va ben, pis qu'on a un p'tit, me semble, ouais, que ça serait le temps d'avoir une maison ben à nous autres. Avec un enfant qui se traîne partout, ça commence à être petit, icitte, pis c'est pas le diable agréable pour toé d'entendre les bruits du garage à cœur de journée.

— Ben voyons donc, toé... On aurait-tu ces moyens-là pis je serais pas au courant ?

— Hé !

— Cré maudit ! Ça me paraît gros en verrat, un projet comme ça, Alphonse ! Ben gros... Mais si tu le dis...

Projet ambitieux s'il en était un, Évangéline n'avait pas tort, mais il s'était tout de même réalisé en un peu plus d'un an, et avait trouvé sa conclusion quelques mois après que le petit Adrien eut fêté ses deux ans. Inutile de dire qu'Évangéline en avait profité pour se remettre à la couture ! Tant pour habiller son fils qui grandissait comme de la mauvaise herbe que pour garnir la maison, d'ailleurs, car son mari voyait grand, très grand. Pensez donc, il avait dessiné un immeuble de trois logements ! Cela faisait bien des fenêtres à garnir, des draps et des nappes à coudre.

— On rit pus ! lançait joyeusement la jeune femme, on va même avoir une salle à manger, comme chez les riches. C'est pas des maudites farces, ça là ! Moé, Évangéline Lacaille, m'en vas avoir un appartement assez grand pour recevoir du monde à manger chez nous. C'est-tu pas beau à voir, ça ! J'en reviens pas. Chez mes parents, on avait jamais de visite, pasque ma mère haïssait ça; pis icitte, en ville, y avait jamais assez de place pour ça. *Anyway,* pour les amies, on peut ben repasser : j'ai jamais eu le temps de m'en faire! Ça fait que j'aurais eu personne à inviter, maudit verrat!

Puis, un éclat malicieux avait traversé les yeux noisette qui venaient de se poser sur Alphonse.

— J'vas dire comme toé, mon mari, quand tu parles de ta mère : me semble que ça me ferait un p'tit velours d'inviter la face crasse à Georgette. A' verrait ben que chus pas une tout nue, bâtard! Mais en attendant, on invitera tes chums à venir passer des veillées chez nous, faute que j'aye moi-même des amies!

Effectivement, un peu par la force des choses et des événements, Évangéline était devenue quelqu'un d'un peu farouche qui ne se liait pas d'amitié facilement.

Et cela se poursuivait, malgré son récent déménagement.

Elle n'avait pas plus d'amies ici, dans son nouveau quartier, qu'auparavant, quand elle vivait à la campagne, ou lorsqu'elle travaillait chez Ogilvy. Les seuls amis qui passaient le seuil de leur maison étaient toujours ceux de son mari Alphonse.

Oh! Sur leur rue, il y avait bien quelques femmes de son âge, qui la saluaient gentiment quand elle marchait devant leur maison et qu'elles-mêmes étaient sur leur terrain. Mais aux yeux d'Évangéline, ce n'était pas suffisant pour avoir envie de piquer une jasette avec elles, et encore moins de se confier en prenant une tasse de thé, laquelle était refusée de façon systématique. Elle rendait poliment la salutation parce qu'elle avait été bien élevée, échangeait un mot ou deux sur la météo, puis elle poursuivait son chemin, qui la conduisait invariablement soit à l'épicerie de monsieur Benjamin Perrette, parce qu'il fallait bien manger, soit à l'église, car elle était une fervente pratiquante, et que le jeune curé de la paroisse, un certain Marcellin Ferland, avait toujours quelque chose d'intéressant à dire quand venait le temps du sermon. Même la gentille Noëlla Pronovost, rencontrée lors du déménagement, n'avait pas encore réussi à lui faire accepter une invitation.

Non, Évangéline préférait rester chez elle avec son fils Adrien. Elle continuait de coudre à l'occasion pour garder la main, disait-elle, et parce que cette activité lui plaisait beaucoup. Comme Adrien était un enfant plutôt sage et toujours de bonne humeur, elle pouvait aisément voir à sa maison et aux repas, faire ses dévotions et ses commissions, s'occuper du lavage et du repassage, et se réserver de bons moments pour le tricot ou la couture.

— Verrat qu'y est tranquille, cet enfant-là! soulignait-elle souvent à son Alphonse. Y a dû attraper ça de toé, la sagesse pis la bonne humeur, pasque moé, je serais plutôt du genre malendurante.

— Voyons donc, ma belle Line! T'es pas malendurante pantoute. T'as juste du caractère, c'est toute! Pis moé, ben, j'aime ça! Ça fait que viens surtout pas me dire que t'as l'humeur sombre, pasque m'en vas te répondre que ça se peut pas.

— C'est ça, Alphonse, dis donc tusuite que chus menteuse pis que j'me connais pas pantoute !

— C'est pas ce que j'ai dit, pis c'est pas ce que je pense, non plus... C'est juste que tu passes tes journées à chanter.

— Ouais, t'as pas tort... C'est vrai que la musique a toujours réussi à me radoucir le caractère.

— Bon, tu vois ben que j'ai raison ! J'ai dans l'idée que du monde qui chante à longueur de journée, ça peut pas être du monde malendurant, comme tu prétends.

— Mettons, ouais... Veux-tu que j'te dise de quoi, Alphonse ?

— Quand ben même je dirais non, y a un p'tit quèque chose qui me laisse croire que tu me le dirais pareil.

— Cré maudit, ça serait-tu que tu te moques de moé, mon mari ?

— Un p'tit peu... Pis, c'est quoi que tu veux me dire ?

— C'est petête ben un brin exagéré, mon affaire, mais un jour, quand on sera plus riches, j'aimerais ça ben gros avoir un appareil pour les *records*. Me semble que ça doit être plein d'agrément de mettre la musique qu'on aime quand on veut.

À ces mots, Alphonse était resté un moment silencieux, en hochant la tête et en tirant sur sa pipe. C'était dans sa nature de bien réfléchir avant de répondre.

— C'est vrai que ça doit être agréable, t'as ben raison, avait-il enfin admis, après avoir exhalé un nuage de fumée odorante. Un jour, ma Line, un jour, on aura un gramophone. Je te le promets, calvince!

Et c'est à cela que pensait Évangéline en ce moment, espérant apercevoir bientôt son mari au bout de la rue : au gramophone qu'ils auraient peut-être un jour et au bébé qui naîtrait au printemps, parce que maintenant, c'était officiel : Évangéline attendait un deuxième enfant.

La jeune femme avait tout de même attendu avant d'en parler. Elle voulait être bien certaine de son affaire pour ne pas décevoir son homme, qui espérait une grosse famille. Mais là, après plus de deux mois sans ses règles et quelques petites nausées matinales, il n'y avait plus aucun doute possible, et c'était aujourd'hui qu'elle allait annoncer la bonne nouvelle à son mari. Si elle ne se trompait pas dans ses calculs, en mai prochain, Adrien serait devenu un grand frère.

— Bâtard que ça me fait plaisir, murmura Évangéline en donnant un coup de talon sur le plancher de la galerie pour mettre sa chaise berçante en branle, une main posée sur son ventre encore plat, tandis qu'à ses côtés, Adrien empilait des blocs colorés.

Le temps d'un sourire en se répétant qu'ils étaient chanceux d'avoir un fils aussi tranquille et d'espérer que le prochain soit aussi sage, puis Évangéline déclara pour elle-même, tout en reportant les yeux au bout de la rue :

— Pis ce qui serait encore mieux, c'est que ça soye une fille. Là, c'est vrai que le moulin à coudre se ferait aller! Bâtard de la vie que ça me tenterait de faire des p'tites robes, pis des capines!

Et comme Évangéline ne tenait pas particulièrement à ressembler à sa mère, elle ajouta, la tête déjà remplie de chiffon rose et de jolies poupées en cire:

— Pis ça nous ferait une belle famille, à Alphonse pis moé. Lui, y aurait son gars, comme de raison, pis moé, ben, j'aurais ma fille... Cré maudit! Comme ça, tout le monde serait content, pis je pense que mon mari pourrait peut-être accepter qu'on s'arrête là.

Sur ce, Évangéline poussa un long soupir en se disant que deux beaux enfants en santé, ce serait déjà mieux que la veuve Sicotte, au bout de la rue.

À cette pensée, Évangéline tourna la tête pour regarder la maison à lucarnes qui se tenait un peu en retrait à sa droite, juste avant l'intersection.

— Pauvre femme, murmura-t-elle alors. Est vraiment pas chanceuse d'avoir perdu son mari à la guerre avant d'avoir eu le temps de partir la famille. Ça doit être pire que toute, ça là. Faudrait ben que j'me décide d'aller la voir un jour.

Ensuite, Évangéline se signa pour conjurer les mauvais sorts, sait-on jamais ce qui peut arriver, puis elle reporta les yeux sur l'affiche du casse-croûte qui se balançait au vent doux de cette belle journée d'octobre. Ce monsieur Albert, nouveau venu dans le quartier, avait déjà la réputation d'offrir les meilleures patates frites de la ville, et on venait d'un peu partout pour y goûter.

Au même instant, son Alphonse tournait le coin de la rue, sa boîte à lunch en fer-blanc pendue à une main, et son coffre à outils à l'autre.

La jeune femme se redressa, le cœur battant, affichant aussitôt un large sourire. Cet homme-là, c'était assurément la meilleure chose qui lui soit arrivée dans la vie.

— Regarde Adrien! lança-t-elle vivement, tout en pointant le bout de la rue avec l'index. C'est popa qui s'en vient, là-bas! On va-tu le chercher ensemble, toé pis moé?

— Popa?

Le bambin leva la tête et, l'approchant des barreaux de la rampe, il y encadra son visage pour regarder la rue à son tour.

— Ben oui, c'est popa, reconnut-il joyeusement.

Tout souriant, le petit garçon était déjà debout. Du bout d'une bottine, il repoussa ses blocs pour se frayer un chemin, et il s'élança vers l'autre côté de la galerie.

— Vite moman, j'veux aller le voir tusuite!

— Bâtard, Adrien, j'peux toujours ben pas aller plus vite que mes jambes... Pis attends-moé pour descendre l'escalier! C'est dangereux en verrat un escalier en tire-bouchon, comme ça!

Devant cette recommandation répétée à moult reprises, le bambin leva les yeux au ciel, affichant une mimique découragée.

— Oui, moman, j'attends, déclara-t-il, le plus sérieusement du monde, tout en tendant une main vers sa mère.

Mais dès qu'ils furent sur le trottoir en bois, Évangéline lui donna une petite poussée dans le dos.

— Envoye, mon homme, vas-y! Astheure, tu peux courir.

Adrien ne se le fit pas dire deux fois.

— Attendez-moé, popa! J'arrive.

Aussitôt, on entendit le claquement de ses bottines brunes sur le bois, un bruit joyeux qui faisait toujours soupirer Évangéline de bonheur.

— Verrat que ça me prend pas grand-chose pour me sentir heureuse, moé, murmura la jeune femme, tout en se dirigeant vers son mari, qui avait déposé ses deux boîtes sur le trottoir pour ouvrir tout grand les bras à son fils.

L'instant d'après, la petite famille était réunie, et ce fut en échangeant les nouvelles du quotidien que les Lacaille retournèrent chez eux. Discrète de nature, Évangéline attendit que la porte de la cuisine se soit refermée sur eux pour s'approcher d'Adrien. Elle avait à lui parler et, sait-on jamais, les locataires d'en bas avaient peut-être ouvert les fenêtres pour profiter du bon air de l'automne. Évangéline Lacaille n'avait pas envie que tout le quartier soit au courant de ce qu'elle considérait encore comme quelque chose de privé.

Tandis qu'Alphonse déposait sa boîte à lunch à côté de l'évier, elle s'accroupit pour être à la hauteur du petit Adrien et elle lui chuchota à l'oreille:

— Tu te rappelles-tu c'est quoi moman t'a dit, t'à l'heure?

Le petit garçon fronça les sourcils, sembla chercher un instant, puis un beau sourire fleurit sur ses lèvres.

— Ouais, je pense...

Puis, avec une mine de conspirateur, Adrien regarda autour de lui, avant de chuchoter, les deux mains entourant l'oreille d'Évangéline :

— Mais c'est un secret.

La jeune femme esquissa un sourire. Son fils était haut comme trois pommes et déjà, il se comportait comme un grand.

— T'as toute ben compris, Adrien, glissa-t-elle dans le creux de son oreille, à son tour. Moman est pas mal fière de toé, pasque c'est vrai que c'est un beau secret, pis que j'ai dit qu'y faut pas en parler... Mais on le dit-tu pareil à popa, notre secret ?

Adrien plissa le nez, de toute évidence surpris.

— On peut ?

— Ben oui. À popa, on peut toujours toute dire. Pis c'est toé tout seul qui va parler. Pasque t'es rendu grand, astheure.

Trop heureux de voir que sa mère lui faisait confiance, Adrien se tourna promptement vers Alphonse, qui, du haut de ses six pieds quatre pouces, avait les fesses appuyées sur le bord du comptoir, et observait la scène, visiblement amusé.

— Ça m'a l'air que t'aurais de quoi à me dire, Adrien ?

— Ouais, popa.

Sur ce, le petit garçon tourna brièvement les yeux vers sa mère, qui l'encouragea d'un sourire. De toute évidence, Adrien cherchait les mots, les bons mots, ceux que sa mère lui avait confiés.

— Envoye, encouragea Évangéline, t'es capable !

— Ça serait-tu que pour souper, on va manger des patates routies comme j'aime ? suggéra alors Alphonse.

Adrien se tourna vivement vers lui.

— Ben non, voyons ! Des patates routies, c'est pas un secret pantoute.

— Oh ! Pasque c'est un secret, ton affaire ?

— Ouais... C'est moman qui dit ça comme ça. Un beau secret qui dit que...

Adrien fronça de nouveau les sourcils et se gratta la tête. Puis, tout d'un coup, il refit un sourire. De soulagement, cette fois.

— Ouais, c'est un secret qui dit que bientôt, j'vas avoir un p'tit frère ou une p'tite sœur.

Aussitôt ces quelques mots prononcés, Adrien se tourna vers Évangéline en quête d'approbation. La jeune femme se contenta de poser la main sur la tête de son fils, car en ce moment, elle n'avait d'yeux que pour son mari, qui la regardait intensément.

— C'est ben vrai ce que le p'tit vient de m'annoncer ?

— Je pense pas qu'Adrien aurait pu inventer ça tout seul.

— Calvase, t'as ben raison ! C'est niaiseux en s'il vous plaît, ce que j'viens de demander là. C'est pasque chus tout ému, aussi... Tu peux pas savoir, ma belle Line, à quel point tu fais de moé un homme heureux...

L'instant d'après, Évangéline était blottie tout contre son mari, qui lui murmurait des mots d'amour à l'oreille, tandis que de la main, elle caressait les boucles blondes de son petit Adrien.

En ce moment, la jeune femme était tellement heureuse que le premier réflexe qui lui vint à l'esprit fut de remercier le Ciel d'être aussi bon envers elle. Envers leur famille. Et deux larmes de bonheur glissèrent sur sa joue quand Alphonse l'embrassa.

CHAPITRE 2

Le 13 décembre 1921, dans la cuisine des Lacaille, en fin d'après-midi

Perplexe, Alphonse relut la lettre qu'il venait de recevoir. Écrite par sa belle-sœur Ange-Aimée, elle se voulait une invitation de son frère Conrad à venir célébrer le jour de l'An chez lui.

Alphonse secoua la tête. Il ne comprenait pas. Depuis quand les Lacaille avaient-ils envie de célébrer ensemble ? Les réunions familiales remontaient à la nuit des temps. Au moins !

Au décès de leur mère, survenu quelque temps seulement avant sa rencontre avec Évangéline, seules les deux jeunes sœurs d'Alphonse avaient été

51

présentes aux funérailles. En effet, à ce moment-là, son frère Edmond avait fui la conscription, et personne ne savait où il s'était caché. Quant à son autre frère, Conrad, il faisait partie des soldats canadiens qui survivaient péniblement dans les tranchées, en France, sans se douter qu'au pays, sa femme Ange-Aimée venait de donner naissance à un petit garçon, baptisé Joseph. Quant à Alphonse, s'il n'avait pas fait la guerre, c'était qu'il ne restait que lui dans la famille pour voir à leur mère, alors âgée et malade, et les dirigeants de l'armée en avaient tenu compte.

Au retour de Conrad, en 1918, Alphonse avait vite compris que la guerre et le fait d'être père n'avaient pas vraiment assagi son jeune frère, et que l'habitude de lever le coude à la moindre excuse semblait ancrée toujours aussi profondément en lui. Alphonse avait bien tenté de le raisonner, sans obtenir le moindre résultat. Conrad avait soutenu avec fermeté et conviction que la vie dans les tranchées l'avait laissé faible et enclin aux douleurs de toutes sortes, ce qui lui donnait certains droits. Dans la foulée de cette perspective, Conrad avait décidé de ne travailler qu'un jour sur deux, quand ce n'était pas un jour sur trois, les deux autres servant à boire et à cuver son vin. Comme journalier, il ne choisissait que des travaux légers et sans responsabilités.

Ayant appris à la même époque que leur plus jeune frère, Edmond, s'était finalement établi aux États-Unis, dans le Connecticut, les autres membres de la famille Lacaille s'étaient alors éparpillés à travers le Québec : Conrad dans le bas de la ville, et les deux filles dans la région de Trois-Rivières. Alphonse estimait que c'était une bonne chose. Il ne se sentait plus aucune affinité avec ses frères, et il n'avait pas vraiment envie de se sentir obligé de fraterniser avec eux. Moins il les verrait, mieux il se sentirait. Quant à ses deux sœurs, elles formaient depuis toujours un clan où les garçons de la famille n'avaient jamais eu leur place, et Alphonse ne s'en portait pas plus mal. De toute façon, avant même la fin de la guerre, son mariage avec Évangéline avait scellé sa décision : dorénavant, le mot « famille » ferait référence à celle qu'il voulait bâtir avec sa femme, et tant pis pour les autres !

Mais voilà que Conrad le relançait.

Alphonse soupira et déposa la feuille de papier sur la table, en lissant machinalement les plis, avant de tourner la tête vers Évangéline, qui s'affairait à mettre le couvert pour le souper.

— Prends le temps de t'assire une menute, ma femme, demanda-t-il, pis lis donc ça... J'aimerais ben ça savoir ce que t'en penses.

S'essuyant les mains sur son tablier, la jeune Évangéline tira une chaise vers elle et s'installa devant son mari. Puis, elle tendit la main.

— J'espère juste que la personne qui t'a envoyé c'te lettre-là a une belle main d'écriture, expliqua-t-elle en bougonnant, pasque chus pas tellement bonne pour déchiffrer ça, moé, les pattes de mouche.

— C'est justement pasque sa femme Ange-Aimée est capable de tracer des belles lettres ben rondes que mon frère y a demandé d'écrire en son nom. Lui, y est pourri là-dedans, pasqu'y était pas ben bon à l'école. Y s'est juste contenté de signer en bas.

— Oh... Pasque c'est ton frère qui...

— Ben oui, calvase! coupa Alphonse, visiblement décontenancé. C'est Conrad qui m'a fait parvenir c'te papier-là... Envoye, Évangéline, lis-moé ça jusqu'au boutte, pis après, tu me donneras ton avis.

La jeune femme s'appliqua à lire tranquillement, en suivant les mots avec l'index, comme on le lui avait appris à la petite école, parce que pour elle, la lecture restait, encore aujourd'hui, quelque chose de difficile. Quand elle arriva au dernier mot, sans avoir buté sur aucun d'entre eux, Évangéline poussa un discret soupir de soulagement. Elle détestait passer pour une ignare. Après tout, ce n'était pas de sa faute si son père l'avait retirée de l'école trop vite! Puis, elle relut le tout, pour être certaine qu'elle n'avait rien oublié. Finalement, elle leva les yeux vers son mari.

— Verrat, Alphonse, que c'est qui se passe avec toé? Pourquoi tu m'as demandé de lire ta lettre? Me semble que c'est clair.

— C'est sûr que c'est clair, y est pas là, le problème... J'veux juste savoir ce que toé, t'en penses.

La voix d'Alphonse n'avait pas sa chaleur habituelle. Évangéline fronça les sourcils.

— Ben... C'est juste une invitation, non?

— Ouais, je sais ça.

— Pourquoi, d'abord, on dirait que t'es inquiet?

— Chus pas inquiet pantoute!

— Verrat d'affaire, Alphonse! Prends-moé pas pour une tarte, icitte à soir! Je le vois ben dans tes yeux pis je l'entends dans ta voix que ça fait pas ton affaire, c'te lettre-là.

— Mais ça veut pas dire que chus inquiet pour autant. Mettons que chus préoccupé. Ouais, c'est le mot que je prendrais pour dire comment je me sens : préoccupé pis ben surpris. Tu sauras, ma belle Line, que cette invitation-là soulève ben des interrogations de ma part.

— Ah ouais? Je comprends pas vraiment pourquoi. Mais si tu veux mon avis quand même, moé, au contraire de toé, je dirais que c'est plutôt gentil de penser à nous autres comme ça.

— Ouais... C'est vrai que pour quèqu'un qui connaît pas mon frère, ça peut avoir l'air gentil. Mais chus sûr qu'y se cache de quoi en arrière de ça. C'est pas le genre à Conrad de faire des finesses gratis. Non, pas son genre pantoute. Pis chus loin d'être certain d'avoir envie de savoir ce qui me pendrait au bout du nez, advenant qu'on déciderait d'y aller. D'autant plus que Conrad a le coude léger, pis qu'au jour de l'An, c'est justement l'occasion de prendre un p'tit coup.

— Pis ça? Mes frères avec, y prennent un coup de temps en temps. Je sais un peu à quoi ça ressemble, un homme en boisson, crains pas, pis ça me fait pas vraiment peur.

— Pour un homme normal, je dis pas. Mais Conrad, lui, y a le vin mauvais, comme j'ai déjà entendu dire. Ben mauvais...

— Maudit bâtard, Alphonse! T'es-tu en train de me dire que t'aurais peur de ton frère?

— Pantoute, ma belle Line! Mais c'est toujours ben désagréable, un homme qui s'ostine avec tout le monde, pis qui lève le ton pour pas grand-chose.

L'image de ses frères en train de se chamailler et celle de son père levant le poing pour les calmer traversa l'esprit d'Évangéline.

— Pour ça, t'as pas tort, admit-elle aisément, espérant ne jamais revivre de chicanes comme il y en avait parfois chez ses parents.

Pendant ce temps, Alphonse poursuivait.

— Ça fait que je le sais pas pantoute si ça me tente de m'ostiner avec mon frère Conrad au premier de l'an 1922, expliqua-t-il. On est ben icitte, chez nous, pis...

— Pis Adrien, lui?

Alphonse parut surpris.

— Que c'est que notre fils a à voir avec mon frère?

— Avec ton frère, pas grand-chose, t'as raison. À part le fait que c'est son mononcle, comme de raison... Non, moé, c'est ben plus à son p'tit cousin que je pense. C'est pas toé qui m'a déjà dit que ton frère Conrad aurait un gars un peu plus vieux que notre Adrien?

— C'est vrai. Joseph, qu'y s'appelle. Y doit ben être rendu aux alentours de quatre ans.

— Bon, tu vois! Si cette invitation-là était l'occasion de se rapprocher de ta famille? plaida alors Évangéline. Ton frère avec, y a dû vieillir, comme tout le monde. Y est petête plus raisonnable astheure.

— Je serais le plus surpris des hommes si c'était le cas, souligna alors Alphonse, en secouant la tête. De toute façon, même si Conrad s'était amélioré le caractère, chus pas mal sûr qu'on aurait toujours pas grand-chose à se dire, lui pis moé. C'est un paresseux de nature, un chialeux sur toute! Pis ça, ma femme, ça me ressemble pas pantoute.

— Si y a quèqu'un qui sait ça, c'est ben moé. Y a pas plus *swell* que toé, Alphonse.

— Merci ben! *Anyway,* chus même pas sûr d'avoir envie de vérifier si Conrad est plus d'adon que dans le temps. C'est te dire à quel point ça me tente pas d'aller perdre mon temps chez eux.

— Bâtard, Alphonse, tu t'entends pas parler! Me semble que ça te ressemble pas, ça là, d'être mal intentionné comme ça. Je dirais même, ma grand foi du Bon Dieu, que t'as l'air rancunier. Ça se pourrait-tu ce que je dis là? Entécas, c'est ce que tu donnes comme apparence, mon homme, pis j'aime moins ça. Laisses-y donc une chance, à ton frère. Ça te coûtera rien, pis tu vas en avoir le cœur net. Si ça te convient pas, y sera toujours temps qu'on revire de bord, pis qu'on rentre chez nous. C'est toute.

— Ouais...

Alphonse semblait encore hésitant. Il reprit la lettre, y jeta un coup d'œil et soupira. Puis, lentement, il leva les yeux vers Évangéline.

— Y demeure quand même dans le bas de la ville, mon frère. C'est pas la porte d'à côté, ça là!

À ces mots, Évangéline comprit qu'elle était en train de gagner sa cause. Elle se montra enthousiaste, juste ce qu'il fallait pour ne pas contrarier Alphonse.

— Pis que c'est que ça change, le haut ou ben le bas de la ville ? fit-elle remarquer, en haussant les épaules avec désinvolture. Des p'tits chars, y en a à toutes les heures ou presque, pis pas mal partout sur les rues principales. En plus, le p'tit va aimer ça, se promener dans un wagon. On aura juste à y dire que c'est comme une sorte de train, ça va l'impressionner.

Alphonse esquissa enfin un sourire.

— C'est vrai que notre Adrien a pas encore eu la chance d'embarquer dans le tramway.

— Ça serait une belle occasion, tu penses pas ? Pis au boutte du compte, si une fois rendus chez ton frère t'es toujours pas plus à ton aise, on aura juste à partir. Pas tusuite, tusuite, comme de raison, mais après le repas, pasqu'on est du monde ben élevé. Par contre, si toute se passe ben, c'est notre Adrien qui serait content d'avoir un cousin. Un p'tit gars à peu près de son âge pour jouer avec lui, ça serait nouveau ! Pis chus sûre qu'y aimerait ça.... Ouais, ça serait ben agréable pour notre fils. Faut pas oublier qu'y va avoir bientôt trois ans. C'est pus un bebé, notre garçon. Pis moé, ben, ça me permettrait de connaître ma belle-sœur. C'est pas rien, ça là ! Des fois qu'on deviendrait amies, elle pis moé... Que c'est t'en dis, Alphonse ? Ça se pourrait-tu qu'on devienne amies, Ange-Aimée pis moé? Tu dois ben la connaître un peu, non?

— Pas vraiment. Je l'ai vue une couple de fois, c'est toute. Surtout du vivant de ma mère. Pis aussi quand Conrad est revenu de la guerre... Tu dois ben t'en rappeler? J'étais allé le chercher à la gare, mais toé, tu travaillais, pis t'avais pas pu venir avec moé.

— N'empêche... Me semble que moé avec, j'aimerais ben ça, avoir une amie, comme Adrien avec son cousin.

Il y avait du rêve dans la voix d'Évangéline quand elle prononça ces derniers mots, et ce fut ce qui fit pencher la balance en faveur de l'invitation. Rien ne plaisait autant à Alphonse que de voir sa belle Line heureuse!

Inutile de dire qu'Évangéline en profita pour coudre une chemise neuve à son mari, une salopette en corduroy à son fils, et pour elle-même, elle ajouta un col de dentelle à sa robe grise.

— C'est ben important de faire une bonne impression quand on rencontre quèqu'un pour la première fois, expliqua-t-elle à Alphonse, qui trouvait qu'elle en faisait un peu trop.

— Calvase, ma femme, on va juste chez Conrad, pas chez le roi d'Angleterre! Dis-toé ben que mon frère pis sa femme, c'est du monde ordinaire, ben ben ordinaire.

— Pis ça? C'est juste une question de respect, tu sauras. Une manière de montrer qu'on apprécie l'invitation, qu'on prend ça au sérieux... Penses-tu que ça leur ferait plaisir si je préparais un peu de sucre à la crème?

Puis, le grand jour arriva, du moins c'était la perception qu'Évangéline avait de cette visite à faire au matin du jour de l'An. Les vêtements étaient frais lavés et soigneusement repassés; une boîte de sucre à la crème attendait sur la petite tablette de l'entrée pour ne pas qu'elle soit oubliée; et la jeune femme avait récité une dizaine de son chapelet en se couchant la veille au soir, pour qu'il n'y ait pas de tempête, ce qui serait assurément venu gâcher son plaisir.

Il semblait bien que le Bon Dieu l'avait entendue, puisque ce fut un soleil éclatant qui l'éveilla au matin du premier jour de l'année, et la jeune femme y vit un heureux présage.

— Vite, Adrien, on se grouille! On s'en va en visite aujourd'hui! T'es-tu content, mon grand?

Néanmoins, pour respecter la tradition, elle rappela au petit Adrien qu'il devait demander à son papa de bien vouloir bénir sa famille. C'était la première année que c'était Adrien qui procédait à cette demande, et Alphonse en fut tout ému. Puis, le gamin qui ne communiait pas se dépêcha de manger avant de partir pour l'église où, tous les trois, ils assistèrent à la première messe du matin.

À leur sortie de l'église mal chauffée, Évangéline était affamée et nerveuse. Elle descendit précautionneusement les marches du parvis encore enneigées, sa boîte de petits carrés de sucre à la crème dans une main et son sac de perles noires pendu à son bras. Puis, elle tenta de s'orienter.

— C'est pas des maudites farces, Alphonse, déclara-t-elle, sa tête se promenant de droite à gauche, j'sais même pas par où m'en aller pour prendre le tramway. C'est bête à dire, mais depuis qu'on vit icitte, j'ai jamais eu besoin de le prendre.

— On tourne à gauche, ma belle Line! On va jusqu'au bout de la rue, pis là, on tourne à droite, pis on descend une couple de rues... Tu vas voir, c'est pas trop loin. Pis toé, Adrien, viens dans les bras de popa. Ça va aller plus vite.

— Menute, Alphonse, va pas trop vite! J'ai mis mes beaux souliers avec des p'tits talons en dessous de mes couvre-chaussures. Chus pas équipée pour faire la course, pis ça serait vraiment pas le temps que je me retrouve les quatre fers en l'air...

— Pis en plus, ajouta Alphonse à mi-voix, glissant un regard attendri vers Évangéline, t'attends un p'tit. T'as ben raison, ma femme, c'est vraiment pas le temps de tomber.

— C'est en plein ce que je pense... Bâtard que c'est glissant de la neige tapée dure de même! Où c'est qu'y reste, encore, ton frère?

— Dans Saint-Henri. Une fois dans le tramway, ça va ben aller.

— Que le Bon Dieu t'entende, mon mari, pasqu'y fait frette en beau maudit! Cale ben ta tuque, mon Adrien, pis cache ton nez dans ton foulard. Du p'tit vent comme ça, c'est traître. Des plans pour qu'on attrape notre coup de mort. Que c'est qui m'a pris, verrat, de dire oui à une expédition pareille en plein hiver!

De plus en plus nerveuse à l'idée de rencontrer une étrangère, parce que bien entendu, Conrad et Ange-Aimée n'avaient pas assisté à leur mariage, puisque le frère d'Alphonse était encore en France ce jour-là, la jeune femme marcha à petits pas craintifs sur la chaussée recouverte de neige durcie, une main solidement agrippée au bras de son mari, et la boîte de sucre à la crème bien serrée contre son cœur.

Cependant, les yeux brillants de plaisir d'Adrien quand il découvrit le tramway lui firent oublier les inévitables inconvénients de l'hiver, et une heure plus tard, la petite famille arrivait enfin devant une minuscule maison en planches de bois grisonné par le temps et les intempéries.

— Bâtard, Alphonse, murmura-t-elle à son mari, en tirant sur la manche de son paletot pour l'obliger à s'arrêter, est ben laite, la maison à ton frère! On dirait ben qu'y a pas du tout le même talent que toé pour les maisons... Me semble que juste un bon coup de pinceau, ça ferait une grosse différence. Entécas, ça y ferait pas de tort.

— Ben d'accord avec toé, ma femme. Mais ça, c'est le genre d'affaires que Conrad voit pas. *Anyway,* je pense que c'te maison-là est même pas à lui. Y vivent icitte en location, sa femme pis lui.

— N'empêche... Ton frère pourrait quand même s'arranger pour que la maison aye un peu d'allure.

Me semble que c'est juste une question de fierté ben placée.

— Y pourrait, oui. Mais si le Conrad d'aujourd'hui ressemble au Conrad d'hier, c'est le genre de chose qui a pas d'importance pour lui... Attends de le voir, tu vas comprendre. Astheure, on va cogner, pis toé, Adrien, tu retournes à terre. Faudrait surtout pas que ton cousin pense que t'es encore un bebé.

Ce fut un Conrad mal rasé et en chemise fripée qui leur ouvrit la porte. Évangéline jugea aussitôt que le sourire de son beau-frère avait l'air faux, donnant ainsi raison à son mari, et avant même de mieux le connaître, elle le classa d'emblée dans la catégorie des gens à fréquenter le moins possible. Puis, le nez en l'air et mine de rien, elle constata qu'aucune bonne odeur ne s'échappait de la cuisine. Pourtant, il lui semblait bien avoir lu dans la lettre que c'était une invitation à dîner.

Curieux !

Au même instant, Conrad prenait la situation en mains, tandis que le ventre d'Évangéline se permettait un gargouillis sonore tellement elle avait faim.

En moins de deux, les manteaux furent accrochés au clou, et les enfants installés dans l'unique chambre de la maison pour jouer aux blocs.

— Pis que j'vous entende pas vous chicaner !

Tout de suite après, Évangéline fut invitée à rejoindre Ange-Aimée à la cuisine.

— Entre femmes, vous allez être plus à votre aise pour jaser. *Anyway,* la cuisine, c'est le domaine des créatures.

Puis, les deux hommes passèrent dans une pièce chichement meublée de quelques chaises et d'un fauteuil, que Conrad appela pompeusement « le salon ».

— Astheure, le frère, suis-moé! M'en vas te servir un p'tit boire de mon invention. C'est pas piqué des vers pantoute! Une vraie bénédiction pour le gosier...

— Tu le sais ben que je bois pas, Conrad.

— Sacrament, le frère! T'as pas changé, hein, toujours aussi coincé! C'est le jour de l'An, calvaire. Pis en plus, c'est pour toé que j'ai acheté du fort, pasque moé, tu le sais, j'en prends quasiment pus!

— OK, mais juste un verre. Un p'tit!

Au même instant, à la cuisine, Évangéline allait de découverte désolante en constatation contrariante. En effet, Ange-Aimée était une femme de peu de mots, ne répondant que par monosyllabes à ses commentaires et à ses questions. La pauvre Évangéline, qui aimait bien jaser, en fut profondément déçue. D'un regard discret, elle inspecta les comptoirs. Elle comprit aussitôt qu'il n'y aurait aucune petite bouchée servie pour se mettre en appétit. Ni même quelques bâtons de céleri!

En un mot, le repas n'était toujours pas commencé qu'elle avait déjà envie de repartir.

Évangéline poussa un soupir discret. C'est Alphonse qui avait eu raison: Conrad et sa femme Ange-Aimée n'avaient rien pour donner envie de les visiter souvent. Elle aurait donc dû se fier au bon jugement habituel de son mari, aussi!

Évangéline entendait une conversation venant du salon, et qui semblait n'avoir rien d'amical. Elle eut même l'impression que le ton montait entre les deux frères.

Ce fut amplement suffisant pour qu'elle annonce, dès la dernière goutte de thé avalée, qu'elle était désolée, mais qu'ils étaient déjà sur leur départ.

— C'est qu'on demeure loin en verrat!

L'instant d'après, la jeune femme était debout et elle se dirigeait vers la porte d'entrée, ses talons martelant le bois du plancher. Malgré les protestations d'Adrien qui, lui, semblait s'amuser ferme avec son cousin, Évangéline ne changea pas d'idée.

— On reviendra, mon garçon. C'est juste que la maison chez nous, c'est pas la porte d'à côté, pis moman voudrait ben arriver à temps pour faire le souper. Pense au tramway qu'on va prendre, Adrien, pis tu vas être moins triste de t'en aller.

Sur ce, Évangéline se tourna vers sa belle-sœur, tout en boutonnant son manteau.

— Un gros merci, Ange-Aimée, pis vous aussi Conrad. C'est pas qu'on s'ennuie, mais vous savez ce que c'est, hein? Être obligés de se déplacer en hiver, c'est tout un aria! C'est ben maudit, mais ça prend plus de temps à voyager qu'à jaser avec notre monde... Mais c'est ben gentil pareil de nous avoir invités. Me semble que ça commence ben l'année! T'es-tu prêt, Alphonse? Ouais? Ben c'est comme si on était déjà partis. Merci encore à vos deux, pis on se reverra un autre tantôt, quand ça adonnera. À bientôt!

Dès qu'Évangéline décidait de prendre une situation à bras-le-corps et de la retourner à son avantage, Alphonse se gardait bien d'intervenir. Sa femme n'avait pas son pareil pour jongler avec les mots et les intentions afin de toujours paraître à son mieux, sans chatouiller les susceptibilités. Dans le temps de le dire, ils avaient quitté la maison de Conrad, avec une certaine élégance, il faut tout de même l'avouer, et ils remontaient la rue pour aller prendre le tramway.

Évangéline, maintenant à l'abri des oreilles de leurs hôtes, laissa éclater sa fureur.

— Des bines en canne, maudit verrat! Ça se peut-tu, Alphonse? La belle-sœur a eu le culot de nous servir des bines en canne avec du pain acheté, même pas frais. Pis la motte de beurre était tellement p'tite que j'ai pas osé en prendre, bâtard! Ça pouvait ben rien sentir de bon quand on est arrivés dans leur maison. J'en reviens pas... Où c'est qu'a' l'a été élevée, elle, coudonc? Dire que j'ai gaspillé de la belle crème épaisse pis de la cassonade pour leur faire plaisir! Avoir su, on l'aurait gardé pour nous autres, le sucre à la crème. J'ai hâte d'être chez nous pour faire un repas dans le sens du monde, je te dis rien que ça! Une chance que le jour de l'An dure toute la journée. On va se reprendre pour le souper... Un bon pâté aux restants de dinde, que c'est tu penserais de ça, Alphonse?

— Ça serait bon en calvase, pis ça m'aiderait petête à avaler le fait que mon frère nous avait invités pour m'emprunter de l'argent.

À ces mots, et malgré le froid intense, Évangéline s'arrêta brusquement de marcher.

— Que c'est tu dis là, toé? J'ai-tu ben entendu?

— Ben oui, ma femme, t'as ben entendu. Je le savais, je le savais donc que mon frère pouvait pas nous inviter juste pour le plaisir de se revoir.

— Pis pourquoi Conrad aurait besoin d'argent comme ça? demanda Évangéline, en recommençant à marcher.

— Imagine-toé donc que ça a l'air que mon frère aurait une couple de dettes chez l'épicier du coin.

— Ben là...

Évangéline fronça les sourcils, tout à sa réflexion.

— C'est quand même un verrat de problème, ça là, murmura-t-elle alors. On rit pus, y mangent à crédit dans c'te famille-là...

Sur ce, la jeune femme leva les yeux vers son mari.

— Ça doit pas être drôle pantoute de manger à crédit. Pis, que c'est tu y as répondu, Alphonse? On peut toujours ben pas laisser des membres de ta famille crever de faim!

— Pasque c'est ce que tu crois?

— Quoi d'autre?

— Ben moé, vois-tu, je pense que Conrad a essayé de m'en passer une p'tite vite!

— Bâtard!

— Comme tu dis, ouais! Quand y prend sa face de chien battu, pis qu'y nous regarde par en dessous, ça sent jamais bon. Ça m'a fait penser au temps où c'est qu'y était plus jeune, calvince! Quand Conrad faisait une niaiserie, pis qu'y se retrouvait dans le pétrin, y venait tout le temps me voir pour que je l'aide ! Mais à matin, ça me tentait pas de l'aider. Ça fait que j'ai rien dit, pis je l'ai laissé venir. Ensuite, quand y a vu que je mordais pas à l'hameçon, y s'est mis à me faire des menaces, le beau Conrad, en disant que j'avais pas le droit de refuser d'y passer un peu d'argent, rapport que j'avais hérité du piano de mononcle Jonas.

— Que c'est que le piano vient faire là-dedans, verrat ?

— C'est en plein ce que j'ai pensé. Mais avant que je réponde de quoi, Conrad a continué en disant que vu que j'ai jamais joué au piano de ma vie, j'avais juste à le vendre pour partager l'argent avec lui.

— Ben voyons donc ! Y a du front tout le tour de la tête, ton frère !

— Je te l'avais dit !

— Notre beau piano ! Y est pas question de le vendre !

Évangéline était outrée. Puis, elle comprit d'emblée qu'elle était peut-être en train d'outrepasser ses droits, car en fin de compte, le piano n'était pas à elle. Il appartenait à son mari, et il avait le choix d'en disposer à sa guise. L'inquiétude remplaça aussitôt la colère.

— Hein, Alphonse, que tu veux pas vendre le piano ? demanda-t-elle d'une voix presque soumise, qui sonnait drôle dans sa bouche.

Alphonse la rassura aussitôt.

— Pantoute ! C'est à moé que mononcle l'a donné, c'te piano-là, pis c'est dans notre salon qu'y va rester. Même si personne en joue, ça décore ben une pièce, pis ça me fait un beau souvenir d'enfance. J'aimais ça, moé, aller faire un tour chez mononcle Jonas.

— Ben parlé, mon mari, lança Évangéline, visiblement soulagée. En plus, un piano de même, on a même pas besoin de savoir jouer, y est automatique, bâtard ! On a juste à mettre un rouleau, pis à pédaler pour avoir de la belle musique... Pis, Alphonse, comment ça s'est fini, c'te discussion-là ?

— Quand Ange-Aimée nous a demandé de passer à table pour nous servir ses bines pas mangeables, j'étais justement en train de dire à Conrad que j'avais pas l'intention de vendre mon piano, pis que lui, y avait juste à arrêter de gaspiller son argent en boisson, pasque c'est ben clair qu'y boit toujours autant, même si mon frère prétend le contraire... En nous appelant, sa femme y a coupé le sifflet, pis Conrad a pas eu le temps de me répondre. Plus tard, c'est toé qui as pris la décision de partir tusuite après le repas. Ça fait que la discussion s'est arrêtée là. C'est juste une bonne affaire, pasque le ton risquait de monter, pis pas à peu près ! *Anyway,* compte pas sur moé pour retourner chez eux avant un calvase de bout de temps... Attention, ma belle Line, les p'tits chars s'en viennent. J'ai-tu hâte d'arriver chez nous, moé là ! Me semble qu'y a juste dans notre belle maison qu'on est vraiment ben, toé pis moé.

Puis, tendant le bras devant lui, Alphonse déclara joyeusement à son fils, bien assis sur son avant-bras :

— Regarde Adrien, au-dessus du wagon !

— Pourquoi ?

— Regarde ben comme y faut, tu vas voir des étincelles...

Intrigué, le petit garçon tourna la tête.

— Ben oui ! Je les vois... Pourquoi, popa, y a du feu sur le wagon ?

— C'est pas vraiment du feu, c'est juste des étincelles, pis c'est ça qui fait avancer le tramway. On appelle ça de l'électricité.

Adrien se frotta le nez avec sa mitaine, tandis que le tramway arrivait à grand fracas pour s'arrêter à leur hauteur.

— Comme pour allumer les lumières dans notre maison ? demanda-t-il à son père, en haussant la voix.

— En plein ça, mon bonhomme, en plein ça ! répondit Alphonse sur le même ton.

Le père et le fils échangèrent alors un sourire de connivence sous le regard attendri d'Évangéline, qui se promit illico de toujours se fier à son Alphonse pour prendre les décisions d'importance. Parce qu'elle, Évangéline Lacaille, elle était beaucoup trop impulsive pour pouvoir se fier sans condition à son propre jugement.

CHAPITRE 3

« Mon père n'avait fille que moi,
Mon père n'avait fille que moi,
Encore sur la mer il m'envoie...
Marie-Madeleine,
Ton p'tit jupon de laine,
Ta p'tite jupe carreautée,
Ton p'tit jupon piqué »

Son p'tit jupon (chanson folklorique)
PAR OVILA LÉGARÉ, 1929

Le 6 janvier 1922 dans le salon des Lacaille, par une froide matinée ensoleillée

En poste devant la fenêtre du salon, Évangéline observait Alphonse qui, avec une infinie patience, essayait de montrer à Adrien comment tenir un bâton de hockey. Le petit garçon, même s'il était plutôt grand pour son âge, semblait éprouver un peu de difficulté, et son habituel sourire avait déserté son visage. Mais comme l'avait si bien dit Alphonse au déjeuner :

— Adrien, y est peut-être encore un peu jeune pour le hockey, chus ben d'accord avec toé, ma belle Line, mais comme tu le sais, chus un homme patient. En plus, l'hiver, y a pas de chantier, pis je fais des meubles. Comme ça, chus pas mal plus libre de mon temps, vu que j'ai pas de patron ni d'horaire. Ça fait que j'vas m'en occuper, de notre Adrien. Lui pis moé, on va jouer au hockey tous les jours quand y fera pas trop frette. Pis c'est à matin que notre gars va étrenner le beau bâton que j'ai fabriqué expressément pour lui.

Et c'était ce qu'Évangéline était en train de constater, un sourire moqueur sur les lèvres : cela prendrait bien du temps et de la patience pour montrer à un enfant de pas tout à fait trois ans comment tenir un bâton de hockey plus grand que lui sans l'échapper, et surtout sans accrocher tout ce qui bouge autour de lui !

— Pauvre Alphonse, murmura la jeune femme. J'ai ben peur qu'y prend ses désirs pour des réalités, lui là. Bâtard ! Adrien est encore ben trop p'tit pour jouer au hockey !

Quelques instants plus tard, un gamin d'au plus sept ans se joignait à eux. Évangéline avait remarqué qu'il était sorti en courant de la maison en briques brunes, un peu plus loin sur sa gauche. Le temps de voir le jeune garçon rejoindre son mari pour discuter avec lui, puis la jeune femme tourna la tête vers cette maison couleur chocolat, qu'elle se permit de détailler pour une énième fois, intriguée. Il faut dire, cependant, que le bâtiment avait de quoi attirer les regards.

En effet, c'était une maison plutôt imposante, un peu comme celle qu'Alphonse avait construite pour eux avec ses amis. À voir les balcons agrippés à la façade, il était facile de déduire qu'elle abritait, elle aussi, trois logements. Sauf que les propriétaires, contrairement à eux, semblaient habiter au rez-de-chaussée, et les locataires à l'étage. Du moins, à force d'observer les va-et-vient de la rue, c'était là la conclusion à laquelle Évangéline était parvenue. Cela dit, elle ne comprenait pas qu'on puisse délibérément choisir de se faire piocher sur la tête, alors qu'on pouvait avoir le choix de faire autrement. Puis, elle jugea d'emblée que le brun faisait moins chic que le gris, et que la brique avait nettement moins de prestance que la pierre.

— Mais ça, c'est juste une opinion personnelle, murmura-t-elle, soucieuse de rester impartiale. Ça prend de toute pour faire un monde.

Elle continua de fixer la maison de ses voisins de quartier, dont elle ignorait toujours le nom, espérant peut-être y voir apparaître un adulte. Puis, elle hocha la tête, dans un signe d'appréciation, et décréta intérieurement que le beige des rampes et des boiseries donnait tout de même un peu de panache à la demeure qui, autrement, lui semblait un peu terne.

— On dirait quasiment de la dentelle, verrat! C'est pas si laite que ça... Ouais, en fin de compte, est pas si pire, c'te maison-là... dans son genre.

Quand elle entendit le rire cristallin d'Adrien s'élever dans l'air froid de cette matinée de janvier,

Évangéline délaissa aussitôt la maison et reporta son attention sur le trio, qui semblait présentement avoir bien du plaisir.

En effet, le jeune garçon qui s'était joint à son mari et à son fils avait, quant à lui, un bâton à sa mesure, et ce qui ressemblait, vu de loin, à une rondelle de hockey. Pour l'instant, il s'amusait à la lancer sans trop de force pour qu'elle vienne frapper la palette du bâton d'Adrien, qui n'avait qu'à le tenir immobile, sans la moindre manipulation, ce qui semblait lui convenir tout à fait.

Chaque fois que le jeune voisin réussissait à atteindre la palette, Adrien éclatait de rire. Évangéline esquissa un sourire, heureuse tout simplement d'entendre la joie ressentie par son fils.

C'était vraiment un beau quartier que le leur, et Alphonse avait eu raison : même tout petit, leur garçon prenait plaisir à jouer au hockey !

La jeune femme promena alors les yeux tout au long de la rue, à droite, puis à gauche, comme elle le faisait souvent en attendant son mari. Mais pour une première fois depuis qu'elle habitait sur cette rue cul-de-sac, elle se donna la peine de laisser son imagination aller au-delà des murs, prenant conscience que derrière chacune des façades de ces maisons vivait une famille qui ressemblait peut-être à la sienne. Tout le monde avait probablement ses petits soucis, mais aussi ses petites joies. Exactement, comme sous le toit de la famille Lacaille.

Évangéline secoua la tête en esquissant une moue. Avec Adrien qui vieillissait, il serait peut-être temps d'apprendre à connaître leurs voisins. Son fils n'était pas différent de tous les gamins de son âge, et un jour ou l'autre, bientôt probablement, il demanderait à avoir des amis.

— Comme moé, maudit verrat! C'est juste normal, dans la vie, d'avoir des amis. Pas question qu'on prive notre garçon de vivre ça, comme mon père a fait avec moé quand j'avais dix ans.

Évangéline prit une longue inspiration chargée de ressentiment, puis elle obligea quelques mauvais souvenirs à se retirer dans l'ombre.

— Le passé restera toujours le passé, maudit verrat, pis j'peux rien y faire! grommela-t-elle pour elle-même. C'est l'avenir qui est important. Pis mon avenir, ben y est icitte, avec Alphonse pis Adrien... Pis avec le p'tit qui est en route, comme de raison. J'aurais beau en vouloir à mon père jusqu'à la fin des temps, c'est pas ça qui va venir changer de quoi dans mes chaudrons. Si j'veux avoir des amies, bâtard, c'est à moé d'y voir toute seule!

Et pourquoi pas?

Évangéline expira bruyamment en secouant la tête.

En fin de compte, si elle se donnait la peine de bien y penser, elle avait été passablement gauche de refuser systématiquement les invitations de ses voisines quand elle les avait croisées, à l'été ou à l'automne précédents, prétextant qu'elle était trop occupée. Après tout, chacune d'entre elles semblait gentille à sa façon, et prendre un thé avec quelqu'un n'engageait que le moment de prendre ce thé. Si, par manque d'intérêts communs, Évangéline n'était pas à l'aise avec cette personne, rien ne l'obligerait à la revoir.

Elle repensa alors à sa belle-sœur Ange-Aimée, à l'espoir qu'elle avait entretenu de créer des liens avec elle. Malheureusement, son attente avait été brisée dans l'œuf, en quelques minutes à peine !

— Moé, du monde qui sait pas vivre, je peux pas sentir ça, verrat ! marmonna-t-elle, tout en suivant son fils des yeux.

Présentement, Adrien était aidé par son père, qui tenait le bâton avec lui, et c'était à son tour de lancer la rondelle.

— C'est toujours ben pas de ma faute si la belle-sœur a pas de manières, précisa Évangéline pour elle-même avec humeur... Maudites bines en canne, aussi. Je les ai eues sur l'estomac durant deux jours !

D'un soupir agacé, Évangéline fit disparaître l'image d'Ange-Aimée, une femme terne qu'elle n'avait pas vue sourire une seule fois en deux heures, puis elle se redressa. Machinalement, elle promena de nouveau son regard tout autour de la rue.

— Maudit bâtard, lança-t-elle, en se donnant une petite tape sur la cuisse, pourquoi essayer d'aller me trouver une amie à l'autre bout de la ville quand j'en ai peut-être une couple à portée de la main, icitte, juste à ras moé ? J'ai juste à penser à la Noëlla, qui a l'air ben gentille ! Faut-tu que je manque de jarnigoine, des fois !

Sur ce, Évangéline se promit de piler sur sa timidité dès que l'occasion de parler avec l'une de ses voisines se présenterait.

— Chus toujours ben pas pour me laisser dépérir d'ennui à cause du fait que je me dis trop mal à l'aise pour aborder les gens, pasque je connais pas ça, moé, me faire des amies... Cré maudit! J'étais pas toute pognée par en dedans avec les clients chez Ogilvy, quand je remplaçais les vendeuses sur le plancher. Me semble que j'avais pas de misère à faire de la belle façon au monde... Ben, j'aurai juste à faire pareil, bâtard!

Sur ce, rassérénée par la décision qu'elle venait de prendre, Évangéline se rendit à la cuisine. Un bon chocolat chaud devrait plaire à ses deux hommes quand ceux-ci rentreraient à la maison, frigorifiés et affamés.

* * *

Le lendemain, ce furent six enfants de la rue qui se joignirent à Alphonse et à Adrien pour jouer au hockey. Assise à son poste d'observation de prédilection, Évangéline était radieuse.

Adrien avait l'air heureux comme un poisson dans l'eau, avec son bâton qu'il manipulait un peu n'importe comment, mais en faisant tout de même attention. Son mari aussi était tout souriant! Surtout quand il aperçut un autre père sortir de chez lui et s'avancer vers le joyeux groupe, en levant le bras pour saluer la compagnie. Évangéline se souvint alors qu'on était samedi, et que ce jour-là, quelques hommes habitant leur rue ne travaillaient pas. C'était Alphonse qui le lui avait déjà fait remarquer, l'automne précédent, alors que lui-même avait été retenu à la maison par une première neige plutôt abondante.

En moins d'une demi-heure, la plupart des hommes de la rue étaient là, avec un bâton de hockey ou un bâton de fortune, et on entendait des éclats de rire monter au-dessus de la chaussée enneigée. Il aurait été difficile de dire qui, des papas ou des enfants, s'amusait le plus !

Ce fut plus fort qu'elle, et la jeune femme se leva vivement. Elle avait grande envie de les rejoindre. Le temps d'enfiler les mocassins qu'elle portait chez ses parents quand venait le temps de circuler d'un bâtiment à l'autre sur la ferme et que la neige recouvrait le sol, puis elle choisit d'endosser le vieux manteau en rat musqué de la mère d'Alphonse, celui qui lui tombait jusque sur les chevilles parce qu'elle était beaucoup plus petite que sa défunte belle-mère.

Gracia Lacaille qu'elle s'appelait. Une femme qu'elle n'avait pas connue, certes, mais dont son mari disait qu'elle était une sainte.

Ensuite, Évangéline sortit enfin sur le perron qui courait sur toute la largeur de la maison.

Il faisait une merveilleuse journée d'hiver, pas trop froide, et surtout sans vent.

Machinalement, la jeune femme effleura son manteau à la hauteur de son ventre à peine rebondi en se disant qu'elle avait hâte de partager tous les petits plaisirs du quotidien avec son autre bébé, celui qu'elle imaginait toujours bouclé comme Adrien, avec le même regard d'azur venu de leur père, mais portant de jolies robes vaporeuses. Elle prit une longue goulée d'air frais qui avait un arrière-goût de bonheur, puis elle descendit lentement l'escalier qui tire-bouchonnait jusqu'à la rue.

Comme Évangéline avait pris tout son temps à se préparer pour sortir, quelques femmes avaient eu le loisir de se joindre aux joyeux lurons qui avaient commencé une partie de hockey avec les enfants. Depuis le trottoir de bois, en ce moment enseveli sous la neige, elles les encourageaient à vive voix.

Évangéline n'avait pas fini de descendre l'escalier qu'une grande femme au menton volontaire et au regard vif se détacha du groupe pour se diriger d'un pas décidé vers elle, les deux bras battant la mesure de ses grandes enjambées, comme à la parade.

Par réflexe, Évangéline s'arrêta au bas des marches. Cette femme trop grande lui faisait penser à sa sœur Georgette, et elle détourna les yeux, comme si elle ne l'avait pas vue venir. Qu'à cela ne tienne, l'inconnue arrivait à sa hauteur en l'apostrophant joyeusement.

— Madame Lacaille !

Évangéline n'eut d'autre choix que de se tourner vers elle, puisque cette femme connaissait son nom. Mais avant qu'elle ait le temps d'ouvrir la bouche pour répondre, la grande femme poursuivait.

— Si je sais votre nom, c'est pasque votre mari Alphonse a parlé de vous t'à l'heure... Ben heureuse de vous rencontrer enfin ! Ça fait une couple de fois que j'vous vois passer avec votre p'tit garçon, pis que je me dis : faudrait ben que je me décide à y parler, à c'te femme-là. A' l'a l'air fine. Mais vous savez ce que c'est, hein ? D'une chose à l'autre, y a ben des affaires de même qu'on remet au lendemain, faute de temps... Moé, c'est Arthémise Gariépy. Chus la mère à Pierre-Paul.

Sur ce, Arthémise tendit une main emmitouflée dans une mitaine de laine verte.

— Ah, la mère à Pierre-Paul ! fit alors Évangéline, cherchant ainsi à gagner le temps de se faire une opinion sur celle qui la dévisageait avec insistance, avant de tendre la main à son tour. Je pense que c'est lui qui a joué avec mon gars, hier, non ?

— En plein ça... Mon mari Raoul, par exemple, y est pas là, rapport qu'y travaille à la gare Bonaventure six jours par semaine. Pis vous, c'est quoi votre p'tit nom ?

Étourdie par tout ce verbiage, décontenancée par le sans-gêne de cette voisine, qui lui parlait comme si elles avaient gardé les cochons ensemble – c'était toujours ce que sa mère disait devant les gens effrontés – Évangéline tendit la main à son tour en se disant que si sa belle-sœur n'avait pas aligné deux mots d'affilée, à sa grande déception, d'ailleurs, sa voisine, elle, parlait pour deux. Mais l'un dans l'autre, ce n'était pas pour lui déplaire.

Ne restait peut-être que la grandeur de cette madame Gariépy, qui continuait de l'intimider. Évangéline détestait avoir à lever la tête pour regarder quelqu'un dans les yeux.

Sauf pour regarder son Alphonse, bien entendu.

Néanmoins, la poignée de main fut ferme et le sourire sincère. Contrairement à Georgette, qui avait l'air renfrogné en permanence, Arthémise Gariépy dégageait de la bonne humeur, et son sourire était contagieux, ce qui fut largement suffisant pour donner à Évangéline l'envie de mieux la connaître.

— Moé avec, chus ben contente de vous rencontrer, déclara-t-elle donc avec une sincérité qu'elle était tout de même un peu surprise de ressentir. Pis mon p'tit nom, ben, c'est Évangéline. Je viens de Saint-Eustache, avant que vous le demandiez... Pis vous, ça fait-tu longtemps que vous demeurez dans le quartier ?

— Ça doit ben faire cinq ans... Ouais, un bon cinq ans. Quand on est arrivés, Maurice venait d'avoir neuf ans, pis là, y s'en va sur ses quinze ans. Au mois de mai, ça va faire six ans qu'on vit icitte, Raoul pis moé.

— Maurice ?

— Lui, c'est mon plus vieux. C'est le frère à Pierre-Paul qui, lui, se trouve à être mon plus jeune. Y vient d'avoir six ans. Entre les deux, j'ai eu trois filles. Sont chez leur grand-mère pour le temps des Fêtes. C'est comme une sorte de coutume dans la famille que mes filles pis leurs cousines passent une couple de jours chez mes parents durant les Fêtes. Pis à l'été aussi... Ma mère dit que c'est sa manière de continuer à nous aider, ma sœur Gertrude pis moé. C'est vrai que ça donne un p'tit *lousse* dans une journée, trois bouches de moins à nourrir. Pis vous ? Y a quel âge, votre garçon ?

— Bientôt trois ans.

— Bonyenne ! Je le croyais plus vieux que ça. Ça doit être pasqu'y est pas mal grand.

— Comme son père.

— C'est vrai que votre mari doit faire dans les six pieds passés, estima Arthémise, en détournant les yeux un instant, avant de revenir fixer Adrien qui, présentement, souriait à sa mère. Pis y as-tu vu les beaux yeux bleus, à cet enfant-là ! ajouta alors madame Gariépy d'une voix extatique.

— Ça avec, ça vient de son père.

— C'est ben curieux ce que l'hérédité peut faire, nota alors Arthémise qui, à première vue, semblait avoir une opinion sur à peu près tout, et ne se gênait surtout pas pour la faire connaître. Bon ben astheure, suivez-moi madame Lacaille, m'en vas vous présenter les femmes de la rue.

— Bonne idée. En fait, j'en ai déjà rencontré une, pis c'est madame Pronovost.

L'après-midi passa en coup de vent, et quand Évangéline retourna chez elle pour préparer son souper, le soleil se cachait déjà derrière le toit des maisons, et elle avait appris bien des choses sur la vie de ces quelques femmes qu'elle avait déjà saluées de loin.

Dès lors, inutile de dire que ce soir-là, au souper, Évangéline fut intarissable.

— Bâtard que c'est agréable, Alphonse ! expliqua-t-elle, tout en servant la soupe. Arthémise, même si a' l'est quasiment aussi imposante que ma sœur Georgette, celle que tu connais pas pis que j'aime pas trop, ben je la trouve fine pareil. Ouais, est ben ben fine, pour quelqu'un de grand de même... Malgré ses épaules de *catcheur*, a' l'a ben de la façon, tu sauras, pis une conversation intéressante, au contraire de ma sœur, qui a jamais rien de ben gentil ou de ben nouveau à nous dire. En fait, ma damnée sœur passe son temps à se vanter. C'est toute ce qu'a' sait faire. Mais Arthémise, elle, on dirait qu'a' s'intéresse à toute pis à tout le monde...

— Un peu comme toé, ma belle Line !

— Ma grand foi du Bon Dieu, Alphonse, c'est pas fou ce que tu dis là ! C'est vrai que chus curieuse de nature... Ouais, c'est petête pour ça que j'ai ben aimé jaser avec c'te femme-là ! Cré maudit ! Ça faisait pas une heure qu'on se connaissait, pis déjà a' voulait que je l'appelle par son p'tit nom. Même si a' doit avoir un bon dix ans de plus que moé, rapport que son plus vieux, Maurice qu'y s'appelle, s'en va sur ses quinze ans. Quand je nous écoute parler, c'est comme si on était pareilles, elle pis moé.

Tout en devisant joyeusement, Évangéline s'était servi un bol de soupe et elle était présentement assise à la table devant son mari.

— Envoye, Adrien, mange ta soupe, glissa-t-elle à son fils, avant de revenir à son long discours. On va avoir du bon ragoût, après ça... Toujours est-il, Alphonse, que j'ai aussi jasé un peu plus avec la Noëlla, celle qui demeure dans la maison rouge en biais d'icitte pis qui était venue nous saluer le jour du déménagement! Pis j'ai connu Angélique, qui vit dans le duplex drabe, juste avant le coin de la rue, du bord du casse-croûte de monsieur Albert, en face de chez la veuve Sicotte... Verrat que c'est bon, de la soupe aux pois!

Un court silence soutenu par le bruit des cuillères dans les bols se posa 'sur la cuisine, puis Évangéline se leva pour retourner devant le poêle afin de continuer de servir le repas. Elle en profita pour compléter sa description du quartier, tandis qu'Alphonse, amusé, l'écoutait sans dire un mot. Voir son Évangéline d'aussi bonne humeur faisait son bonheur.

— Ah oui! Y a Georgianna, aussi, qui est arrivée un peu plus tard dans l'après-midi. Elle, a' se trouve à être la voisine immédiate d'Arthémise, qui elle, demeure dans la maison en briques brunes, comme tu dois ben t'en douter... Toutes des femmes ben avenantes, tu sauras, qui semblent avoir à peu près mon âge, sauf Arthémise, pis qui ont des enfants, en plus! Ça, mon mari, ça va faire plein de p'tits amis pour notre Adrien... Pis des amies pour moé avec, par la même occasion. Verrat que c'est plaisant! Même que Georgianna est en famille, elle avec. Comme moé! On devrait avoir nos p'tits au printemps toutes les deux. On s'est ben promis, elle pis moé, d'aller promener nos bebés en même temps.

Évangeline était de retour à la table, devant son mari. Elle était tout bonnement resplendissante. Surveillant Adrien du coin de l'œil, elle enchaîna:

— Pis c'est pas toute, Alphonse! Savais-tu ça, toé, que les Gariépy étaient propriétaires de leur maison, eux autres avec? Comme toé pis moé... Euh, non, c'est pas tout à fait ça... Maudit verrat, comment c'est qu'Arthémise m'a expliqué ça encore? Ouais, ça me revient. Ça serait le père à son mari Raoul qui aurait fait construire la maison, y a de ça un bon dix, douze ans. Paraîtrait qu'à cette époque-là, les Gariépy étaient quasiment tout seuls sur la rue, avec la veuve Sicotte qui vivait avec son père, avant d'hériter de la maison pis de se marier avec son mari, qui est mort à la guerre... Les autres maisons ont commencé à pousser par après. Le père de Raoul, pis Raoul aussi, par la même occasion, y ont tout vu ça, eux autres. C'est quand Arthémise a eu sa deuxième fille que les grands-parents seraient partis s'installer plus bas, dans un autre quartier de la ville, pour leur laisser toute la place. Astheure, ben, c'est la famille à Raoul pis à Arthémise qui vit là... Ça se peut-tu, ce que je dis là, moé?

— Toute se peut, ma belle Line. Mais si c'est le cas, la maison serait pas vraiment à Raoul pis Arthémise. A' serait encore aux parents de Raoul.

— Ouais... Vu de même, on dirait ben que t'as raison. Pourtant, chus sûre que c'est pas ça qu'Arthémise m'a raconté... Non, elle a ben dit que la maison était à eux autres...

Évangéline haussa les épaules.

— Y ont dû l'acheter, suggéra-t-elle... *Anyway,* ça a pas ben ben d'importance... Finis ta boulette pis tes patates, mon Adrien, pis moman va te donner un beau morceau de gâteau au chocolat avec un verre de lait. Pis toé, mon Alphonse, veux-tu un bon café ou ben t'aimes mieux un thé avec ton gâteau ?

Quand Alphonse et Évangéline se couchèrent, quelques heures plus tard, cette dernière parlait encore du bel après-midi qu'elle venait de passer et elle s'endormit des projets plein la tête. À son habituelle petite fille en robe toute légère, qu'elle imaginait chaque soir avant de s'endormir, s'était ajoutée une ribambelle d'enfants pour jouer avec son Adrien. Elle se voyait déjà, au beau milieu de l'été, quand elle irait promener ses deux enfants au parc.

Avec Georgianna, bien entendu, qui elle, en était à son premier bébé. Vraiment, la vie sur la rue cul-de-sac s'annonçait encore plus belle que tout ce qu'elle avait souhaité.

CHAPITRE 4

« Mes amis, je vous assure
que le temps est bien dur
Il faut pas s'décourager
Ça va bien vite commencer...
Ça va venir pis ça va venir
Mais décourageons-nous pas
Moi, j'ai toujours le cœur gai,
et j'continue à turluter »

Ça va venir, découragez-vous pas (M. Travers)
Par Mary Travers, dite La Bolduc, 1930

Le 13 janvier 1922, dans la chambre à coucher d'Évangéline et d'Alphonse

Quand Évangéline s'éveilla, ce matin-là, Alphonse avait déjà quitté l'appartement, comme il le faisait tous les jours, sauf le dimanche. Sans faire de bruit, dès son lever, il s'habillait, se rendait à la cuisine en refermant la porte sur lui. Là, il se préparait une tasse de thé avant de descendre au sous-sol, où il avait installé son atelier, tout à côté des cuves servant au lavage. En hiver, c'était dans ce soubassement humide et sombre qu'il passait la majeure partie de ses journées, à dessiner et à fabriquer les meubles qui lui étaient commandés. Sa réputation comme ébéniste dépassait largement les limites du quartier, et on sollicitait ses services d'un peu partout dans Montréal.

— C'est pas des maudites farces, avait expliqué Évangéline à Arthémise, la veille en après-midi, mon mari arrête jamais!

En effet, les deux femmes avaient discuté durant un bon moment sur le bord de la rue, alors qu'elle-même revenait de l'épicerie de Benjamin Perrette, où elle était allée faire quelques courses pour le souper.

— Vous saurez, Arthémise, que le nom de mon mari est connu jusqu'à Westmount!

— Westmount? On rit pus!

Et c'était vrai! Ce qui faisait dire à Alphonse, quand il en jasait parfois avec Évangéline, qu'un bon jour, il serait entrepreneur. Il aurait un grand atelier bien éclairé, plus bas sur l'île, avec de larges fenêtres donnant sur le fleuve. Il s'achèterait de beaux outils flambant neufs, et il engagerait d'autres menuisiers comme lui pour l'aider à remplir les commandes.

— Ça, ma belle Line, c'est mon rêve à moé! Un jour, y sera ben fini, le temps des chantiers de construction. Je t'avouerais que je trouve ça dangereux par bouttes, surtout quand je me retrouve sur le toit, pis c'est toujours pareil comme travail. Ça finit par être un peu ennuyant. Non, moé, un jour, j'vas faire juste des meubles. Des calvince de beaux meubles, pis le monde va venir de partout dans la province pour m'en commander.

Aussi, quand Évangéline s'éveilla, ce matin-là, elle ne fut pas surprise d'être seule dans le lit. C'était probablement la voix d'Adrien qui l'avait tirée du sommeil, car on l'entendait placoter dans son lit.

— Bâtard qu'y est fin, cet enfant-là, murmura la jeune femme en s'étirant. Jamais un mot plus haut que l'autre, jamais de braillage inutile! Un vrai p'tit ange!

Sur ce, elle posa la main sur son ventre.

— T'es mieux d'être aussi fin que ton frère, toé, là-dedans... Bon, le déjeuner astheure!

Ce fut à l'instant où elle repoussait les couvertures avec ses pieds qu'Évangéline ressentit un tiraillement dans le bas de son dos. Elle arrêta son mouvement, se dandina un instant sur son lit, puis elle ferma les yeux en retenant son souffle. Le pincement semblait parti. Elle posa de nouveau une main rassurante sur son ventre, puis elle se redressa vivement.

— Hier, j'ai dû rester trop longtemps debout les deux pieds dans la neige, nota-t-elle en cherchant ses pantoufles du bout des orteils. Ma mère le disait souvent: avoir frette aux pieds, ça donne mal aux reins le lendemain... Ça va passer...

Puis haussant la voix, elle ajouta:

— Moman arrive, mon beau Adrien, crains pas. Je passe aux toilettes pis je viens te chercher... On se fait-tu du gruau pour déjeuner? Me semble que ça serait bon, pis en plus, ton père aime ça ben gros.

C'est comme rien qu'y doit être à veille de monter pour manger, lui là. Que c'est t'en penses, toé, mon beau garçon?

Évangéline profita de ce que la journée était grise et venteuse pour faire un brin de ménage dans ses armoires de cuisine, tandis qu'Adrien jouait dans sa chambre et qu'Alphonse était retourné au sous-sol, empruntant pour ce faire un petit escalier étroit, caché par une porte, tout au bout du long couloir qui scindait l'appartement en deux, ce qui leur évitait d'être obligés de passer par l'extérieur pour se rendre à la cave.

— M'en vas venir dîner au son des cloches, avait-il précisé en embrassant Évangéline dans le cou, après être venu déjeuner. Juste un p'tit sandwich, ça va faire la *job*.

— Crains pas, mon mari, ça va être prêt quand tu vas monter. J'ai justement un restant de jambon. Pis après, pendant qu'Adrien va faire sa sieste, m'en vas descendre dans la cave, moé avec, pour faire une brassée de lavage... C'est fou de penser qu'y en a qui font le lavage juste le lundi... Cré maudit! À moins d'avoir des tiroirs ben remplis de linge, on peut pas y arriver. On pourrait toujours porter notre linge sale trois jours d'affilée, comme y en a qui font, mais on aurait l'air d'une bande de crottés...

— T'auras beau faire du lavage quand ça te chante, ma femme. Moé, ça me fait de la compagnie, pis ça sent bon, le savon. En attendant, passe un bon avant-midi.

Ce qui fut dit fut fait, et la jeune femme oublia le tiraillement du matin. Aussi, au début de l'après-midi, après avoir couché son fils pour sa sieste, elle passa par la salle de bain pour récupérer le linge sale qu'Alphonse et elle déposaient dans un panier d'osier, puis elle emprunta l'escalier casse-cou à son tour.

La douleur se manifesta de nouveau, de façon nettement moins insidieuse, à l'instant précis où Évangéline se penchait pour déposer le panier de linge sale sur le plancher de la cave. Comme une vague, lui sembla-t-il, une vague déconcertante, qui lui arracha une grimace, suivie d'un petit cri de douleur et de surprise.

— Ayoye! Que c'est ça, maudit verrat?

— Tu t'es fait mal?

— Pantoute.

Évangéline s'était redressée. Ayant glissé une main dans son dos, elle se massait les reins machinalement.

— Je me lamente pour rien, bougonna-t-elle. C'est juste une sorte de crampe dans le bas du dos. J'ai dû mal forcer.

Quoi qu'Évangéline en dise, Alphonse était déjà à côté d'elle, et d'un geste autoritaire, il l'obligea à s'asseoir sur la chaise de cuisine qu'il avait descendue de l'appartement pour que sa « belle Line » puisse s'installer confortablement quand elle lui rendait visite dans l'atelier, comme il disait en riant.

En ce moment, toutefois, il ne riait pas du tout.

— Tu devrais pas trimbaler un gros panier de même dans ton état, constata-t-il, s'en voulant de ne pas y avoir pensé lorsqu'Évangéline avait manifesté son intention de faire une brassée de lavage.

— Mon état? Que c'est qu'il a, mon état? rouspéta la jeune femme. Chus pas malade ni blessée, Alphonse, chus juste enceinte.

— Justement.

— Ben voyons donc! Tu le sais comme moé que c'est pas une maladie d'attendre un p'tit, c'est la nature qui veut ça. C'est le docteur Lalonde qui nous l'a dit quand on est allés le voir pour Adrien : une grossesse, c'est juste un état normal, avec des p'tits malaises à l'occasion.

— Je sais toute ça, mais quand même! C'est de ma faute, calvase! J'aurais dû y penser pis descendre le panier à ta place, répéta-t-il, visiblement navré. Reste assis, pis dis-moé ce que tu veux que je fasse, j'vas m'en occuper!

— Veux-tu ben m'arrêter ça! Chus encore capable de faire mon ordinaire toute seule, bâtard... Rappelle-toé! Le jour où Adrien est venu au monde, j'étais en train de laver mon plancher de cuisine quand les douleurs ont commencé. Pis toute s'est ben passé! J'vois pas pourquoi ça serait autrement c'te fois-citte.... Non, non, Alphonse, toé, tu continues à travailler ta commode, pasque tes clients ont ben hâte de l'avoir. C'est toi-même qui me l'a dit hier. De toute façon, c'est ta *job* de faire des meubles, pis c'est la mienne de voir aux affaires de la maison. Y a rien de ben compliqué dans le fait de mettre de l'eau dans la première cuve, d'ajouter un peu de savon pis de brasser avec le bâton.

— Mais par après, par exemple, c'est moé qui vas passer le linge mouillé dans le tordeur, insista Alphonse.

— Tu sais ça, toé, qu'y faut...

— J'ai des yeux pour voir, ma femme. Depuis le début de décembre que chus là, à côté de toé, quand tu viens faire le lavage... Pis je sais avec que tu vas rincer le linge dans la deuxième cuve, avant de toute repasser ça dans le tordeur...

— Ben coudonc, Alphonse, j'aurais jamais cru que tu me surveillais à c'te point-là.

— Ben oui! J'aime ça, te regarder, ma belle Line, fit Alphonse, avec un clin d'œil coquin qui fit rougir sa femme. Je m'en tannerai jamais, tu sauras. Même quand tu vas être devenue une vieille femme toute ridée.

Évangéline n'était plus rouge, elle était cramoisie.

— Grand fou! Je te ferai remarquer que c'te jour-là, toé avec, tu vas être un vieux monsieur tout ridé!

— Pis j'espère ben qu'on va être encore ensemble, quand on va être vieux, pis qu'on va avoir toujours envie de se regarder dans les yeux... Mais en attendant, c'est moé qui vas m'occuper du lavage... Pis j'ai pas l'intention de discuter de ça avec toé, menaça Alphonse d'une voix grave, quand il vit qu'Évangéline s'apprêtait à protester. C'est pas vrai que la mère de mon futur bebé va s'éreinter tandis que moé, j'vas la regarder se désâmer sans lever le p'tit doigt... Non, Évangéline, j'ai dit pas un mot, pis tu restes assis! répéta Alphonse plus sévèrement, alors que la jeune femme tentait de se lever, malgré l'avertissement de son mari. Si tu bouges de là, je te jure que je prends toute notre barda, pis je m'en vas le porter chez le Chinois.

Alphonse avait l'air si sérieux qu'Évangéline en fut effarée.

— Chez le Chinois, Alphonse? Tu penses pas sérieusement à ce que tu viens de dire là, j'espère?

— Et comment, que j'y pense! Si c'est pour te donner moins de tracas pis moins d'ouvrage, c'est ben certain que j'vas faire ça.

— Ben voyons donc, toé! Ça se fait pas, montrer notre p'tit linge de corps à un étranger.

L'évident embarras d'Évangéline la rendit encore plus jolie aux yeux d'Alphonse.

— Si c'est ça que tu penses, tu sauras que moé, je m'en fiche un peu. Le confort de ma femme est plus important que ce que le monde peut penser de mes caleçons...

— Alphonse!

Tout en parlant, le jeune homme avait vidé le panier à linge dans la cuve, qu'il remplissait maintenant avec un boyau de caoutchouc qui partait du robinet de l'évier.

Puis, il prit une barre de savon et il en râpa une bonne mesure au-dessus de la cuve.

— C'est-tu de même qu'y faut faire ça? demanda-t-il pour être bien certain de ne pas se tromper.

— Ça ressemble à ça, ouais.

Puis, moqueuse, Évangéline ajouta :

— Fais attention, Alphonse ! Si tu fais ça trop bien, ça va petête me donner l'idée de t'engager pour faire le lavage à toutes les semaines.

— Ça me fait pas peur ! Ça serait juste tant mieux si ça peut te rendre service... Astheure, m'en vas brasser tout ça ben comme y faut, j'vas le rincer pis le tordre, pis on va retourner en haut ensemble, expliqua-t-il, tout en prenant le long bâton qui servait à brasser les vêtements. J'vas en profiter pour aller chercher Adrien pour qu'y vienne s'amuser icitte avec moé dans la cave. On étendra le linge ensemble, tiens ! Pendant ce temps-là, toé, tu vas aller te reposer dans notre chambre.

— Ben là, mon homme... À me faire traiter aux p'tits oignons comme ça, c'est sûr que j'vas être sur le piton dans le temps de le dire !

Malheureusement, dans la vie, pour certaines choses, la bonne volonté ne suffit pas, n'est-ce pas ? Sinon, quand Alphonse vint rejoindre Évangéline, à la fin de l'après-midi, tout serait rentré dans l'ordre.

Il n'en fut rien.

Le jour n'était plus qu'une pâle lumière qui découpait les branches dénudées des arbres au fond de la cour en une fine dentelle, quand Alphonse monta enfin avec le petit Adrien. Le bambin était tout heureux d'avoir passé un bon moment de l'après-midi avec son père, et il avait hâte de dire à sa mère que c'était lui tout seul qui avait accroché son chandail rouge sur la corde qu'Alphonse avait tendue au fond de la cave, pour éviter d'avoir à sortir en plein hiver.

Évangéline était encore couchée et l'appartement était plongé dans l'ombre naissante de cette fin de journée d'hiver. Un curieux spasme tordit le cœur d'Alphonse. Cela ne ressemblait pas du tout à son Évangéline de paresser au lit sans raison. Pour que le repas ne soit pas mis à cuire, c'est que ça n'allait pas très bien.

— Toé, Adrien, tu vas rester dans la cuisine pendant que popa va aller voir si moman a besoin de quèque chose, murmura-t-il à l'oreille de son fils.

— Pis mon chandail, lui?

— Tu raconteras tout ça à moman tantôt, durant le repas... Tiens, prends un biscuit en attendant le souper... Ça sera pas long, j'vas revenir dans deux menutes.

Se contentant de la lumière du corridor pour éclairer la chambre, Alphonse s'approcha du lit.

Évangéline semblait dormir.

Inquiet, Alphonse s'approcha à pas de loup. Le simple fait de poser doucement sa main sur l'épaule de la jeune femme suffit à la faire sursauter. Elle posa un regard fiévreux sur son mari, sans articuler le moindre mot.

— Ben voyons, ma belle Line! T'as pas l'air à filer pantoute, toé là... Comment tu te sens?

— Pas ben, Alphonse, admit la jeune femme dans un souffle. Pas ben pantoute. J'ai dû manger de quoi qui me va pas, pasque j'ai mal au cœur sans bon sens.

— Pis ton mal de dos?

— Y est toujours là... Je dirais même, verrat d'affaire, que c'est encore pire !

Évangéline parlait d'une voix haletante. Alphonse passa la main sur son front. Il le trouva brûlant. Il repoussa délicatement quelques mèches de cheveux mouillées par la sueur.

— On dirait que j'ai frette pis que j'ai ben chaud en même temps, expliqua Évangéline d'une voix éteinte. J'ai petête exagéré sur la soupe aux pois, hier. Tu sais comment j'aime ça, hein ? Finalement c'est petête juste des crampes d'indigestion. Ça va ben finir par passer.

— Ouais... Pas sûr de ça, moé ! Y me semble qu'un peu trop de soupe, ça peut pas maganer quèqu'un à ce point-là... Veux-tu qu'on aille à l'hôpital pour voir un docteur ?

— T'es-tu fou ! Aller à l'hôpital pour un mal de ventre... En plus, y fait noir, pis Adrien aurait même pas le droit d'entrer dans l'hôpital, pasqu'y est trop jeune. De toute façon, ça coûte cher, aller à l'hôpital. Ça fait qu'on va garder notre argent pour l'accouchement... Non, non, j'vas me lever pis ça va se régler tout seul.

— Pis si c'était à cause du bebé ?

À ces mots, Évangéline ferma les yeux, un instant. Elle aussi, elle y avait pensé. En fait, elle n'avait pensé qu'à cela durant tout l'après-midi, sombrant dans des périodes de somnolence entrecoupées de sursauts, sans vraiment réussir à se détendre. Mais pour ne pas inquiéter son mari, elle repoussa l'idée que le bébé pouvait avoir un problème quelconque.

Tout s'était très bien passé pour Adrien, elle ne voyait pas en quoi la situation pouvait être différente maintenant. Puis, il était encore si petit, ce bébé, c'est à peine si Évangéline croyait avoir senti quelques mouvements. Ce ne pouvait donc pas être lui qui causait son malaise.

— Ça se peut pas, voyons! rétorqua-t-elle alors en haletant. C'est pas pantoute le temps qu'y arrive, cet enfant-là.

— Je sais tout ça, mais quand même, ça m'inquiète... On va attendre un peu, pis...

— Ben non, Alphonse. On va rien attendre pantoute! Si je reste couchée, j'arriverai jamais à m'endormir tantôt, pis c'est là que j'vas trouver la nuit longue en verrat! Donne-moé la main pour que je me lève, pis j'vas aller faire le souper.

— Pas question! Si tu veux te lever, c'est ben correct, c'est toé qui le sens, mais c'est moé qui fais le souper...

— Ben je dirai pas non, consentit alors Évangéline en soupirant, sans insister autrement, ce qui alarma Alphonse. J'ai tellement mal au cœur... Va, Alphonse, va voir à Adrien, pis je pense que j'vas rester icitte, finalement. Juste l'idée de voir du manger me lève le cœur...

À sept heures, Alphonse quittait la maison avec Adrien. En désespoir de cause, il frappa à la porte des Gariépy.

— Ma femme va pas ben pantoute, annonça-t-il de but en blanc à Arthémise, qui lui ouvrit la porte. A' fait comme une sorte d'indigestion. J'vas aller frapper chez Albert, au coin de la rue, pour y demander la permission d'utiliser le téléphone dans son casse-croûte. J'vas essayer de rejoindre le docteur Lalonde. Y connaît ben ma femme.

— Ça va mal à c'te point-là ?

Sans attendre la réponse et devant l'air désemparé d'Alphonse, Arthémise tendit les bras pour recueillir le petit Adrien, qui était déjà à moitié endormi.

— Perdez pas votre temps à me raconter tout ça. Donnez-moé le p'tit, pis j'vas m'en occuper comme si c'était le mien... Vous reviendrez le chercher demain matin, pis vous m'expliquerez la situation à c'te moment-là.

— Vous êtes ben fine, madame Gariépy... Ben ben fine. Ma femme va vous en être redevable de tout ça. Astheure, j'me dépêche. J'aime pas ça savoir mon Évangéline toute seule.

À huit heures, le docteur Eugène Lalonde laissait son automobile au coin de la rue, devant le casse-croûte Chez Albert, car la chaussée de L'Impasse n'était pas praticable en hiver. Moins de vingt minutes plus tard, quiconque aurait regardé par sa fenêtre aurait vu un curieux équipage remonter la rue en sens inverse. En effet, après un bref examen, le médecin avait demandé à Alphonse de démonter une porte pour en faire une civière.

— Il n'y a pas de temps à perdre, avait déclaré le médecin en ressortant de la chambre. Pas même pour trouver un taxi ou pour demander à l'hôpital de nous envoyer une ambulance. Mon automobile est au coin de la rue, vous allez m'aider, monsieur Lacaille. Sortez une porte de ses gonds et trouvez-moi trois ou quatre couvertures de laine assez chaudes. Votre femme a besoin d'une intervention le plus rapidement possible, on s'en va tout de suite à l'hôpital.

Le lendemain matin, quand Alphonse se présenta à la maison des Gariépy, il avait le teint blême d'un homme qui n'avait pas dormi de la nuit. À ses yeux rougis, Arthémise comprit qu'un drame s'était produit.

— Venez, entrez, proposa-t-elle avec une voix de circonstance, grave et douce, ce qui changeait de son timbre habituel, plutôt autoritaire. M'en vas vous servir une bonne tasse de thé avec un peu de pain grillé pis des cretons. C'est votre Adrien qui va être content de vous voir. Y arrête pas de demander après vous pis votre femme. Pauvre p'tit gars ! Y est un peu perdu, pis à son âge, y comprend rien de ce qui se passe.

Alphonse se laissa emmener sans dire un mot, après avoir retiré ses bottes et son paletot.

Il prit le temps de rassurer son fils, en lui promettant qu'un peu plus tard, ils retourneraient ensemble à la maison, puis il suivit Arthémise pour se restaurer un peu, même s'il était surpris d'avoir faim. Ensuite, il prit sa tasse de thé à deux mains espérant que le breuvage chaud aiderait à lui éclaircir l'esprit, et tout en buvant, Alphonse raconta la soirée et la nuit qu'il avait péniblement passées.

Dès leur arrivée à l'hôpital, Évangéline avait été emmenée vers une salle d'opération.

— Y avait pus rien à faire, notre bebé était mort, expliqua-t-il, la gorge serrée. Le docteur avait vu ça, lui, quand y avait examiné ma femme.

Alors qu'Alphonse prononçait ces derniers mots, sa voix s'enroua. Il prit le temps de se remettre, de s'essuyer les yeux, puis il poursuivit.

— Selon le docteur Lalonde, ça faisait déjà une couple de jours que toute était fini pour notre bebé... Si ma femme avait mal au cœur de même, c'est pasqu'a' l'était en train de s'empoisonner, que le docteur m'a expliqué par après. Ça se peut-tu! C'est pour ça qu'y disait que c'était urgent, quand y était chez nous. Calvince! Le pire, dans tout ça, c'est qu'on avait rien vu venir. Avant-hier encore, Évangéline était en pleine forme.

— Si ça peut vous rassurer, j'vas dire la même chose que vous! On s'est croisées, elle pis moé, hier après-midi, pis y avait rien pantoute dans son attitude qui laissait croire que sa vie était en danger. Pis? Que c'est qu'y a dit d'autre, le docteur?

— Y a dit que si j'avais rien faite, si je l'avais pas appelé, ça aurait pu virer au drame...

Alphonse leva un regard désespéré vers Arthémise.

— Jamais je me serais pardonné d'avoir perdu ma femme à cause d'une négligence...

— Voyons, monsieur Lacaille, faut pas penser au pire de même... Vous avez fait ce qu'y fallait, pis c'est ça l'important. Vous pensez pas, vous?

— Ouais... Vous avez probablement raison. Je l'aime tellement, c'te femme-là, que mon intuition avait toute deviné... C'est quand le docteur m'a dit que ça aurait été une p'tite fille que j'ai décidé de rester à l'hôpital pour être là quand Évangéline se réveillerait. Ma femme espérait tellement avoir une fille que je savais qu'a' serait ben gros déçue... Pis j'ai eu raison de penser de même. J'ai jamais vu quèqu'un pleurer autant qu'Évangéline quand elle a su que c'était une p'tite fille... Par contre, le docteur a dit que ça arrivait souvent qu'une femme perde son p'tit comme ça, sans raison apparente, pis que ça voulait surtout pas dire qu'une prochaine fois, ça allait être pareil. Le docteur Lalonde a dit aussi que finalement, toute s'était ben passé pour l'opération, pis que dans une couple de mois, on pourrait essayer de se reprendre. C'est là que ma femme s'est calmée, pis qu'a' m'a dit de venir chercher Adrien, pis de pas oublier de vous remercier ben gros de vous en être occupé.

— Ben là... C'est juste normal de s'entraider, vous pensez pas, vous ?

— Ouais, c'est de même que ma femme pis moé, on voit les choses... Mais c'est à titre de revanche, par exemple. Si jamais vous avez besoin de quoi que ce soit, vous le dites !

— Promis ! Pis ? Quand c'est qu'Évangéline va revenir de l'hôpital ?

— Probablement demain. Tantôt, j'vas essayer d'aller la voir, pis je devrais avoir la réponse. *Anyway,* j'y ai déjà laissé de l'argent pour se payer un taxi. Comme ça, Évangéline va pouvoir revenir à la maison dès que le docteur va y donner son congé.

— Pis si je gardais votre Adrien jusqu'à demain ? Pis même après-demain ? Ça serait petête plus simple pour vous ?

— C'est sûr que ça me faciliterait les choses, admit Alphonse, tout hésitant. Je pourrais même aller voir Évangéline dans le courant de l'après-midi sans avoir à me casser la tête. Mais je voudrais pas abuser de...

— Ça me dérange pas une miette ! trancha Arthémise. En autant que vous m'apportiez un peu de linge, toute va ben aller, pasque là, le pauvre enfant, y a juste son pyjama.

— C'est ben que trop vrai... J'avais pas pantoute pensé à ça, moé là.

— C'est pas ben grave... En plus, ça tombe ben, pasqu'on est samedi pis Pierre-Paul a pas d'école. Y m'a dit, t'à l'heure, qu'y aimait ça ben gros, avoir Adrien icitte. Ça y fait comme une sorte de p'tit frère.

— Ben si c'est de même... Je passe à la maison pour rapailler du linge, pis je vous l'amène... Pis vous direz à Pierre-Paul que pour cette semaine, je serai pas là pour le hockey. Comme je vous l'ai dit, j'vas plutôt aller voir ma femme à l'hôpital, après avoir dormi une couple d'heures.

— C'est ben normal d'agir de même. Mon garçon va le comprendre, craignez pas... Pis que c'est vous diriez de venir souper avec nous autres quand vous reviendrez ? improvisa Arthémise avec entrain.

— Ben là... J'vas petête me répéter, mais je voudrais pas abuser.

— Ben voyons donc! Dans mon cas, vous savez, un de plus ou ben un de moins à ma table, ça change pas grand-chose. Mes chaudrons sont toujours ben pleins! Pis ça vous donnera l'occasion de rencontrer mon mari. Quand Pierre-Paul a parlé de la partie de hockey de l'autre samedi, mon Raoul vous a trouvé ben chanceux d'avoir du temps de *lousse* durant la fin de semaine. Lui, y travaille tout le temps le samedi! Allez vous reposer, astheure.

— C'est en plein ce que j'vas faire, après vous avoir apporté du linge pour Adrien... Pis merci ben gros pour votre invitation. Ça me fait plaisir de savoir que j'vas enfin connaître votre mari, pis ça va sûrement me faire du bien, un bon repas chaud.

— Si c'est de même, c'est ça qu'on va faire. Pis soyez pas inquiet, votre garçon manquera de rien!

Évangéline revint effectivement de l'hôpital dès le lendemain, au moment où les cloches de l'église sonnaient midi. Pour ne pas être pris au dépourvu, Alphonse s'était rendu au coin de la rue vers onze heures pour attendre sa femme, afin qu'elle n'ait pas à marcher toute seule jusqu'à leur maison. Il s'était dit que si à une heure Évangéline n'était pas arrivée, il comprendrait que son départ n'avait pas été autorisé par le docteur Lalonde et il continuerait sa route jusqu'à l'hôpital pour aller aux renseignements.

Quand ils passèrent devant la maison des Gariépy, Alphonse proposa de s'arrêter un instant pour voir

Adrien, et peut-être même pour le ramener à la maison avec eux.

— La maison est ben grande pis ben silencieuse, quand le p'tit est pas là, expliqua-t-il, tout en soutenant le bras d'Évangéline pour qu'elle puisse marcher plus facilement. Y a beau être sage, pis s'amuser souvent tout seul, sa p'tite voix qui pose toutes sortes de questions me manque ben gros.

La jeune femme leva un regard triste vers son mari.

— Non, Alphonse. J'ai pas envie de m'arrêter.

— Tu veux pas voir Adrien?

— C'est pas ce que j'ai dit, mon mari. Pantoute.

— Remarque que madame Gariépy nous a offert de le garder jusqu'à demain.

— Non... Demain, c'est trop loin pour moé. Je me languis de notre garçon comme ça se peut pas... En fait, je pense qu'y a juste lui qui va pouvoir m'aider à guérir de ma peine... Est ben serviable, Arthémise, mais j'ai quand même pas envie de la voir. J'ai pas le cœur de faire des finesses à personne. Pas plus à Arthémise qu'aux autres. M'en vas retourner chez nous, pis c'est là, dans mes affaires, que j'vas attendre Adrien. Toé, tu diras un gros merci à Arthémise de ma part. Pour astheure, c'est ben de valeur, mais va falloir qu'a' se contente de ça. Je me reprendrai au printemps pour aller voir toute mon monde... Quand je serai en mesure d'annoncer qu'on a perdu notre p'tite fille sans risquer de me mettre à brailler comme une Madeleine... Ouais, j'irai voir les femmes de la rue au printemps, quand je recommencerai à prendre des marches avec Adrien, pis j'irai porter un p'tit cadeau à Arthémise à c'te moment-là. Je voudrais donc pas qu'a' pense que chus une ingrate...

— Chus sûr qu'a' pense pas ça.

— Que le Bon Dieu t'entende, mon mari! En attendant, aide-moé à retourner chez nous. Je me sens ben vaseuse, ben fatiguée. Je pense même que j'vas m'allonger en attendant que tu reviennes avec Adrien.

* * *

En août de la même année, à son grand désarroi, Évangéline Lacaille se retrouva une seconde fois à l'hôpital pour exactement la même raison.

Pourtant, tout avait bien commencé.

En effet, après avoir vécu un hiver triste et long, pleurant le décès de cette petite fille qu'elle aurait bien aimé appeler Colette, la jeune femme avait retrouvé le sourire, au début du mois de mai, quand le docteur Lalonde lui avait confirmé une troisième grossesse.

— Il semble bien que vous ayez raison, avait-il approuvé en souriant. Vous êtes enceinte! Et ça se présente très bien. Par contre, si vous n'y voyez pas d'inconvénient, madame Lacaille, j'aimerais vous suivre de plus près. Une visite tous les mois me paraîtrait tout indiquée.

Et Alphonse, malgré la dépense, avait été tout à fait d'accord avec le médecin.

— On prendra pas de chances, ma belle Line. Avec le docteur pour y voir régulièrement, c'est comme rien que toute va ben aller.

Ainsi, quand son amie Georgianna lui avait présenté son nouveau-né, un peu plus tard, au temps des lilas, Évangéline avait pu déclarer tout à fait détendue que c'était un superbe petit garçon et qu'elle était bien heureuse pour elle. Puis d'emblée, elle avait annoncé la venue de la cigogne chez les Lacaille, pour le mois de janvier suivant.

— En espérant qu'on va se reprendre, pis que ça va être une fille !

Malheureusement, la grossesse s'était terminée de façon aussi abrupte que la précédente. Toutefois, cette fois-ci, c'est dans le bureau du médecin qu'Évangéline avait appris qu'encore une fois, le bébé était décédé de façon spontanée et incompréhensible.

— Je ne sais trop comme vous dire ça, mais...

De toute évidence, le docteur Lalonde n'était pas à l'aise.

— Mais c'est pareil à l'autre fois, hein ? avait alors interrompu Évangéline, en soutenant le regard du médecin sans ciller, tandis qu'elle était assise devant lui après l'examen habituel.

Néanmoins, elle avait le cœur qui lui battait jusque dans la gorge.

— C'est bête, mais je m'y attendais, avait-elle murmuré, en baissant les yeux.

Évangéline jouait nerveusement avec le fermoir de son sac à main, puis elle avait toussoté et ajouté :

— Je pourrais pas dire pourquoi, par exemple.

Sur ce, elle avait poussé un long soupir tremblant et elle avait levé la tête.

— C'était comme une sorte d'intuition, j'cré ben... Verrat que ça me fait de la peine, docteur! Vous pouvez pas savoir comment.

— Je m'en doute un peu, madame Lacaille. Vous êtes l'une de ces femmes qui sont faites pour être mère. Il n'y a que du bonheur dans votre regard quand on vous confirme une maternité.

Évangéline avait accepté le compliment en rougissant, puis, spontanément, sa main s'était égarée sur son ventre, dans un geste discret mais éminemment possessif.

— Je vois pas comment c'est qu'une femme peut prendre ça autrement qu'en étant contente. C'est un cadeau du Ciel, un bebé... Pis là, ben...

Deux grosses larmes avaient roulé sur les joues d'Évangéline, qui avait cessé de parler brusquement tellement sa gorge était serrée.

— Je comprends votre tristesse. Personne ne souhaite qu'une grossesse se termine de la sorte. Mais cette fois-ci encore, on n'entend pas le cœur du fœtus et l'utérus n'est pas aussi gros qu'il devrait l'être. C'est pour cette raison qu'au lieu de retourner chez vous, il serait préférable que vous vous rendiez directement à l'hôpital.

— L'hôpital?

La jeune femme avait jeté un regard effaré autour d'elle.

— J'peux pas m'en aller à l'hôpital comme ça, juste sur une peanut! Faut que je prenne mes dispositions, comme on dit... À commencer par aller chercher mon p'tit garçon Adrien.

Évangéline s'était arrêtée pour soupirer.

— Je l'ai laissé chez ma voisine Noëlla, qui va se faire ben du tourment si a' me voit pas revenir... Faut que j'aille le chercher, docteur, avait-elle lancé d'une voix déterminée. Noëlla, c'est mon amie, pis a' peut pas garder mon garçon indéfiniment pasqu'a' l'a une grosse famille. Pis je veux surtout pas qu'a' s'inquiète pour moé, a' l'a pas besoin de ça... Pis y a mon mari aussi... Que c'est qu'y va penser si y me trouve pas à la maison quand y va revenir de son ouvrage, t'à l'heure? Non, j'peux vraiment pas me rendre à l'hôpital tusuite de même...

— Alors on dit demain?

— Ouais, ça m'arrangerait pas mal mieux, avait approuvé Évangéline, visiblement soulagée.

— Alors, je vous attends à l'hôpital demain matin, pas plus tard que huit heures. Ça va vous éviter d'être malade comme l'autre fois. N'oubliez pas! Il ne faut rien manger ni boire à partir de ce soir... Et si jamais vous vous sentez...

— Si jamais j'ai mal au cœur ou si j'ai des crampes, m'en vas vous appeler, avait devancé Évangéline, qui n'avait pas oublié sa dernière expérience et ne voulait surtout pas la revivre... Ou ben Alphonse vous appellera ou on *callera* un taxi, en cas de besoin, pour aller direct à l'hôpital. Astheure, on a le téléphone, vous savez...

En effet, à la suite de leur départ en catastrophe pour l'hôpital, au mois de janvier précédent, et dans des conditions plutôt extrêmes qui avaient grandement inquiété Alphonse, ce dernier avait fait installer le téléphone chez lui.

— J'ai eu trop peur de te perdre, Évangéline. Avec un téléphone, chez nous, on va pouvoir rester en contrôle de la situation.

— Ben voyons donc, toé... Le docteur l'a dit: c'est juste une erreur de parcours. Ça veut pas dire que ça va être de même à chaque fois.

— On sait jamais!

— Bâtard, Alphonse! Fais-moé pas peur comme ça! On a toujours ben eu un p'tit garçon en parfaite santé, non?

— Ben oui. Je te fais aucun reproche, ma femme, comprends-moé ben. Mais calvase que j'ai eu peur! Pas question que je revive ça une autre fois. En cas d'urgence, on pourra appeler l'hôpital pis le docteur, pis ça sera à eux autres de prendre les bonnes décisions... Dis-toi ben que le téléphone peut servir pour moé avec. Des fois que je me couperais avec mes ciseaux à bois... Pis si Adrien tombe pis qu'y se casse un bras?

— Ouais, vu de même... Mais t'es ben certain qu'on a ces moyens-là, Alphonse?

Tandis qu'Évangéline quittait le bureau du médecin d'un pas lent, elle se remémorait cette conversation.

— À croire que mon Alphonse avait prévu ce qui nous arrive encore, avait-elle murmuré en traversant la rue Sherbrooke. Maudit verrat! Que c'est qui se passe pour que je soye pus capable de mener mon p'tit à terme? Bâtard que la vie est dure, par bouttes!

La jeune femme était arrivée tant bien que mal à cacher sa détresse tout au long du chemin et quand elle s'était présentée chez Noëlla, elle avait l'air tout simplement très fatiguée.

— Pis merci ben gros. Ça aurait été long en verrat, pour les p'tites jambes d'Adrien, de marcher jusque-là.

— Même vous, ma pauvre Évangéline, vous avez les traits tout tirés.

— Ah ouais? Pourtant je me sens ben, avait-elle menti, en se penchant pour attacher le gilet de laine de son garçon, afin d'éviter d'avoir à croiser le regard de son amie, qui continuait de jacasser comme une pie.

— Ça a été un plaisir de garder votre fils. C'est une soie, cet enfant-là. Vous pouvez me l'amener n'importe quand. Quand votre temps sera arrivé, vous penserez à moé.

— Ben merci... Astheure, j'vas rentrer chez nous... C'est vrai que chus un brin fatiguée, était-elle arrivée à articuler sans se mettre à pleurer.

Toutefois, à l'instant où Évangéline avait mis un pied à l'intérieur de son appartement, les larmes s'étaient mises à couler de plus belle, et malgré la présence d'Adrien, elle n'avait pu retenir un sanglot déchirant.

— Vous vous êtes fait bobo, moman?

Le petit garçon semblait inquiet. Il n'avait jamais vu pleurer sa mère. Il l'entendait parfois disputer quand les choses n'allaient pas à son goût, et ça l'impressionnait, mais elle ne pleurait jamais. Au contraire, elle était plutôt joyeuse et elle chantait souvent avec lui.

— Ben non, mon grand, avait tenté de rassurer Évangéline en s'essuyant le visage.

Puis elle avait reniflé, pour prendre sur elle, car la jeune femme ne voulait surtout pas apeurer son fils. Elle garderait ses larmes pour plus tard, quand Alphonse serait là.

— Moman est juste ben fatiguée, Adrien... C'est loin, aller chez le docteur, tu sais. Va, mon homme, va jouer dans ta chambre. Moé, j'vas faire à souper pour que toute soye prêt quand popa va arriver. Que c'est que ça te tenterait de manger, Adrien ? Moman a pas d'idée.

— Du « sgabetti », peut-être ?

Adrien adorait le spaghetti au jus de tomate préparé par sa mère, mais malgré de gros efforts, il n'arrivait jamais à prononcer le mot correctement, ce qui faisait bien rire Alphonse.

Ce soir-là, Évangéline n'avait pas vraiment mangé, l'appétit n'était pas au rendez-vous, et au moment de se mettre au lit, Alphonse avait dû la bercer tout contre lui pour qu'elle puisse enfin cesser de pleurer et finir par s'endormir.

Le lendemain matin, sur un coup de tête, Alphonse décida d'accompagner sa femme à l'hôpital, sans même prévenir son patron, et Adrien fut encore une fois confié à Noëlla.

— Ben voyons donc, Alphonse! Je peux faire ça toute seule, avait affirmé Évangéline, d'un ton qui se voulait assuré, mais qui ne l'était guère. Que c'est que ton patron va te dire?

— Y dira ben ce qu'y voudra, mais moé, j'ai pas plus envie de voir du monde que toé, l'autre jour, quand t'es revenue de l'hôpital. J'ai pas envie non plus d'être tout seul pendant que tu te fais opérer.

— Si c'est comme l'autre fois, je sentirai pas grand-chose, tu sais. À part le mal de cœur quand je me réveille, ça fait pas vraiment mal. Y a un autre docteur dans la salle d'opération. Lui, y me met une sorte de masque sur la face pis je m'endors tusuite... Une chance, pasque j'aimerais pas ça, me rendre compte qu'on est en train de m'enlever mon bebé... Bâtard que c'est dur, Alphonse...

Les larmes étaient peut-être taries, mais quand le regard du jeune homme croisa celui de son épouse, il comprit que la douleur était toujours aussi vive. Ce qui le conforta dans sa décision.

— Donne-moé le temps d'aller reconduire Adrien chez ton amie Noëlla. Quand chus allé la voir, hier, pour y parler de la situation, c'est elle-même qui me l'a proposé... C'est vraiment une femme gentille. Ça fait qu'a' sera probablement pas surprise de me voir arriver aussi de bonne heure à matin. Ensuite, j'vas appeler un taxi, pis...

— Un taxi, Alphonse ? Pourquoi ? Je me sens pas aussi mal en point que l'autre fois, pis chus capable de...

— Non ! Pas question de marcher jusqu'à l'hôpital ! On prend un taxi, pis j'vas être là, avec toé.

Et comme Alphonse voyait que sa femme était sur le point de répliquer encore une fois, il prit son visage entre ses mains et plongea son regard dans le sien.

— Je t'aime, ma belle Line. Je te le dis petête pas ben ben souvent, mais c'est là, dans mon cœur, pis y a rien qui va arrêter ça. Ce bebé-là, on l'a fait ensemble pasqu'on s'aime, pis c'est ensemble qu'on va le pleurer. Pas question que je te laisse toute seule. Astheure, va t'assire dans le salon pis attends-moé. Le temps d'aller mener Adrien, pis je reviens.

Le moment le plus difficile pour Évangéline ne fut pas d'être endormie, ni celui de se réveiller « vaseuse », comme elle le disait elle-même. Non, ce fut quand le médecin lui annonça que c'était encore une petite fille qui était décédée et qu'à son avis, le problème était là.

— Je ne peux dire pourquoi, mais il arrive que le corps de certaines femmes rejette le bébé à cause de son sexe...

— Ben voyons donc, vous, murmura alors Évangéline.

Alphonse lui tenait la main et à ces mots, la pression se fit plus forte.

— Eh oui ! J'ai déjà eu une patiente qui a mis au monde quatre belles filles en bonne santé et qui a perdu autant de petits garçons, aux alentours du cinquième mois de grossesse. Un peu comme vous, madame Lacaille.

— Voir que mon ventre savait ça, lui, que c'était une fille... déclara Évangéline, en glissant un regard perplexe sur son ventre, caché sous la jaquette et le drap...

Puis, elle leva les yeux vers le docteur Lalonde.

— Pis si moé, j'en veux une fille, j'peux toujours ben pas me laisser mener par le boutte du nez par mon ventre. Ça se peut pas, une affaire de même, voyons donc !

— Malheureusement oui, ça se peut. Mais dites-vous bien que ça aurait pu être pire.

— Comment ça, pire ? Je vois pas ce qui pourrait être pire que...

— Vous auriez pu ne pas être capable d'avoir d'enfants, tout simplement, madame Lacaille, interrompit le docteur Lalonde. Ni garçons ni filles.

— Oh...

— N'est-ce pas ? Quand votre déception sera trop grande, pensez à ça, et vous comprendrez que vous êtes quand même chanceuse dans votre malheur. À la maison, vous avez un beau garçon qui vous attend... Et rien ne vous empêche d'en avoir d'autres. Et maintenant, vous allez m'excuser, mais j'ai quelques patientes à voir avant de me rendre à mon bureau. Quant à nous, on se revoit demain, avant votre départ...

Quand Évangéline revint chez elle, le lendemain, Alphonse était parti travailler.

— Le patron accepterait pas que je manque une autre journée d'ouvrage, s'était excusé le jeune homme avant de quitter l'hôpital.

— Je comprends ça, Alphonse.

— T'es ben fine, ma belle Line.

— C'est juste normal que ça se passe de même, mon mari. La vie continue pour tout le monde, même si moé, j'ai la drôle d'impression que ben des choses sont en train de s'arrêter. Pour toé comme pour moé... Veux-tu que je te dise ?

— Quoi ?

— Astheure que je sais ce qui se passe vraiment, me semble que je trouve ça un peu moins dur... C'est choquant de savoir que mon corps veut pas suivre les envies de mon cœur, mais que c'est tu veux que j'y fasse ?

— Pas grand-chose, c'est sûr, avait admis Alphonse, soulagé de voir que son épouse n'était pas totalement terrassée par la perte de cette deuxième petite fille. La nature pis le Bon Dieu sont plus forts que nous autres, hein, ma belle Line ?

— Bâtard que oui ! C'est en plein ce que je me dis, moé avec... C'est ben certain que j'vas encore avoir de la peine, pis je sais avec que je risque de me retrouver icitte, petête dans le même lit, pour la même maudite affaire plate. C'est sûr que si ça arrive une autre fois, j'vas brailler encore, pis j'vas avoir le cœur en miettes. Mais comme l'a dit le docteur, y me reste toujours ben l'espérance d'avoir un autre beau garçon en bonne santé. Pis ça, ben, ça va aplanir ma peine... Ouais, c'est ce que je pense, moé, Évangéline Lacaille. Quand je serai trop triste, je prendrai mon p'tit Adrien dans mes bras en attendant d'avoir un autre p'tit gars à aimer... Hein, Alphonse, qu'un jour, on va avoir un autre p'tit garçon?

— C'est sûr, ma belle Line. Si on a déjà réussi à en avoir un, je vois pas ce qui nous empêcherait d'en avoir un autre.

— Ben dans ce cas-là, y me reste juste à me faire à l'idée que j'aurai jamais de fille, pis ça va ben aller, avait-elle conclu d'une toute petite voix.

Et tandis qu'Évangéline se faisait une raison à haute voix, de grosses larmes coulaient librement sur ses joues.

Quand la jeune femme revint donc chez elle, le lendemain, la maison était vide. Tel qu'il l'avait dit, Alphonse était parti au travail et Adrien était encore une fois chez Noëlla. Une note laissée sur la table disait que si elle était trop fatiguée pour aller chercher leur fils chez son amie, Alphonse y verrait à son retour du chantier. «*Noëlla fait dire que ça la dérange pas pantoute. Pis occupe-toi pas du souper. J'vas arrêter chez Albert en revenant, pis j'vas nous trouver quèque chose de bon à manger. Je sais que t'aimes ben gros la soupe aux pois pis les patates frites. J'ai ben hâte que tu soyes de retour chez nous. Je me sens pas mal tout seul quand t'es pas là. Je t'aime. Ton mari, Alphonse*»

Évangéline en eut les larmes aux yeux. Elle avait choisi le meilleur des hommes, et si pour avoir le droit de partager sa vie avec celui-ci, le Ciel lui envoyait quelques épreuves, elle était prête à les accepter sans trop se plaindre.

Et en plus, il y avait son Adrien dans sa vie, le plus gentil des petits garçons, un vrai rayon de soleil.

Malgré sa grande fatigue qui lui donnait envie de se recoucher immédiatement, Évangéline ressortit de chez elle pour aller chercher son fils. Elle se languissait de sentir son petit corps tout chaud contre son cœur, d'entendre sa voix chantante lui poser ses mille et une questions sur ce monde qu'il apprenait à découvrir. Puis, avec Noëlla, elle savait qu'elle pourrait verser quelques larmes au besoin, sans être jugée. Au fil des mois qui passaient, l'amitié avait tissé des liens solides entre les deux femmes.

— De ceux qui durent pour la vie, avait souligné Noëlla, alors qu'elles se dirigeaient un jour vers le parc avec leurs enfants.

Évangéline était bien d'accord avec elle. À ses yeux, Noëlla remplaçait les sœurs desquelles elle n'avait jamais été très proche. Quant à Arthémise, elle serait toujours une très bonne amie, mais la différence d'âge entre elles faisait en sorte que les confidences étaient moins fréquentes.

Plus tard, elle allait faire une sieste, avec Adrien blotti tout contre elle, et quand elle se serait reposée, elle préparerait un bon dessert pour accompagner le souper qu'Alphonse ramènerait du casse-croûte de monsieur Albert.

— Avec Adrien, tiens!

Rien ne plaisait autant au petit garçon que d'aider sa mère à cuisiner.

Le lendemain, quand Alphonse revint du travail, il entra par la porte d'en avant et sans attendre, il lança un tonitruant « Bonjour! », avant même d'avoir refermé derrière lui.

— Viens me rejoindre dans le salon, ma belle Line, ajouta-t-il, sur un ton plutôt joyeux. J'ai un cadeau pour toé!

— Un cadeau? Ben voyons donc, murmura Évangéline, tout en s'essuyant les mains sur son tablier... Que c'est ça encore?

— Popa a dit que c'est un cadeau, répliqua Adrien avec sa logique d'enfant.

— J'ai ben compris ça, mon garçon, mais c'est pas ma fête, pis c'est pas Noël non plus, à ce que je sache... De toute façon, Alphonse pis moé, on a décidé de pas se donner de cadeaux. On a une belle maison, pis du bon manger sur la table, c'est ben en masse, comme cadeau, pis pour ben des années devant nous autres.

Pendant qu'Évangéline enlevait son tablier en maugréant, Adrien courait déjà dans le long corridor, tout heureux de savoir que son père était arrivé et curieux de voir ce que pouvait être le cadeau. C'était bien la première fois que sa mère allait recevoir un cadeau. Habituellement, c'était lui qui recevait les présents de son père.

— Oh! C'est vraiment une grosse boîte, déclara-t-il en s'arrêtant pile sur le pas de la porte du salon.

Le gamin avait les yeux exorbités. Sans attendre, et sans saluer son père, il fit demi-tour et retourna à la cuisine au pas de course. Il fonça sur sa mère, qui arrivait à pas lents. Après tout, cela ne faisait que deux jours qu'elle avait été opérée.

— Venez voir moman! Vite, cria-t-il, tout excité, en lui prenant la main. Ton cadeau, c'est vraiment une GROSSE boîte. Pis en plus, elle est en bois!

— Une boîte en bois? Veux-tu ben me dire...

Amusée, Évangéline se laissa remorquer par Adrien jusqu'à la porte du salon où elle s'arrêta à son tour. Puis, elle mit les deux mains sur sa poitrine, pour calmer son cœur qui s'emballait.

— Bâtard, Alphonse! Veux-tu ben me dire c'est quoi, c'te folie-là?

— C'te folie-là, comme tu dis, ma femme, c'est un gramophone!

En prononçant ces mots, Alphonse semblait fier de lui comme un paon qui se pavane devant sa belle. Ses yeux bleus comme un ciel d'été lançaient des étincelles de plaisir. Évangéline avança d'un pas, sourcils froncés.

— Maudit verrat, je le vois ben que c'est un gramophone! grogna-t-elle. Chus quand même pas aveugle... J'veux juste savoir ce qu'un gramophone comme celui-là fait dans MON salon. Est là, la folie, Alphonse... Voir qu'on a les moyens de se payer un...

— Laisse faire les moyens qu'on a, ma belle Line, pis laisse-toé gâter, pour une fois.

— Quand même... Je sais ben que c'est toé qui gère l'argent du ménage, admit-elle d'une voix songeuse, pis que je manque de rien quand vient le temps de voir aux dépenses du quotidien, c'est vrai... Pis j'ai ben confiance en toé, ajouta-t-elle précipitamment, voyant le sourire de son mari s'effacer. Faut surtout pas que tu doutes de ça. Mais tu trouves pas que c'est comme un peu trop gros, juste pour moé, c'te cadeau-là ? J'ai rien faite de spécial pour mériter ça, moé là... Pis touche pas, Adrien ! Ça a l'air fragile sans bon sens, c'te machine-là. En plus, chus même pas sûre qu'on va la garder ! Un gramophone... Voyons donc !

Sans aucun doute, Évangéline avait l'air à la fois heureuse, incrédule, et un peu dépassée par l'événement.

— Voyons donc, répéta-t-elle, en faisant lentement un autre pas, comme si elle était intimidée par l'appareil. Un gramophone !

Alphonse vint la rejoindre et posa un bras autour de ses épaules, sous le regard pétillant d'Adrien, qui aimait bien quand ses parents se faisaient un câlin. Ça lui donnait envie d'être heureux, lui aussi.

— Ça, ma belle Line, expliqua Alphonse, en refermant maintenant les bras autour de la taille d'Évangéline, c'est juste pour te dire que je t'aime. Quand t'auras de la peine à cause de nos p'tites filles parties trop vite, ou que tu seras inquiète de quèque chose, ou encore quand tu t'ennuieras de moé pasque chus à l'ouvrage, ben t'auras juste à te mettre un disque pour te changer les idées. Je le sais, moé, que la musique te fait du bien. Tu chantes pas à cœur de journée pour rien. C'est pour ça que j'ai voulu te donner un gramophone, pour que t'oublies les choses tristes qui traversent notre vie, des fois.

C'était direct, c'était clair, ça découlait surtout d'une intention toute amoureuse. Le regard d'Évangéline se mit aussitôt à briller de larmes d'émotion.

— Mais t'es ben fin Alphonse, d'avoir pensé à ça... C'est vrai qu'un peu de musique, ça va adoucir mes chagrins...

La jeune femme appuya la tête sur l'épaule de son mari, émue. Puis elle murmura :

— Moé avec, je t'aime, tu sais.

— Pis moé ?

Inconscient qu'il venait de crever une bulle d'intimité, Adrien s'était glissé entre ses parents. En ce moment, il levait vers eux un sourire radieux et un regard chargé d'espoir. Alphonse fit un clin d'œil à sa femme, puis il se pencha pour prendre le petit garçon qui lui ressemblait tant dans ses bras, et ils firent ce qu'ils appelaient un grand câlin à trois. Le bambin, ravi, éclata de rire, puis il colla son petit visage dans le cou d'Évangéline, qui se dit alors que la vie était belle, malgré tout.

Après le souper, ils se retrouvèrent de nouveau dans le salon tous les trois. Inquiète, Évangéline tournait autour de l'appareil, sans oser y toucher.

— C'est toute une machine, ça là... À quoi ça sert, l'espèce de gros cornet qui ressemble à une fleur ?

— C'est par là que le son va sortir.

— Ouais... Un peu comme le cornet du téléphone, finalement... Verrat ! Y est quand même pas mal plus gros... M'as-tu être capable de faire fonctionner ça, moé là ? Ça me paraît compliqué sans bon sens.

— J'ai pour mon dire que si t'as de l'habileté avec ton moulin à coudre, tu devrais pas avoir de misère à faire jouer des disques... Au magasin, le vendeur a appelé ça des *records*.

— Ouais... C'est ben maudit, mais je pourrai pas vérifier tusuite, rapport que j'ai pas ça de caché dans le fond de mon armoire de cuisine, moé, des *records*.

— Je sais ben... Mais y en a pas mal, pis je voulais que tu choisisses à ta guise... Pis c'était quand même gros à transporter jusqu'ici. Je prenais ben de la place dans le tramway, pis le monde me regardait avec des grands yeux pas toujours gentils... Mais en attendant, on peut quand même trouver une place pour installer notre gramophone, pis samedi midi, quand j'vas revenir du chantier, on ira ensemble magasiner chez Eaton, pis tu choisiras une couple de disques à ton goût.

— Moé avec, j'veux des disques! lança Adrien, qui ne comprenait pas vraiment de quoi parlaient ses parents...

Sur ce, le petit garçon se gratta la tête et leva les yeux vers son père.

— C'est quoi un disque, popa?

— Viens mon bonhomme! M'en vas toute t'expliquer ça...

En fin de compte, ils placèrent le gramophone sur le buffet de la salle à manger.

— Ça fait chic, de le voir là, en dessous de la photo de ton oncle Jonas pis de celle de ta mère... Comme ça, j'vas pouvoir entendre la musique dans la cuisine pis aussi dans le salon, quand j'vas m'assire dans mon fauteuil. Verrat que chus contente, Alphonse ! Astheure, Adrien, dis bonsoir à popa, c'est le temps d'aller faire dodo...

— Mais la machine, elle ?

— Quoi, la machine ? A' s'envolera pas durant la nuit... Envoye, file dans ta chambre, pis toé, Alphonse, attends-moé ! On va regarder ça ensemble...

Sur ce, Évangéline quitta le salon, suivant Adrien de près.

— Pis si t'es ben sage, Adrien, entendit Alphonse, quand on ira chez Eaton, samedi prochain, on regardera ben comme y faut. Petête que ça existe, des disques pour les enfants !

PARTIE 2

1923-1926

CHAPITRE 5

« Sur cette terre, ma seule joie, mon seul bonheur
C'est Mon Homme
J'ai donné tout ce que j'ai, mon amour
et tout mon cœur,
À Mon Homme... »

Mon Homme (A. WILLEMETZ, J. CHARLES/
M. YVAIN)
PAR MISTINGUETT, 1920

Le 18 juin 1923, dans la cuisine de Noëlla, par une belle journée de fin de printemps

Par la fenêtre de la cuisine, on entendait les enfants les plus jeunes qui s'amusaient dans la cour, alors que les plus vieux étaient encore à l'école pour une semaine. Assise au bout de la table – à la place d'honneur, comme l'avait souligné Noëlla –, Évangéline était un brin intimidée, certes, mais tout de même souriante.

C'était Noëlla qui avait eu l'idée d'organiser cette petite rencontre des femmes de la rue en son honneur, ou plutôt en l'honneur du bébé qu'elle attendait. C'était gentil d'y avoir pensé, Évangéline l'admettait aisément. Toutefois, peu encline à prendre les devants, la jeune femme s'était quand même fait tirer l'oreille avant d'accepter d'être le point de mire d'une réunion.

— Ben là... Me semble que ça me ressemble pas pantoute de faire mon importante comme ça!

Qu'à cela ne tienne, Noëlla s'était entêtée.

— Une naissance, c'est un moment heureux, non? avait-elle souligné la semaine précédente, alors que les deux femmes s'étaient croisées au parc où Adrien aimait bien s'amuser lorsque la température le permettait.

— Ouais... Je peux pas dire le contraire.

Tout en parlant, Évangéline avait posé la main sur son ventre rebondi. Même si elle n'était pas énorme, cette fois-ci, tout se passait pour le mieux dans le meilleur des mondes, comme l'avait déclaré le docteur Lalonde, visiblement soulagé, lui aussi. Ainsi, dans huit semaines environ, Évangéline donnerait enfin naissance à son deuxième enfant.

En effet, au cinquième mois, quand le médecin avait tenté d'entendre les battements du cœur du bébé avec son curieux appareil en forme d'entonnoir double, Évangéline avait retenu son souffle tellement elle avait eu peur de sa réaction. Heureusement, le docteur Lalonde avait rapidement affiché un large sourire, et la jeune femme avait alors poussé un long soupir de soulagement.

— Cette fois-ci, madame Lacaille, il n'y a plus aucun doute, c'est bien un bébé en santé que vous attendez. Le cœur bat toujours, et tout à fait régulièrement. D'ici peu, vous le sentirez bouger, ce petit bébé-là.

Et il avait ajouté qu'à son avis, ce serait un garçon, à cause du rythme cardiaque. Peut-être voulait-il dissiper toute espérance inutile ? C'est ce qu'Évangéline s'était dit machinalement. Néanmoins, la jeune femme gardait une toute petite lueur d'espoir, se répétant à l'occasion que celui qui aurait le dernier mot, dans tout ça, ce serait le Bon Dieu. Cependant, garçon ou fille n'avait plus la moindre importance à ses yeux. En autant que le bébé soit en santé, elle aurait pour lui tout l'amour accumulé depuis des mois, voire des années, maintenant. Néanmoins, malgré le fait que tout se passait pour le mieux, elle attendrait le moment où se ferait entendre le premier pleur de son nouveau-né pour cesser d'angoisser et se réjouir tout à fait.

Cependant, de ce vestige d'inquiétude, cette espèce de spasme qui, parfois, lui faisait débattre le cœur, Évangéline n'en parlait à personne, pas plus à son mari ou au médecin qu'à ses amies proches. Voilà pourquoi, au retour de cette visite du cinquième mois, elle avait plutôt dit à Alphonse tout ce qu'il fallait pour chasser ses inquiétudes à lui.

— C'te fois-citte, toute va bien, mon mari, avait-elle déclaré dès qu'il était entré dans la cuisine, en revenant du travail.

Ce qui n'était que la stricte vérité !

— Laisse-moé te dire que ça va m'aider en verrat à mieux dormir à partir d'à soir ! avait-elle ajouté.

Ce qui l'était un peu moins.

Mais Alphonse semblait si heureux qu'Évangéline avait alors choisi de taire ses petits tourments.

— Chus content que tu te sentes bien, ma femme, avait-il lancé joyeusement. C'est une calvase de bonne nouvelle, ça là!

— Le docteur prétend même qu'y a l'air pas mal gros, notre bebé, avait enchaîné la jeune femme. Selon lui, je devrais le sentir bouger bientôt. Cré maudit! Que c'est je pourrais demander de plus?

— Pas grand-chose, c'est vrai!

— J'peux-tu te dire, mon mari, que j'vas l'aimer pour trois, cet enfant-là?

— Pis tu seras pas la seule... Calvince que chus content, moé avec! C'est sûr qu'y manquera pas d'amour, ce p'tit-là.

Évangéline et Alphonse avaient alors échangé un sourire heureux.

— Ouais, chus ben contente de voir que toute se passe normalement, avait répété la jeune femme, après avoir poussé un long soupir. Bâtard, Alphonse! C'est-tu assez plaisant? La vie nous sourit enfin dans toute ce qui peut être important pour nous autres! On l'a pas volé.

Puis, les semaines avaient passé sans anicroche.

Alors, oui, Évangéline était heureuse et relativement confiante. Mais était-ce bien suffisant pour faire la fête dès maintenant, comme proposé par Noëlla? S'il fallait que la nature décide encore de lui jouer un mauvais tour et de ne pas vouloir coopérer jusqu'au bout? Après tout, il lui restait toujours bien deux bons mois avant la naissance.

— Je sais pas trop, Noëlla, avait-elle donc murmuré, quand son amie lui avait proposé de faire la fête.

— Ben voyons donc! Regarde-toé, Évangéline. T'as pas l'air pantoute d'une femme qui va avoir des problèmes avant d'arriver à son heure d'accoucher. Envoye, dis oui, pis laisse-toé donc gâter!

Devant tant d'insistance, Évangéline avait senti son entêtement fléchir. Après tout, son inquiétude reposait uniquement sur une peur injustifiée découlant de deux mauvaises expériences. Contrairement à Adrien, ce bébé-là bougeait tout le temps, lui semblait-il, jusqu'à la réveiller la nuit. Il devait donc être en pleine forme. Même le médecin l'affirmait. De plus, il était plus gros que la normale. Cela devait vouloir dire qu'il serait vigoureux, donc en santé, non?

— C'est vrai que je me sens bien, avait-elle enfin concédé. Comme quand j'attendais Adrien, même si j'ai l'impression que ça va être un bebé ben différent.

— Bon, tu vois!

Noëlla était toute souriante.

— Si c'est de même, je comprends pas pourquoi on se servirait pas de cette raison-là pour célébrer un brin. On travaille assez dur dans une semaine qu'on peut ben prendre un p'tit *slack* pour avoir un peu de fun ensemble, non?

— Ouais... Quand tu dis qu'on travaille toutes ben fort, dans une journée, t'as pas tort. Mais...

Évangéline restait hésitante.

— Mais c'est pas une raison pour que ça devienne une sorte de fête pour moé, par exemple.

— Pourquoi pas? Si moé, ça me fait plaisir de faire de quoi pour toé... Entre nos deux, je peux-tu dire que tu l'as ben mérité? Après toute ce que t'as vécu l'an passé...

Évangéline avait esquissé un sourire nostalgique.

— C'est vrai que c'te bebé-là, ça fait un verrat de boutte que je l'attends, avait-elle admis, songeuse.

Puis, elle avait secoué la tête et offert un second sourire.

— Si tu y tiens tant que ça, m'en vas dire oui, Noëlla. Mais j'veux rien de gros, par exemple!

— Ben là, tu me fais plaisir, Évangéline. Pis crains pas! Quand ben même je le voudrais, j'ai pas le temps de mettre les p'tits plats dans les grands! Ça va se faire à la bonne franquette, pis avec ma vaisselle de tous les jours. Des p'tits gâteaux, un bon thé ou du café, pis ça va faire la *job*. Astheure, j'essaye de parler aux femmes de la rue, pis je te reviens avec une date.

En fin de compte, ce fut le lundi suivant qui avait été la journée retenue. Malgré que ce soit le jour du lavage!

— Tant pis pour nos guenilles, avait décrété Arthémise, on prendra les bouchées doubles mardi, pis on fera le lâvâge pis le repâssâge en même temps.

Voilà pourquoi, en ce moment, elles étaient cinq femmes du quartier à papoter autour de la grande table de Noëlla. En fait, seule la veuve Sicotte avait décliné l'invitation, prétextant un mal de gorge.

— Pauvre femme! On dirait qu'a' fait exprès pour fuir le bonheur, lança Arthémise, avec son franc-parler habituel. Simonac! On la voit jamais sortir de chez eux. Ça doit être plate rare, de se retrouver face à soi-même à la journée longue... C'est pas pasque son mari est mort de l'autre bord en 17 qu'est obligée de porter son deuil encore aujourd'hui, voyons donc! Ça fait quand même un bon six ans que c'est arrivé! Y serait petête temps qu'a' tourne la page.

— Ben, chus pas d'accord avec vous, protesta Georgianna, sur un ton très doux. La pauvre femme, a' l'a ben le droit de vivre la mort de son mari comme a' veut...

— C'est pas ce que j'ai dit, Georgianna! C'est pas une question de droit, c'est juste une question de bon sens, répliqua vivement Arthémise... Vous trouvez pas, vous? On passe pas une vie encabané dans une maison, même si a' l'est ben belle, pis ben confortable, à cause d'un chagrin qui veut pas finir... C'est ben juste si a' va à l'église le dimanche, pis chez Perrette le vendredi. Qu'a' sorte un peu, la veuve Sicotte, pis a' va ben voir que le soleil continue de briller pour tout le monde... même pour elle! Y a personne qui va venir m'enlever ça de la tête, icitte, aujourd'hui.

— Et si on parlait d'autre chose? suggéra alors Angélique, qui détestait toute forme de confrontation.

Arthémise jeta un regard à la ronde. Ne trouvant aucun sourire de connivence, elle haussa les épaules, avant d'ajouter, comme si elle devait à tout prix avoir le dernier mot :

— *Anyway,* c'est elle la pire...

— Comme tu dis, lança Noëlla, qui tutoyait à peu près tout le monde, parce que chez elle, en Abitibi, c'était ainsi que les gens faisaient. Astheure, les cadeaux !

À ces mots, Évangeline fronça les sourcils.

— Les cadeaux ? Maudit verrat, Noëlla, que c'est ça ? De quels cadeaux tu parles ?

— De ceux que les femmes de la rue pis moé, on a préparé pour toé !

— Que c'est tu dis là, toé ?

Évangéline donna une petite tape sur la table, pour montrer son désaccord, et elle fustigea son amie du regard.

— Bâtard, Noëlla ! Me semble que j'avais dit que je voulais ça simple.

— Pis ça l'est, trancha vivement Arthémise, comme si le reproche s'adressait à elle.

Tout en parlant, la grande femme montrait l'assiette de petits gâteaux à la vanille et les tasses dépareillées.

— On se mettra pas à discuter sur des cadeaux que vous avez même pas encore déballés, ma pauvre Évangéline ! lança-t-elle par la suite. Dites-vous ben qu'on s'est toutes amusées à vous préparer ça, pis ça serait une insulte de pas vouloir de nos cadeaux... C'est moé qui commence !

Et Arthémise sortit de son sac à main grand comme une poche de matelot un petit paquet enveloppé de papier de soie bleu ciel. En vérité, toutes les femmes présentes chez Noëlla savaient que le bébé à venir serait un garçon, selon le médecin. Ce n'était plus un secret pour personne qu'Évangéline n'était pas arrivée à mener à terme les deux précédentes maternités où elle attendait des filles. Mais le fait qu'Arthémise y ait pensé toucha la future mère.

Il y eut donc une « paire de pattes » en laine bleu pervenche tricotées et offertes par Arthémise ; une couverture en patchwork jaune, blanc et bleu crochetée par Georgianna et Angélique ; et un bonnet assorti à l'ensemble, cousu par Noëlla.

— Comme ça, souligna cette dernière, quand t'iras promener ton bebé, cet automne, y sera ben au chaud, pis beau comme un prince ! Pis ? Avez-vous décidé d'un nom, Alphonse pis toé ?

— On hésite en verrat... D'un bord, on aime ben Lionel. Ça fait sérieux pis chic. En plus, ça se prononce ben avec Lacaille. Adrien pis Lionel Lacaille, ça sonnerait ben... Mais d'un autre côté, y en a beaucoup, des Lionel, par les temps qui courent. Ça fait que...

Sur ce, Évangéline consulta ses amies du regard.

— Que c'est vous penseriez de Marcel ?

* * *

Perplexe, Évangéline regardait le gros poupon rougeaud qui faisait entendre ses pleurs colériques à travers la vitre de la pouponnière. Cela avait été une première pour elle d'accoucher à l'hôpital, car elle avait eu Adrien chez elle, dans son lit. Mais le médecin avait insisté, et faute d'arguments probants à faire valoir, Évangéline avait accepté. Finalement, elle appréciait l'expérience.

— Verrat, Alphonse, que c'est ça? murmura la jeune femme à son mari, qui se tenait devant la vitre avec elle. Notre gars chiale tellement fort qu'y serait capable de réveiller les morts...

— C'est vrai qu'y en braille une claque!

— C'est pas des maudites farces, poursuivit Évangéline sur le même ton retenu, mais quand je viens faire mon tour à la pouponnière, pis qu'y a d'autres parents en train de regarder leur bebé, je fais semblant que Marcel est pas à moé, pis je me concentre sur la fenêtre qui donne dehors.

— C'est vrai que notre deuxième fils a l'air plutôt... Comment je dirais bien ça? Y a l'air enragé?

Évangéline resta immobile un instant, soupesant les mots, puis elle leva les yeux vers son mari.

— Ça a petête l'air fou de dire ça de même pour un nouveau-né, mais ouais, t'as raison, Alphonse: notre garçon a l'air enragé, approuva Évangéline, sur un ton découragé.

Alphonse survola du regard les rangées de berceaux, écouta les voix derrière lui, puis il murmura, à l'oreille d'Évangéline:

— Calvase, ma femme, j'vas dire comme toé: c'est vrai que c'est gênant de le voir s'époumoner de même! Y est rouge comme une tomate. T'as-tu remarqué? C'est le seul à brailler dans toute la pouponnière, pis on dirait que tout le monde le regarde.

— En plein ce que je viens de dire. C'est pour ça que ça me gêne un peu, moé avec. Ça nous change d'Adrien, qui passait son temps à dormir.

— Justement, en parlant d'Adrien... Y fait dire qu'y a ben hâte que tu reviennes chez nous avec son p'tit frère. Y trouve ça plaisant d'être chez Noëlla, c'est de même qu'y m'a dit ça, mais depuis qu'y a vu Marcel à travers la vitre, dimanche dernier, y parle juste de lui. C'est son p'tit frère par-ci, son p'tit frère par-là ! Y arrête pas.

— Ben tu y diras, à mon beau Adrien, que moé avec, j'ai ben hâte de le voir. Je m'ennuie de lui. Pis ajoute donc que Marcel avec, y a hâte d'aller à la maison pour voir son grand frère. Ça devrait faire plaisir à Adrien.

— C'est sûr que j'vas y dire ça.... On va-tu être ben, toutes ensemble, hein, ma belle Line ? Y reste juste à espérer que Marcel soye pas malade.

— Pourquoi tu dis ça ?

— Ben... Pour pleurer autant, notre p'tit Marcel a petête quèque chose qui va pas.

— Ça a l'air que non... La garde-malade m'a dit que c'est pasqu'y aurait faim tout le temps... Me semble qu'on est pas comme ça, nous autres... On mange raisonnablement, toé pis moé. Même Adrien, qui pousse comme une asperge, est pas un gros mangeur.

— Dans ce cas-là, on va attendre d'être à la maison, ma belle Line, pis on verra ben comment ça va se passer...

Mais c'était tout vu d'avance! Quelques jours plus tard, quand Évangéline et le bébé furent de retour à la maison, la tendance se confirma assez rapidement.

Le gros Marcel – pensez donc, il pesait déjà onze livres à sa naissance! – réclamait sa bouteille toutes les deux heures, à grand renfort de cris colériques, et ce, même la nuit.

— C'est drôle pareil, hein Alphonse? nota Évangéline, blême comme un drap à force de ne pas dormir. Si p'tit encore, pis si différent d'Adrien par rapport au caractère.

— Différent pour le caractère, je te l'accorde, c'est le jour pis la nuit, ces deux enfants-là. Mais calvince que le p'tit ressemble à son frère quand y était plus jeune!

Évangéline esquissa un sourire ému.

— C'est vrai que ces deux-là, y se ressemblent comme deux gouttes d'eau, approuva-t-elle, tandis qu'elle berçait Marcel, tout en lui donnant sa bouteille. Les mêmes yeux bleus comme le ciel, le même visage rond, les mêmes cheveux tout frisés... C'est quand Marcel ouvre le bec que c'est pus pantoute pareil. Adrien, lui, quand y était tout p'tit, y passait son temps à roucouler pis à sourire, pas à crier comme un perdu.

— C'est ben que trop vrai, ce que tu dis là. Je m'en rappelle comme si c'était hier! Le dimanche matin, on l'entendait depuis notre chambre, pis tu l'appelais ton p'tit moineau. Tu disais qu'y était comme un p'tit ange descendu du ciel.

138

— C'est vrai que je disais ça d'Adrien. Pis ça a pas changé, y est toujours aussi *swell*, cet enfant-là. Marcel, lui, je dirais plutôt que c'est une sorte de p'tit diable! Jamais content, toujours en train de gigoter comme un poisson qui sort de l'eau... Mais malgré son mauvais caractère, je l'aime pareil, tu sais. Ben ben gros.

— Pis moé avec. Faudrait surtout pas que tu penses le contraire. J'ai pour mon dire que ça va finir par passer, rapport qu'y va finir par vieillir comme tout le monde... À vingt ans, c'est comme rien qu'y chialera pus autant. Pis un jour, dans pas trop longtemps, y va se mettre à jouer avec Adrien. Petête ben que notre plus vieux va déteindre sur lui, pis que ça va y adoucir le tempérament.

— Petête... Mais en attendant, je me dis que le jour où Marcel va manger du solide, y devrait se calmer un peu.

— C'est une bonne idée, que t'as là, ma femme. Une calvase de bonne idée. Pour un affamé comme lui, ça a plein de bon sens, ton affaire! Appelle donc le docteur Lalonde, pis demandes-y ce que lui en pense. On pourrait petête commencer tusuite... Oublie surtout pas d'y dire, au docteur, que nous autres, on est à la veille de manquer de sommeil. Toé pis moé, comme de raison, mais Adrien avec. L'autre nuit, ça y a pris une bonne heure avant de se rendormir, pis au matin, y était toute pâle. Je connais pas ben ben ça, mais me semble que ça doit pas être tellement bon pour un p'tit gars comme lui de pas dormir la nuit.

— C'est drôle, mais je me disais la même maudite affaire, l'autre matin. Moé avec, j'ai remarqué qu'Adrien était pâle comme une omelette aux blancs d'œufs. Pis tout ça, à cause de Marcel.

— On dirait ben, ouais !

— C'est gros comme un chaton, pis ça mène du train comme un tigre en colère. Je sais ben pas de qui y tient ça.

Sur cette constatation navrante, Évangéline déposa le biberon sur la petite table d'appoint à côté d'elle et, d'un geste machinal, elle redressa le bébé pour lui faire passer l'air qu'il aurait pu avaler en même temps que le lait. Quelques instants plus tard, Marcel dessinait sa moue annonciatrice de ses pleurs. Évangéline se hâta de lui redonner sa bouteille.

— Maudit bâtard ! C'est pas vrai que le p'tit dernier va venir faire la pluie pis le beau temps dans notre maison ! lança-t-elle sur un ton exaspéré. À force de toujours l'avoir dans mes bras, j'en ai mal au dos, verrat ! Y est temps que ça arrête, tout ça. J'appelle le docteur Lalonde demain matin. Promis !

Ce fut ainsi que la famille Lacaille gagna deux petites heures supplémentaires de sommeil durant la nuit. À un mois, Marcel mangeait trois repas par jour, incluant de la viande, midi et soir. En fait, il ne mangeait pas, il dévorait tout ce que sa mère lui présentait.

Et à huit mois, il partageait déjà le menu du reste de la famille, mais il ne faisait toujours pas ses nuits et continuait de réclamer sa bouteille vers trois heures du matin.

— Mais c'est déjà pas mal mieux qu'avant, notait invariablement Évangéline, quand elle devait se relever.

Il n'en demeurait pas moins que, de toute évidence, Marcel aurait le caractère chatouilleux. Il criait au moindre obstacle et montrait son impatience à la moindre frustration. Mais comme le disait affectueusement Évangéline :

— Y est petête pas du monde la plupart du temps, mais verrat qu'y fait des beaux sourires quand y est de bonne humeur, notre Marcel ! Plus francs pis ben plus nombreux que ceux d'Adrien, je dirais ben. Me semble que ça compense. Tu trouves-tu, Alphonse ?

Présentement, les parents profitaient d'un bref moment de tranquillité au salon, tandis que leurs deux garçons étaient dans leur chambre, en train de jouer. Ils se dépêchaient de boire leur thé, sachant que le répit serait de très courte durée, car Marcel se lassait rapidement du moindre jouet, qu'il lançait au bout de ses bras, au grand désarroi d'Adrien, qui aimait bien que les choses soient rangées.

— Ça c'est sûr que Marcel est un vrai beau p'tit garçon quand y sourit, approuva Alphonse. Le problème avec lui, c'est que ça dure pas.

— J'espère qu'y va s'assagir en vieillissant.

— Donnons-y le temps de grandir un peu, pis j'vas m'en occuper. Tu vas voir, ma femme ! Notre Marcel va se radoucir le tempérament, ou ben je m'appelle pas Alphonse Lacaille.

— Bâtard, Alphonse, tu me fais peur quand tu parles de même! T'es toujours ben pas pour...

— Je t'arrête tusuite, ma belle Line. Faudrait pas que tu te fasses des épouvantes pour rien. J'vois venir un tas d'objections dans tes grands yeux inquiets, pis j'vas te dire tusuite que t'es dans le tort! M'as-tu déjà vu lever le ton avec des enfants?

— Non, c'est vrai.

— Ben c'est pas avec Marcel que j'vas commencer, crains pas. Même si cet enfant-là arrive à nous faire perdre patience par bouttes, chus capable de me contenir. Non, j'vas juste faire avec lui ce que je fais avec Adrien depuis une couple d'hivers: m'en vas y montrer à jouer au hockey!

— Ah bon... J'aime mieux ça. C'est vrai que le jour où Marcel va pouvoir se démener un peu plus, ça va petête y permettre de lâcher le méchant qu'y a en dedans de lui, comme mon père disait, quand mes frères étaient petits.

— En plein ce que je pense! Me semble que notre Marcel, même si y a juste quèques mois, y a le tempérament d'un vrai combattant. Ça devrait pas nuire pour qu'y devienne un bon attaquant du Canadien. Comme Joe Malone.

— Cré maudit, Alphonse! Tu vois grand pour notre Marcel, souligna Évangéline sur un ton moqueur.

— Pourquoi pas? Y est fort pour son âge, pis ben agile. Y file à quatre pattes comme Adrien a jamais eu l'idée de faire.

— Tout ça, c'est vrai, pis j'ai rien contre le fait qu'y devienne un joueur de hockey, comprends-moé ben. Mais on est pas encore rendus là, pis en attendant qu'y devienne une vedette, notre Marcel, que c'est tu dirais de venir m'aider? Chaque fois que j'essaye de mettre le futur joueur du Canadien dans l'évier pour le laver, y se débat comme un diable dans l'eau bénite, pis je me retrouve toute détrempée. Petête que t'aurais plus le tour que moé?

— Pas de trouble, ma belle Line, si ça peut te rendre service, m'en vas faire ça pour toé. Si j'ai pas le tour, au moins, je devrais avoir la force pour l'immobiliser un peu.

— C'est encore à voir!

À ces mots, Alphonse éclata de rire en se levant du fauteuil où il était assis.

— Dis-toé ben, ma femme, que c'est pas un ti-cul de huit mois qui va venir à boutte de moé! Viens-t'en, on va s'occuper de lui ensemble.

— T'es ben *blood,* mon mari, apprécia Évangéline. J'sais ben que c'est pas le rôle d'un père de voir au bain de ses enfants, pasque t'as déjà ben en masse de ta journée d'ouvrage, mais j'avoue que ça ferait mon affaire qu'on prenne l'habitude de laver Marcel ensemble... Après, je m'arrangerai ben toute seule avec Adrien. Lui, y est sage comme une image, pis y me fait jamais de misères. Mais Marcel...

Sur ce, Évangéline s'arrêta sur le seuil de la porte du salon, et elle secoua la tête en soupirant.

— Avec Marcel, c'est pas des maudites farces, lança-t-elle d'une voix excédée, j'ai l'impression de toujours manquer de bras ! À croire que j'ai accumulé toute la vigueur de nos deux filles pour la donner juste à lui. Ouais, c'est ça qui a dû se passer, j'vois pas d'autre chose...

— Mais c'est un bon bebé quand même, modula Alphonse qui, sans l'ombre d'un doute, aimait profondément ses deux fils. C'est juste que Marcel est d'une nature forte, comme on pourrait dire, au contraire de son grand frère, qui est plutôt un doux !

— Pour ça, t'as ben raison... M'as dire comme toé, Alphonse : j'ai hâte en verrat que Marcel aye quèques années de plus. Quand j'en pourrai pus, ben, j'vas l'envoyer jouer dehors pour qu'y brûle son énergie. Beau temps, mauvais temps, bâtard !

Puis, sur un ton songeur, elle ajouta :

— Me semble que ça me ferait du bien, juste un p'tit dix menutes à l'occasion, sans l'entendre crier ! Juste le temps de me mettre un *record* pour me calmer l'impatience. Pis après, ben, je le ferais rentrer, pis je serais contente de le voir, pis même de m'amuser un peu avec lui, maudit verrat !

CHAPITRE 6

« Il est né le divin enfant,
Jouez hautbois, résonnez musettes !
Il est né le divin enfant,
Chantons tous son avènement !
Ah ! Qu'il est beau, qu'il est charmant !
Ah ! Que ses grâces sont parfaites !
Ah ! Qu'il est beau, qu'il est charmant !
Qu'il est doux, ce divin enfant ! »

Il est né le divin enfant (chant de Noël français,
publié pour une première fois en 1874)

Le 23 décembre 1925, dans l'atelier d'Alphonse, au sous-sol de la maison des Lacaille

Cela faisait bien des soirées qu'Alphonse passait dans son atelier, prétextant qu'il avait reçu la commande d'un bureau en bois d'acajou qu'un riche client de l'Ouest de l'île voulait offrir en cadeau pour les Fêtes, sans qu'Évangéline trouve à redire devant tout ce temps passé au sous-sol. En fait, Alphonse était bien conscient qu'il avait marié la meilleure des femmes qui, dès qu'il était question de son travail, se montrait plus que tolérante.

— Bâtard, Alphonse! Pourquoi c'est que je me plaindrais? Tu sauras que j'ai ben connu ça, moé, la misère, du temps que je vivais chez mes parents à Saint-Eustache. Jamais j'vas pouvoir oublier que souvent, à la fin de l'hiver, y avait pas grand-chose dans nos assiettes. T'as beau vivre sur une ferme, mon mari, quand les légumes se mettent à pourrir dans le caveau, y a rien que tu peux faire, à part les manger avec ben du poivre pour oublier le goût d'humidité, ou ben en faire une omelette avec les œufs de tes poules... Ça fait que j'irai sûrement pas me lamenter pasque je trouve que tu travailles trop. Cré maudit! On manque de rien, les garçons pis moé, pis c'est ça qui est important. Chus ben fière de toé, mon homme, quand j'arrive à l'épicerie pis que j'peux nous acheter un bon steak en tranche que monsieur Perrette prépare juste pour moé. J'avais jamais mangé ça, du steak en tranche, avant de te connaître. Mais je connaissais en verrat la poule bouillie, par exemple!

Alors, Alphonse avait un petit peu abusé de la patience de son épouse afin de préparer des étrennes pour tous les siens. En cachette, le soir, car cet hiver, il lui arrivait de travailler à la rénovation d'une maison que son patron avait achetée pour la revendre l'été suivant.

Et si Alphonse préparait des cadeaux, c'est que l'idée de fêter Noël lui trottait dans la tête depuis un bon moment déjà. Voilà pourquoi, à la première neige tombée, au début de décembre, il avait demandé à son épouse, mine de rien:

— Que c'est tu dirais, ma belle Line, qu'on organise un réveillon, pour cette année?

— Un réveillon?

Évangéline avait froncé les sourcils, l'air de se poser des questions. Elle avait déposé sa tasse de thé sur la table et s'était penchée un peu pour fouiller Alphonse du regard.

— Pourrais-tu être un peu plus précis, mon mari?

— Ben quoi... Un réveillon, c'est un réveillon... Une sorte de repas léger à manger après la messe de minuit. Quand j'étais p'tit, du vivant de mon père, on en faisait un chez nous.

— Ah! Un réveillon de même...

Évangéline s'était redressée et machinalement, elle avait commencé à empiler les assiettes du déjeuner.

— C'est sûr que je connais ça, pasque j'en ai déjà entendu parler, avait-elle expliqué tout en travaillant. Mais chez nous, on a jamais fait de réveillon. On allait à la messe de minuit, c'est ben certain, mes parents, c'est des bons chrétiens, mais on se couchait tusuite en rentrant chez nous. Ma mère disait qu'a' l'avait ben assez de nous nourrir trois fois par jour sans ajouter un repas durant la nuit. De toute façon, mon père prétendait que c'était pour les riches, les réveillons, pis nous autres, on était pas riches. Pour mes parents, en parlant comme ça, tout était dit, pis ça réglait le problème.

— Ben ma mère à moé, a' disait pas ça... On avait pas des gros moyens, nous autres non plus, mais ma mère aimait ça fêter. Pis mon père avec... Ça fait que je garde en mémoire ben des beaux moments vécus en famille... Mais comprends-moé ben, ma femme, j'veux rien de trop compliqué. Juste un p'tit quèque chose à grignoter pour le plaisir. Astheure que Marcel est rendu assez grand pour venir à la messe avec nous autres, même si y faut s'asseoir dans les bancs d'en arrière pour sortir dehors de temps en temps avec lui, ça me plairait pas mal de faire comme dans mon enfance.

— Tu penses vraiment que ça sera pas trop long pour Marcel, la messe de minuit ?

— Si ça se voit, y va se rendormir le nez dans ton manteau... Dis oui, ma belle Line ! Ça me ferait ben plaisir de pouvoir faire vivre ça à nos gars. Tu vois, chus rendu vieux, pis je m'en rappelle encore, des réveillons de mon enfance.

— C'est vrai que ça pourrait faire un verrat de beau souvenir pour nos garçons, avait admis Évangéline, songeuse.

Puis, elle avait offert un franc sourire à son mari.

— T'as ben raison... Ouais, compte sur moé, Alphonse ! J'vas nous préparer un beau réveillon, comme quand t'étais p'tit.

Sur ce, Évangéline avait terminé son thé, avant de se lever pour porter la vaisselle sale à l'évier, tandis qu'Alphonse insistait.

— Je me répète : j'veux rien de trop compliqué !

— Ben non. Fais-toi-z'en pas, mon homme, j'vas faire ça simple, mais ben bon. Cré maudit ! Ça me tente, ton idée...

Sur ce, Évangéline s'était tournée vers Alphonse.

— Pis on fait-tu un arbre de Noël pour aller avec notre réveillon ?

— C'est sûr. Un réveillon pas de sapin, ça serait juste une sorte de repas durant la nuit qui voudrait rien dire...

— C'est aussi mon avis. Ben si c'est de même, m'en vas faire des bonhommes en pâte à sel avec les garçons pour décorer notre sapin. J'sais pas trop ce que ça va donner avec Marcel, rapport qu'y est pas trop patient avec les affaires de bricolage, pis que j'ai souvent le sentiment que l'expression « avoir des mains pleines de pouces » a été inventée juste pour lui, mais c'est pas grave, j'vas l'aider. Pour Adrien, par contre, ça devrait aller comme sur des roulettes, pis y devrait nous faire une couple de belles décorations. Notre grand a hérité ça de toé, la patience pis l'habileté.

— Pas juste de moé, ma femme. Pour l'habileté, tu laisses pas ta place. On a juste à voir les beaux vêtements que tu nous fais.... T'es dépareillée avec ton moulin à coudre, ma belle Line !

— C'est vrai que chus pas pire... La seule affaire qui me manque, j'cré ben, c'est le temps, bâtard ! C'est pas des maudites farces, je dois passer un gros deux heures dans mes journées juste à courir après Marcel qui fouille partout, pis qui touche à tout, tout le temps. Encore une chance qu'on a pas un troisième enfant, pasque je pense que je virerais folle !

— Mais on va en avoir un autre, un jour, hein ?

En prononçant ces derniers mots, Alphonse avait eu un regard suppliant. Évangéline y avait répondu par un sourire amoureux.

— Me semble que j'ai pas laissé entendre le contraire, Alphonse, avait alors murmuré Évangéline sur un ton très doux. Mais on y pensera sérieusement juste quand Marcel ira à l'école. Pas avant.

— Ça me va! Chus capable d'attendre encore un peu. Après toute, on est encore jeunes, toé pis moé. Mais faudrait donc pas que j'aye construit un appartement aussi grand pour juste deux garçons...

— Je le sais très bien, Alphonse, que tu veux une grosse famille. Inquiète-toé pas, je l'ai pas oublié. Pis je t'avouerais que moé avec, je me languis d'un nouveau-né à bercer, crains pas. Mais pour astheure, j'aurais pas la patience de voir à Marcel pis de voir en plus à un bebé... Pis si y fallait que ça soye une fille, hein? Faudrait surtout pas négliger c'te possibilité-là, Alphonse. C'est comme rien que je me retrouverais sur le carreau pour une couple de semaines, encore une fois, pis j'arrive pas à imaginer de quoi ça aurait l'air, ici dedans, avec moé au lit, pis Marcel qui court partout.

— Ben d'accord avec toé, ma belle Line.

— Bon! Astheure que c'est dit, on va voir au réveillon...

Évangéline était toute souriante et son regard pétillait comme celui d'une enfant.

— Penses-tu que ça serait dans le domaine du possible qu'on aille couper notre arbre nous-mêmes?

avait-elle suggéré, visiblement excitée devant une telle perspective. Me semble que ça nous ferait une verrat de belle randonnée avec les garçons, non ?

— Pourquoi pas ? Si Ti-Paul peut me prêter son vieux camion, dis-toé que c'est chose faite. On en profitera pour aller voir ta famille à Saint-Eustache, tiens ! Me semble qu'on les néglige un peu.

— Tant qu'à ça, t'as pas tort.

Ce fut ainsi que le mois de décembre avait été fort occupé et que ce soir, Alphonse finalisait les cadeaux qu'il voulait offrir aux trois êtres qu'il aimait le plus : sa femme, sa très chère Line, qu'il chérissait comme au premier jour, et ses deux garçons, Adrien et Marcel. Oh ! Le petit dernier leur donnait un peu de fil à retordre, mais il pouvait être si charmant à ses heures qu'Alphonse l'aimait tout autant que leur grand Adrien, qui avait commencé l'école et qui faisait leur fierté de parents. Avec ses excellentes notes et son comportement « exemplaire », comme l'avait souligné son institutrice dans le bulletin de Noël, Évangéline et lui ne pouvaient guère en demander plus pour se dire parfaitement heureux.

Même les enfants participaient à la joie générale, surtout depuis que leur père avait installé le sapin dans le coin de la porte en arche séparant le salon de la salle à manger. Ce bel arbre bien garni, ils étaient allés le couper en famille sur la terre des Bolduc, à Saint-Eustache, et pour une rare fois, ils étaient restés à manger avec les parents d'Évangéline et les nombreux enfants qui vivaient encore à la maison. La jeune Estelle, âgée maintenant de seize ans, avait assuré le service, tout comme Évangéline l'avait fait avant elle, puis les deux sœurs avaient lavé la vaisselle ensemble.

— Quand t'en auras l'occasion, viens donc faire un tour en ville, avait suggéré Évangéline, qui se doutait bien que la jeune fille devait trouver le temps long par moments. Une couple de jours avec nous autres, avec rien à faire pantoute, ça te ferait comme un petit congé. On a toute ce qu'y faut pour ben te recevoir... Cré maudit! C'est grand chez nous, tu sais. On aurait même une chambre pour toé. Que c'est t'en penses?

— C'est sûr que j'aimerais ça... J'arrête pas, ici dedans, tu sais ce que c'est... Mais faudrait que j'en parle à moman, avant... Je t'enverrai une lettre quand je saurai si je peux aller te voir.

— Pis si la mère dit non, avait alors murmuré Évangéline, en jetant un coup d'œil par-dessus son épaule, pour être bien certaine que personne ne les observait, je demanderai à Alphonse de faire lui-même une invitation auprès des parents. Maudit verrat! Jamais je croirai qu'y oseraient dire non à mon mari.

Les deux sœurs s'étaient donc quittées sur un sourire de connivence.

Puis, de retour à la maison, on avait décoré l'arbre en famille. Alphonse avait alors décrété que leur sapin avait fière allure, endimanché de babioles en pâte à sel, d'une guirlande en papier de plomb, et de petites boules de papier mâché de toutes les couleurs. Pas question, cependant, d'y mettre des bougies, Évangéline avait trop peur du feu.

— Mais ça nous empêchera pas de passer notre réveillon dans la salle à manger, par exemple. Que c'est t'en penses Alphonse ?

— C'est une calvase de bonne idée !

Les enfants épuisés ne s'étaient pas fait tirer l'oreille pour se coucher, et les parents profitaient d'une soirée de tranquillité. Assis au salon, ils admiraient leur sapin.

— Ouais, on va réveillonner dans la salle à manger... Les garçons vont être contents... Pis...

Curieusement, la jeune femme semblait hésitante.

— Pis quoi, ma belle Line ?

— Rien... Y se passe rien... Pis non, c'est pas vrai... Verrat que je sais pas mentir ! En fait, je me demandais ce que tu dirais si on profitait du réveillon pour s'acheter un *set* de vaisselle neuf.

— Pourquoi ? On en a, des assiettes, pis de toutes les grandeurs à part de ça. En plus, on a des bols pour la soupe, des tasses pis des secoupes plein l'armoire de cuisine.

— Je dis pas le contraire, mais t'admettras avec moé qu'a' fait un peu pitié, notre vaisselle... C'est pas qu'on reçoit du monde ben ben souvent, mais c'est arrivé quand même une couple de fois qu'on garde tes amis à souper avec nous autres, pis j'étais gênée de mettre nos vieilles assiettes ébréchées pis dépareillées sur la table. Bâtard, on avait l'air des quêteux !

— Tu y vas quand même un peu fort, ma belle Line !

— Ouais, mettons... Mais on sait jamais, de la belle vaisselle, ça pourrait servir. L'autre jour, c'est Angélique qui me montrait le beau *set* de vaisselle qu'elle a hérité de sa mère, pis je t'avouerais que je l'ai trouvée ben chanceuse. Me semble que nos garçons seraient pas mal impressionnés de manger dans de la belle vaisselle neuve, pour notre réveillon. Tu penses pas, toé ?

— Adrien petête, mais avec Marcel, chus pas sûr que ça serait une bonne idée d'y mettre une assiette neuve dans les mains. Y a ben juste deux ans et demi, pis...

— Chus pas d'accord avec toé, Alphonse ! avait alors coupé Évangéline, avec une fermeté certaine dans le ton. C'est rare en verrat que ça m'arrive de pas être d'accord avec toé, mais là, c'est le cas...

— Calvase ! Que c'est que j'ai dit de pas correct ? Tu connais Marcel comme moé, non ? Toujours juste sur une patte, pis grouillant comme c'est pas possible.

— Je sais toute ça. Je l'ai déjà dit souvent : c'est pas un enfant qu'on a eu, maudit verrat, c'est un mouvement perpétuel ! Mais justement, à cause de ça, on passe notre temps à crier après... Pauvre p'tit ! Y doit ben en avoir plein le casque de nous entendre y reprocher à peu près toute ce qu'y fait. Tu penses pas, toé ?

— Ouais, c'est vrai qu'on a pas souvent des choses gentilles à y dire, à notre pauvre Marcel.

— Bon tu vois! C'est pour ça que je me dis que ça y ferait petête du bien de comprendre qu'on peut aussi y faire confiance. Qu'on peut aussi le traiter comme un grand, comme Adrien. À mon avis, ça ferait petête une grosse différence pour lui, pis ça y calmerait le tempérament. Chus sûre qu'y serait ben fier, lui avec, de manger dans de la belle vaisselle toute neuve.

— Si tu le penses...

Ainsi, le lendemain soir, Alphonse était revenu du travail avec une grosse boîte, qui semblait assez lourde, et une plus petite. Comme il l'avait fait pour le gramophone, il était arrivé par la porte principale de la maison, et il avait tout de suite appelé Évangéline depuis l'entrée.

— Viens voir, ma belle Line, avait-il lancé, fier de lui, tout en se dépêchant de cacher dans l'une des poches de son pantalon le petit sac qu'il avait à la main.

— Chus vraiment content de moé, avait-il ajouté sur le même ton joyeux, tandis qu'Évângéline venait vers lui dans le corridor tout en s'essuyant les mains sur son tablier. Pis en calvince à part de ça.

— Verrat, Alphonse, t'as ben l'air énervé!

— Y a de quoi! Je pensais jamais qu'y avait autant de modèles d'assiettes... J'ai passé une grosse demi-heure avec Ti-Paul à regarder de la vaisselle, tu sauras... Astheure, viens voir ce que j'ai choisi. Je pense que...

— Pasque t'as choisi « ma » vaisselle neuve, sans moé? avait coupé la jeune femme en arrivant à la hauteur de son mari. T'as même pas pensé à me demander mon avis ?

— Ben là... J'ai juste profité du camion à Ti-Paul... Si ça te convient pas, j'irai changer tout ça demain. La vendeuse m'a dit que ça se faisait, pis Ti-Paul a dit qu'y se rendrait disponible au besoin... Mais va falloir se dépêcher, par exemple, pasque Noël est dans pas longtemps.

— Ouais...

Si Évangéline était visiblement désappointée et même choquée de ne pas avoir été consultée, Alphonse, lui, était franchement déçu. Il espérait tant faire plaisir à sa femme.

— Veux-tu quand même y jeter un coup d'œil ? avait-il demandé, tout hésitant... Des fois qu'on aurait les mêmes goûts en matière de vaisselle, toé pis moé... On sait jamais, mon choix est petête le bon... Je te le répète, ma belle Line, c'est juste pasque j'avais la chance de pouvoir profiter du camion à Ti-Paul si j'ai acheté la vaisselle aujourd'hui. Pis comme on a pas de téléphone dans la maison qu'on est en train de réparer, j'ai pas pu t'appeler pour t'en parler. J'espérais quand même que ça te ferait plaisir que j'y aye pensé.

— C'est vrai que ça aurait été ben malaisant de trimbaler deux grosses boîtes de même dans les p'tits chars, avait alors concédé la jeune femme, promenant les yeux d'une boîte à l'autre. Bâtard ! C'est encore plus gros pis encombrant que le gramophone... C'est-tu ben pesant ?

— Pas mal ouais, surtout la grosse...

— Bon... Chus là qui dispute sans raison. J'vas arrêter de faire mon enfant, maudit bâtard, pis j'vas te dire merci. Surtout que si j'aime pas la vaisselle que t'as choisie, on va pouvoir la retourner au magasin... Je serais ben ingrate de pas vouloir la regarder. Pis ça aurait été un aria d'aller au magasin ensemble, avec les deux garçons... T'as ben faite de profiter du camion à Ti-Paul. Astheure, Alphonse, dégraye-toé, pis va me porter ces deux boîtes-là sur la table de la salle à manger. Pendant ce temps-là, moé, j'vas aller fermer le feu en dessous du chaudron des patates pour pas qu'a' brûlent, pis je te rejoins. On va toujours ben voir de quoi ça a l'air, c'te *set* de vaisselle-là !

Évangéline, qui marchait déjà vers la cuisine, s'était arrêtée brusquement sur ces mots, puis elle s'était tournée vers son mari, toute souriante.

— Cré maudit, Alphonse ! Ça se peut-tu ? Me v'là avec de la vaisselle pour le dimanche, astheure... Je peux-tu te dire que chus contente ? Merci mon mari, merci ben gros !

Puis, Évangéline était repartie vers la cuisine en fredonnant joyeusement *Adeste Fideles*.

En fin de compte, la jeune femme s'était extasiée devant la belle porcelaine blanche parsemée de fleurs bleues et ornée de dorure autour de chaque assiette.

— En plein le bleu pervenche que j'aime, en plus ! C'est pas des maudites farces, Alphonse, j'aurais pas fait mieux. Faut-tu que tu me connaisses comme faut pour ben choisir de même ! Chus pas mal désolée de t'avoir faite la baboune t'à l'heure. Tu le méritais pas pantoute.

Puis, dès que les enfants avaient été couchés, la jeune femme avait passé la soirée à laver et ranger ce qu'elle appelait déjà « sa vaisselle de visite » dans le buffet, à côté des quelques cadeaux de mariage qu'ils avaient reçus et de la belle théière en argent, héritage de la mère d'Alphonse.

— Pis demain, ça va être le réveillon, murmura le jeune homme, heureux comme un enfant, en se rappelant la joie de sa belle Line.

Sur ce, il sortit de la poche de son pantalon le petit sac de chez Ogilvy qui le suivait depuis son retour du magasin, l'autre soir.

L'idée lui était venue à l'instant où la vendeuse lui avait proposé d'emballer les deux boîtes contenant le service de vaisselle.

— Ça sera pas nécessaire, avait alors répondu Alphonse, rapport que la vaisselle, c'est pas vraiment le cadeau pour ma femme. C'est juste une p'tite gâterie pasqu'a' le mérite ben... Par contre, si je pouvais acheter du ruban, ça ferait ben mon affaire. Une verge de ruban rouge, une verge de ruban vert, pis une dernière de ruban doré. Si vous en avez, comme de raison.

Le magasin avait tout ça, bien entendu, et comme Alphonse venait de faire un achat assez important – pensez donc ! Douze couverts d'un service en porcelaine anglaise, c'était tout un achat –, ce fut à titre gracieux qu'on lui remit les rubans.

Et c'était ce soir qu'il allait enfin les utiliser.

Il commença par faire une belle boucle double avec les rubans verts et rouges, qu'il posa avec un peu de colle sur un cheval à bascule qui était magnifique, avec sa crinière en bouts de laine orange et ses grands yeux bruns peints à la main par Alphonse lui-même. Pour un enfant vif comme Marcel, le cadeau devrait lui plaire. Puis, il recommença sur une luge d'un rouge flamboyant destinée à son Adrien, devenu maintenant assez vieux pour aller jouer au parc tout seul avec ses amis.

Alphonse recula d'un pas et esquissa un large sourire. Avec un peu de chance, ses deux fils seraient heureux, le lendemain, au retour de la messe de minuit. Puis, au matin de Noël, il ajouterait deux bâtons de hockey en guise de présents : un moyen et un petit. Alphonse en avait glissé un mot à Évangéline, et celle-ci était d'accord : cette année, le petit Marcel serait initié aux joies du sport national des petits Canadiens-français.

— Si ça peut permettre de le calmer un peu, je vois pas pourquoi j'irais dire non, maudit verrat !

Une fois les cadeaux des enfants retournés derrière la fournaise pour les garder à l'abri des regards, après tout, Évangéline venait à la cave régulièrement pour son lavage, Alphonse s'approcha de la commode qu'il préparait effectivement pour un client. Il en ouvrit un tiroir et en retira un cadre en bois, qu'il avait fabriqué et sculpté au fil des soirées de décembre, l'oreille tendue pour anticiper les visites d'Évangéline. Dans le cadre muni d'une vitre faite sur mesure, il y avait un portrait de sa belle Line. Un dessin à la mine de plomb qu'il avait fait lui-même. Il en était particulièrement fier, car il était très ressemblant.

Pour ce dernier cadeau, Alphonse se donna la peine de bien l'emballer dans le papier brun qu'il avait demandé à Benjamin Perrette, de l'épicerie, puis il y ajouta son beau ruban doré, avant de cacher le tout dans un tiroir. Le lendemain, en partant pour l'église, juste avant d'arriver au coin de la rue, il prétexterait avoir oublié la poignée de petite monnaie qu'il gardait toujours pour la quête, et il reviendrait à la maison pour déposer les cadeaux au pied du sapin.

De voir du bonheur et de la joie dans les regards quand sa femme et ses enfants découvriraient leurs présents serait le plus beau des cadeaux qu'Alphonse pouvait recevoir et présentement, il avait hâte au lendemain soir comme lorsqu'il était gamin et qu'il savait qu'il y aurait une orange dans son bas.

CHAPITRE 7

« Je chante !
Je chante soir et matin
Je chante sur mon chemin
Je chante, je vais de ferme en château
Je chante pour du pain, je chante pour de l'eau... »

Je chante (C. TRENET/P. MISRAKI)
PAR CHARLES TRENET, 1937

Février 1926, chez les Lacaille, par une belle journée d'hiver

Depuis la période des Fêtes, chaque jour où Alphonse n'allait pas au chantier de la maison que son patron « retapait », comme il le disait lui-même, il prenait une bonne demi-heure de son temps pour jouer dehors avec Marcel.

— Ça va juste le fatiguer un peu, disait-il pour expliquer son enthousiasme. Comme ça, notre plus jeune devrait être un peu plus d'adon quand y va rentrer.

— Bonne idée, mon mari. Pendant ce temps-là, j'vas en profiter pour me mettre au moulin à coudre. Même si dehors, c'est encore blanc tout partout, un bon jour, l'été va nous revenir, pis les garçons risquent de manquer de linge. Bâtard qu'y grandissent vite, ces deux-là!

Puis, quelques semaines plus tard, Évangéline avait déclaré:

— C'est petête bête de dire ça d'un enfant de deux ans et demi, mais j'ai l'impression que Marcel est meilleur qu'Adrien avec son bâton de hockey. Je vous regardais t'à l'heure depuis la fenêtre du salon, pis je me disais qu'au même âge, Adrien avait l'air plus empoté que son frère. Ça se pourrait-tu que j'aye raison?

— Je dirais que oui, ma femme. Mais à mon avis, c'est pas une question de talent, mais plutôt d'intérêt.

— Ah bon...

— Ouais, j'ai remarqué qu'Adrien a pas le même plaisir à jouer au hockey que notre Marcel. Oh! Y s'amuse quand même, c'est sûr. Après toute, c'est un vrai gars, notre Adrien, pis tous les p'tits gars de Montréal aiment le hockey. Mais dans ses yeux, y a pas la flamme que je vois dans ceux de Marcel.

— Cré Marcel! C'est ben pour dire, hein? Mais t'avais raison en verrat quand tu parlais de l'occuper avec le hockey. T'as trouvé la vraie manière de le faire tenir tranquille pour un boutte. Je pense qu'y passerait toute l'après-midi dehors avec toé, si t'en avais le temps. Si tu savais comment ça me fait plaisir de l'entendre rire depuis le salon quand y arrive à frapper la *puck*, au lieu de passer dans le beurre comme souvent.

— Moé avec, j'aime ben ça, passer du temps avec lui. C'est un p'tit vite, notre Marcel. Grouillant peut-être, mais ben intelligent aussi. En un mois, y s'est pas mal amélioré, tu sauras. Y comprend toute ce que j'essaye d'y expliquer. Si ça continue comme ça, l'hiver prochain, y devrait être capable de jouer avec les grands, le samedi après-midi, quand on organise la partie avec le monde de la rue.

— Mais en attendant, y a pas l'air malheureux pantoute, assis sur le banc de neige à crier après tout le monde pour vous encourager.

— C'est vrai.

Et comme Marcel parlait de plus en plus, et de mieux en mieux, le hockey était devenu le seul sujet de discussion valable pour lui. Dès qu'il entendait Adrien entrer dans la cuisine, quand celui-ci revenait de l'école, le bambin rejoignait son grand frère en courant, et sans reprendre son souffle, Marcel parlait de ses prouesses de l'après-midi. Un vrai moulin! Ce qui fit dire à Adrien, un bon soir, durant le repas:

— C'est pas juste, m'man! Moé avec, je serais bon comme lui au hockey, si je pouvais jouer tous les jours avec popa.

— Mais toé avec, t'es pas pire, mon beau Adrien! rétorqua Évangéline, qui s'était toujours fait un devoir de traiter ses deux garçons sur un pied d'égalité. Je le sais en verrat que t'es bon, pasque je te vois tous les samedis après-midi. Même que mon amie Noëlla me disait, l'autre jour, comment c'est que t'étais rendu grand, astheure, pis ben habile

163

avec ton bâton. Malheureusement, pour ce qui est de la semaine, l'après-midi, t'es à l'école, pis tu peux pas jouer avec ton père.

— C'est ça que je vous dis : c'est pas juste.

— Comment ça, pas juste ? enchaîna Alphonse. Je comprends pas. Toé, maintenant, comme ta mère vient de le dire, t'es rendu grand pis tu vas à l'école. C'est normal que ça soye de même. Mais en même temps, justement pasque t'es plus grand que ton frère, tu peux aller jouer tout seul au parc avec tes amis... Marcel, lui, y doit attendre après sa mère pour y aller.

— Ouais, c'est un peu vrai ce que vous dites, popa.

— C'est sûr que c'est vrai. M'as-tu déjà entendu mentir, Adrien ?

— Non.

— Ça fait que tu peux me croire. Dans la vie, mon garçon, y a des plaisirs nouveaux qui vont avec les âges, mais en même temps, y en a d'autres qui disparaissent. C'est comme ça que ça se passait dans mon temps, pis c'est comme ça que ça se passe astheure aussi...

— Je comprends ce que vous dites, popa. Ouais... C'est vrai que chus content d'aller jouer au parc avec mes amis. Mais je trouve quand même que Marcel est ben chanceux de pouvoir jouer avec vous aussi souvent.

— Ouais...

Alphonse resta silencieux un moment. Puis, regardant Adrien fixement dans les yeux, il ajouta :

— Si je comprends bien ce que t'es en train de m'expliquer, mon homme, c'est pas juste le hockey qui serait important, là-dedans... Ça serait-tu pasqu'y est avec moé que tu trouves Marcel chanceux ?

À ces mots, Adrien se mit à rougir. Il n'y avait personne sur Terre qui devinait comme son père tout ce qu'il pouvait penser ou ressentir.

— Ben... Un p'tit peu, oui, avoua le jeune garçon, en baissant les yeux sur son assiette.

— Ah bon ! Là, je comprends.

Adrien n'osa demander à son père ce qu'il comprenait ainsi. Mais le jeune garçon n'eut pas à se creuser la cervelle tellement longtemps, car Alphonse précisa, tout en faisant un clin d'œil à son épouse :

— Pis si on prenait du temps ensemble, le soir, toé pis moé, que c'est tu penserais de ça, Adrien ? Après toute, le soir, tu vas jamais à l'école, pis moé, ben, chus toujours icitte avec vous autres.

— On prendrait du temps pour faire quoi, popa ? demanda Adrien, en levant vivement la tête.

— Des fois pour du hockey, pis d'autres fois pour du dessin... Que c'est tu dirais de ça ?

Alphonse avait visé dans le mille ! Les beaux yeux bleus d'Adrien brillaient de joie anticipée.

— Ça c'est sûr que ça me ferait ben plaisir de dessiner avec vous...

— Pis moé ? demanda alors Marcel, la bouche pleine.

— Pasque t'aimes ça dessiner, toé astheure? intervint Évangéline, en regardant son petit dernier du coin de l'œil. Ça serait nouveau.

Marcel fronça le nez et se gratta la joue, avant de lever candidement les yeux vers sa mère.

— Euh... Non, j'aime pas ça le dessin.

— C'est ben ce que je pensais. Toé, à part le hockey pis le manger, y a pas grand-chose qui t'intéresse...

— C'est bon, le manger!

— Ben sûr, mon homme, ben sûr. C'est vrai que c'est bon, manger. C'est pas moé qui vas venir dire le contraire... Astheure, Marcel, prouve-moé que tu dis vrai, pis vide-moé toute ton assiette, si tu veux du dessert. Pendant ce temps-là, ton père pis Adrien vont finir leur discussion.

Alphonse profita donc de ce que Marcel engouffrait une grosse bouchée de hachis pour se tourner vers son aîné et lui demander:

— Comme ça, tu voudrais dessiner avec moé?

— Oh oui! Pis jouer au hockey avec, comme de raison, se dépêcha d'ajouter Adrien, ne sachant trop si c'était ce que son père espérait entendre.

Après tout, Alphonse Lacaille semblait vraiment aimer le hockey. La preuve, c'est qu'il jouait une partie toutes les semaines avec les voisins de la rue et qu'il aidait Marcel à tirer la *puck* aussi souvent qu'il le pouvait. En outre, il connaissait le nom de tous les joueurs de la Ligue nationale, et pas seulement ceux du Canadien. Toutefois, son père passait aussi de nombreuses heures à dessiner. Parfois, il s'installait à la table de la salle à manger avec ses crayons et ses grands papiers, et à d'autres moments, il restait à la cave, sur la petite table en métal que sa mère utilisait pour plier le linge. Chose certaine, Alphonse Lacaille dessinait quasiment tous les jours et pour Adrien, ça ne faisait aucun doute : il devait aimer le dessin tout autant que le hockey. D'autant plus qu'il était TRÈS bon en dessin, son père. Le portrait de leur mère, aujourd'hui fièrement installé sur le piano, dans le salon, était ce qu'Adrien avait vu de plus beau jusqu'à maintenant. Pour faire quelque chose d'aussi ressemblant, c'était donc que son père aimait vraiment beaucoup le dessin et qu'il avait du talent. Il pourrait donc lui montrer comment s'y prendre pour arriver à dessiner aussi bien que lui.

— Mais je pense que c'est le dessin qui me tente le plus, conclut-il enfin, sachant que la vérité était toujours le meilleur parti à prendre.

Ça, c'était sa mère qui le répétait souvent.

— J'aimerais ben ça, un jour, dessiner aussi bien que vous, popa, ajouta le jeune garçon, pour que tout soit très clair dans l'esprit de son père.

— T'as ben raison de dire ça, mon Adrien! approuva Évangéline, tout en glissant un regard amusé vers son mari. Ton père a un vrai talent pour le dessin, ça, c'est sûr. Ouais, y dessine ben en verrat!

— Pis y joue ben au hockey, en verrat, compléta Marcel, sans même savoir si ce qu'il disait avait du sens dans la conversation.

Pour lui, le mot hockey était revenu assez souvent à ses oreilles depuis le début du souper pour lui donner envie d'en parler.

À ces mots, Évangéline et Alphonse éclatèrent de rire.

— Vous avez raison tous les deux, les garçons! approuva Alphonse. Pis j'ai la ferme intention de continuer les deux. Juste le hockey avec Marcel, comme de raison, mais j'vas ajouter le dessin pour toé, mon Adrien.

— Mais pour le hockey, y fait pas trop noir pour ça, le soir?

— Pas quand y a une belle lune toute ronde pour éclairer la rue... Mais faut aussi comprendre que des fois, j'aurai pas le temps de m'amuser avec vous autres. Le soir, j'ai quand même mes meubles à construire.

— C'est pas grave, ça, popa. Je comprends que votre travail est important... Mais quand ça vous adonnera, j'aimerais ça apprendre le dessin pour être capable, un jour, de faire des portraits comme vous.

Ce fut ainsi que le mois de février 1926 fut une période très agréable pour tous les Lacaille.

Malgré quelques rechutes, Marcel apprenait tranquillement à devenir sage pour mériter sa petite demi-heure de jeu avec son père en après-midi; Adrien n'avait pas grand-chose à faire de plus que ce qu'il faisait déjà, sinon espérer que le même papa aurait un moment de libre pour lui en soirée; et Évangéline s'en donnait à cœur joie dans la couture, puisque Marcel arrivait à se tenir tranquille de plus en plus souvent, en regardant par la fenêtre du salon, et en se faisant le colporteur de tout ce qui se passait sur la rue. Un rôle qu'Évangéline elle-même lui avait confié et que le petit garçon prenait très au sérieux.

— Venez voir, moman, la neige tombe fort fort.

— J'arrive Marcel, j'arrive.

Ou encore :

— J'vois la madame au coin de la rue, moman ! Est dehors avec une pelle.

— T'es ben sûr que tu te trompes pas, mon Marcel ?

— Pantoute. A' l'a le chapeau rouge.

— Cré maudit ! C'est rare, ça, que la veuve Sicotte sorte de chez elle en plein hiver, pis sur semaine par-dessus le marché... Je m'en viens, Marcel. On va la regarder ensemble durant un p'tit bout de temps, pour voir comment qu'a' s'y prend pour pelleter son perron. Après, tu viendras m'aider à faire un gâteau au chocolat.

— C'est bon, le gâteau au « cocholat » !

Chaque fois que Marcel lançait ce mot, Évangéline pensait au « sgabetti » d'Adrien, et, bien malgré elle, un large sourire fleurissait sur son visage.

— Verrat que la vie passe vite, soupirait-elle invariablement.

Puis, elle ajoutait, en retournant à ses occupations :

— Mais bâtard que ma vie à moé est belle !

En vérité, tout allait si bien depuis quelques semaines qu'Évangéline se surprenait à penser de plus en plus souvent qu'il serait peut-être temps d'avoir un troisième garçon. Pourquoi attendre que leur petit dernier soit en âge d'aller à l'école? Avec Alphonse qui s'occupait de Marcel régulièrement, elle devrait y arriver sans trop de peine, même avec un nouveau-né.

— Pis, l'été, je peux toujours aller au parc avec notre p'tit courant d'air, pour l'aider à lâcher son fou, murmura-t-elle pour elle-même, tandis qu'elle sirotait son thé devant la fenêtre du salon et qu'Alphonse jouait dans la rue avec Marcel, qui courait avec énergie, tenant son bâton de hockey devant lui.

Évangéline poussa un long soupir de contentement. Un soupir provoqué par une sensation de bonheur si grande qu'elle lui serra la poitrine.

— Pis avec un peu de chance, déclara-t-elle en se levant pour retourner à sa couture, notre troisième garçon va être sage comme Adrien, pis y va avoir le beau sourire de Marcel.

À ces mots, Évangéline s'arrêta au beau milieu du corridor.

— Bâtard qu'y est beau, notre Marcel, quand y sourit, souligna-t-elle en secouant la tête, sa lourde toque mordorée frottant sa nuque... Beau rare pour un p'tit gars! Plus que son frère encore. Pis ma grand foi du Bon Dieu, y est de plus en plus fin... Astheure, la couture! Ça serait plaisant en verrat d'avoir fini les culottes courtes avant le souper.

Je pourrais prendre mes mesures à soir, pis passer aux chemises demain.

* * *

Mais le lendemain, il n'y eut aucune chemise de cousue. Pourtant, Évangéline avait pris soigneusement les mesures de tout le monde, les avait inscrites dans son petit calepin brun, et elle était vraiment déterminée à attaquer ce travail durant la journée. À tout le moins, elle aurait voulu tailler le beau coton léger qu'elle avait acheté la semaine précédente chez Eaton, avec Marcel, qui avait choisi du bleu pour lui et du rouge pour son frère, tandis qu'Adrien était à l'école.

Malheureusement, le destin en avait décidé autrement.

En fait, dès le déjeuner, la journée prit une tangente imprévue, à l'instant où le téléphone se mit à sonner. Comme on l'entendait plutôt rarement, Évangéline sursauta violemment.

— Maudit bâtard! lança-t-elle, tout en essuyant les quelques gouttes de thé qui avaient éclaboussé la table. Veux-tu ben me dire ce qui se passe à matin pour se faire déranger de même? Tu parles d'une heure pour appeler le monde. Y est pas encore sept heures et demie.

Inquiète, elle se leva au plus vite pour aller répondre, tout en continuant de bougonner.

L'instant d'après, elle tendait le cornet à son mari.

— C'est pour toé, Alphonse, chuchota-t-elle. M'est avis que ça serait ton patron.

Quelques minutes plus tard, Alphonse raccrochait en disant qu'il devait partir travailler.

— Me semblait que tu devais rester icitte pour toute la semaine, observa Évangéline, sur un ton déçu.

Elle venait de comprendre que, sans lui, la couture serait difficile à concilier avec un Marcel désappointé de voir partir son père.

— Moé non plus, ça fait pas vraiment mon affaire, tu sauras, mais que c'est tu veux que je fasse d'autre à part dire oui? Après toute, c'est le patron lui-même qui a décidé de m'appeler.

— C'était pas un reproche, Alphonse, c'est juste un peu de déception. J'aime ça quand tu restes à la maison avec Marcel pis moé.

— Dis-toé ben que ça me tente pas plus qu'à toé, ma belle Line. Je voulais finir les chaises qu'on m'a commandées, pis moé avec, j'aime ça ben gros rester à la maison avec toé pis le p'tit. Tu le sais, hein, que j'aime pas mal plus faire des meubles que de construire des maisons, pis que je rêve d'avoir ma *shop* à moé?

— Ben sûr, mon homme, ben sûr!

— Malheureusement, c'est pas pour demain, même si ça s'en vient plus vite que je l'espérais. Pour l'instant, ça a l'air qu'on prévoit du redoux pour jeudi, pis le patron voudrait ben qu'on aye fini de réparer les lucarnes d'en avant. Des fois qu'y se mettrait à mouiller, qu'y a dit dans le téléphône... Pour ça, chus d'accord avec lui. Ça serait ben le boutte de voir notre beau plancher verni être détrempé pasque le bois pourri des lucarnes a pas été remplacé. Je voudrais donc pas être obligé de recommencer à toute sabler pis toute revernir le plancher avec Ti-Paul.

— Je comprends ça... Des fois, de même, ça va pas dans le sens où on l'avait espéré, hein, mon mari ? Mais c'est pas grave, tu te reprendras demain pour tes chaises, pis moé, pour ma couture. Donne-moé juste le temps de te faire un lunch, mon homme, pis tu pourras partir.

— Y a pas le feu, ma femme ! Ti-Paul est supposé venir me chercher t'à l'heure. Vu que la rue est déblayée, y devrait venir jusqu'à la maison, au lieu de rester au coin de la rue pour m'attendre. Comme ça, on va prendre le temps de finir notre déjeuner toutes ensemble, pis quand Adrien va partir pour l'école, j'irai me changer, pendant que toé, tu feras mon lunch... Pis toé, Marcel, ajouta-t-il en se tournant vers le petit garçon, qui suivait la discussion en tournant la tête comme une girouette, tu vas me promettre d'être ben gentil avec moman.

— Pourquoi ?

— Tu parles d'une question à matin ! Tu te rappelles pas c'est quoi popa a dit l'autre jour ? Toi, ta *job*, Marcel, c'est d'être fin avec ta mère, pasque c'est normal pour un p'tit gars comme toé d'être gentil avec le monde. Pour Adrien, lui, son travail, c'est de faire de son mieux à l'école. Pour ta mère, c'est de voir à toute dans la maison, pis moé, c'est...

— C'est de faire des meubles ! lança Marcel, tout heureux de s'être soudainement souvenu de cette

173

discussion qu'il avait tenue avec son père, peu de temps auparavant.

— Calvince, t'as ben une bonne mémoire !

Rouge de fierté, le petit garçon avait redressé les épaules. Rien ne lui faisait plus plaisir que de sentir l'approbation de ses parents, surtout celle de son père.

— Chus fier de toé, Marcel, poursuivit Alphonse, après avoir échangé un regard de connivence avec Évangéline. Mais mon travail, c'est aussi de réparer des maisons.

— Je le sais.

— Pis c'est en plein ce que j'vas faire aujourd'hui. C'est pour ça que je dois partir travailler.

Côté intelligence, le petit Marcel ne laissait pas sa place, et malgré son tout jeune âge, il comprenait bien des choses. Aux derniers mots de son père, son petit menton se mit à trembler de déception.

— Pis le hockey ? demanda-t-il d'une toute petite voix.

— On va se reprendre à soir, promit alors Alphonse. Avec Adrien, après le souper. Astheure, Marcel, finis de manger ton gruau, pis... Calvince ! J'ai-tu ben entendu ? On dirait le klaxon du camion à Ti-Paul !

— J'ai entendu la même maudite affaire que toé ! Y est ben pressé, lui, à matin ! File te changer, mon mari. Faudrait pas le faire trop attendre. Toé, Adrien, va faire signe à Ti-Paul qu'on sait qu'y est là. Pendant ce temps-là, moé, je te fais une beurrée avec du baloney pour ton dîner.

174

Le déjeuner se termina en coup de vent, et ce fut plus tard en avant-midi qu'Évangéline retrouva la boîte à lunch de son mari sur le comptoir.

— Bâtard, que je pense pas plus loin que le bout de mon nez, moé, des fois! lança-t-elle, irritée. J'aurais dû la mettre sur la tablette de l'entrée d'en avant, voyons donc, sa damnée boîte à lunch! C'était clair que c'est par là qu'Alphonse allait sortir. Y était pressé. À cause de moé, verrat, mon mari a oublié son dîner, pis y va passer le reste de la journée le ventre à moitié vide, rapport qu'y a même pas eu le temps de finir son déjeuner!

Le temps de ranger les tartines dans la glacière, en se disant qu'Alphonse allait être affamé à son retour, puis Évangéline s'écria:

— T'es où là, Marcel? Me semble que ça fait un boutte que je t'ai pas entendu, toé là!

— Chus dans le salon, moman. Je *watche* la rue pour voir popa quand y va revenir.

— Oh! C'est bien, ça, mais tu risques de trouver la journée longue en verrat, mon garçon... Que c'est tu dirais d'aller chez Perrette avec moman? Ça aiderait à passer le temps, pis on pourrait acheter toute ce qu'y faut pour préparer un bon souper pour popa.

— On va faire un gâteau au « cocholat »?

Un bref sourire éclaira le visage d'Évangéline.

— Oui, mon gourmand, on va faire un gâteau au « cocholat », si ça te fait plaisir, approuva-t-elle en imitant joyeusement son petit Marcel. Ton père avec, y aime ça ben gros, le gâteau au « cocholat ».

— Youpi!

À cinq heures, Évangéline mettait la dernière touche au repas, prenant conscience que les journées commençaient à rallonger.

— Dans un mois, on va être rendus au printemps.... J'sais ben pas si on va aller aux sucres cette année. Me semble que ça serait bon.

Quant à Adrien, il avait déjà fini ses devoirs, et Marcel était en train d'expliquer à son grand frère qu'il avait été très sage durant toute la journée, puisque c'était lui qui avait aidé leur mère à faire le gâteau, sans faire de gâchis.

— Pour jouer au hockey avec popa, déclara-t-il le plus sérieusement du monde.

— Si y est pas trop fatigué, souligna Adrien, avec sa sagesse habituelle.

— Non! C'est pas vrai, ça, Adrien. Popa, y est jamais fatigué pour jouer au hockey.

— On verra ben...

— C'est ça, ouais, on verra ben...

C'est à ce moment qu'ils entendirent un pas lourd qui montait l'escalier en tire-bouchon. Les deux garçons se précipitèrent vers la porte en se bousculant.

— C'est moé qui ouvre la porte à popa!

— Non, ôte-toé de mon chemin, Marcel! C'est moé qui fais ça, pasque c'est moé le plus vieux.

— Bâtard, les garçons, pas de chicane, icitte, pasque j'vas dire à votre père que vous méritez pas de hockey à soir! s'écria Évangéline, qui arrivait de la cuisine en s'essuyant les mains à son tablier. Pis tassez-vous, c'est moé qui vas ouvrir...

Au même instant, la sonnette se fit entendre.

— Cré maudit! Que c'est ça? Comment ça se fait qu'Alphonse y sonne à sa propre maison? Y nous aurait-tu encore faite une surprise?

Mais ce n'était pas Alphonse, c'était son ami Ti-Paul qui se tenait sur le balcon, triturant nerveusement sa tuque entre ses doigts. Évangéline étira le cou, persuadée qu'elle allait apercevoir son mari, les bras chargés d'une boîte volumineuse.

Il n'y avait personne d'autre.

Instinctivement, le cœur d'Évangéline battit un grand coup, un coup si fort qu'elle en eut le souffle coupé.

— Où c'est qu'y est mon mari? demanda-t-elle d'une voix haletante, comme si elle venait de courir.

Ti-Paul, qui devait son surnom à sa grandeur, n'eut pas à pencher la tête pour regarder Évangéline droit dans les yeux. Mais il ne put soutenir l'interrogation douloureuse que lui renvoyait le regard de la jeune femme, et il baissa la tête, comme s'il était gêné.

— Ben... Justement, Alphonse, y est pas là.

— Verrat, Ti-Paul! Tu me prends-tu pour une tarte? Je le vois ben qu'Alphonse est pas là... Y est où?

— À l'hôpital. Y a eu un accident.

— Ben voyons donc...

Instinctivement, Évangéline posa chacune de ses mains sur la tête de ses enfants et de sentir leurs cheveux bouclés lui redonna un semblant de courage.

— Que c'est qu'y a eu, comme accident, mon mari, pour se retrouver à l'hôpital? demanda-t-elle avec sévérité, comme si Ti-Paul était responsable de quelque chose.

Pour aussitôt se reprendre, en raison de la présence des enfants.

— Dis rien, je veux pas le savoir tusuite... Je mets mes couvre-chaussures pis mon manteau pis je te suis. On va aller à l'hôpital... Mais où c'est que j'ai la tête, moé, coudonc? J'peux pas partir de même en laissant les enfants tout seuls, pis...

— Chus là, m'man, déclara alors Adrien, d'une voix étrangement sérieuse pour un enfant de sept ans.

Évangéline se tourna vers lui.

— Ben voyons donc, toé! Je sais que t'es ben responsable, mon Adrien, pis que j'peux te faire confiance pour un paquet d'affaires, mais tu peux pas t'occuper de ton p'tit frère pendant que...

— Ben oui, j'peux! interrompit Adrien. C'est même vous pis popa, l'autre jour, qui avez dit que j'avais l'âge de raison, astheure que ma fête est passée. Popa m'a même expliqué que dans l'ancien temps, à sept ans, les enfants étaient quasiment des adultes...

— T'es ben fin, mon Adrien, pis c'est vrai que ton père a dit ça. N'empêche que j'peux pas te laisser avec un garnement comme Marcel, pendant que...

— Pis si Marcel pis moé on s'habillaient pis qu'on allaient cogner chez madame Noëlla, ça serait-tu correct? interrompit vivement Adrien.

À ces mots, le visage d'Évangéline se détendit.

— Noëlla! Ben sûr, y a Noëlla... Envoye, Adrien, habille-toé pendant que j'aide Marcel à mettre son manteau pis ses bottes. Après, on va toutes partir ensemble.

Le court bout de chemin qui menait à l'hôpital Notre-Dame se fit en silence, et quand Évangéline et Ti-Paul arrivèrent à l'urgence de l'établissement, en passant par la porte de côté, Évangéline comprit que l'accident avait été grave, car le patron d'Alphonse était là à attendre. Intimidée par cet homme bâti en Hercule, Évangéline se contenta d'un bref signe de tête pour le saluer.

De l'heure qui suivit, la seule chose dont la jeune femme se souviendrait avec une clarté absolue, et ce, tout au long de sa vie, ce serait l'immense silence qui l'avait engloutie elle, son quotidien, et ses espoirs, à l'instant précis où le médecin leur avait annoncé qu'Alphonse était décédé avant même son arrivée à l'hôpital. D'un geste de la main, brusque et sec, Évangéline fit comprendre au patron de son mari de ne pas s'approcher d'elle. En ce moment, d'une certaine façon, Honoré Gendron était responsable de ce qui était arrivé à son mari. S'il n'avait pas appelé, ce matin, Alphonse serait toujours vivant.

— Une chute de cette hauteur pardonne rarement, ajouta alors le médecin.

C'était donc que son mari était tombé du toit où il devait réparer les lucarnes.

L'image lui fut particulièrement intolérable, et Évangéline devint aussitôt livide, comme vidée de son sang. Ti-Paul dut la soutenir pour qu'elle puisse s'asseoir, même si lui aussi venait d'encaisser un coup terrible.

Alphonse Lacaille était son meilleur ami.

Comprenant que la pauvre femme était en état de choc, le jeune médecin se retira pour revenir rapidement en compagnie d'une infirmière qui tenait un petit plateau devant elle. Sur le plateau, une seringue.

Évangéline, qui avait été endormie deux fois, quand elle avait perdu ses petites filles, regarda le plateau, et se redressa tant bien que mal, tandis que le médecin expliquait :

— Je comprends madame, ce que doit être votre désarroi, en ce moment. Je vais vous donner quelque chose pour vous aider à vous détendre.

Évangéline était maintenant debout. Tremblante, mais debout.

— Je m'excuse, docteur, mais y est pas question que je me retrouve dans la brume. Je les connais, vos piqûres pour se détendre, pis j'en veux pas.

— Pourtant...

— Non, docteur. Vous me ferez pas changer d'avis... Vous venez de m'annoncer que mon mari est décédé. Y a de quoi se sentir le cœur chaviré, vous pensez pas, vous ? En fait, à l'instant où je vous parle, toute ce qu'y me reste de mon mari, c'est un paquet de beaux souvenirs, deux garçons qui ressemblent à leur père, pis le chagrin que je ressens. C'est vraiment pas grand-chose, par rapport à ce que j'avais à matin... Pouvez-vous imaginer comment je me sens? Ça fait qu'y est pas question que personne vienne m'enlever ma peine icitte à soir, pasque c'est ça qui me retient encore pour un p'tit boutte à mon Alphonse. C'était un ben bon mari, vous saurez... Vous allez vous contenter de me dire que c'est que je dois faire pour que toute soye correct pour lui. Pis après, j'vas retourner chez nous. Tout ce que je veux, pour astheure, c'est retrouver nos deux garçons, à Alphonse pis moé... Pis vous, monsieur Gendron, ajouta-t-elle d'emblée, en se tournant vers le patron d'Alphonse, vous pouvez partir. Je vous remercie ben gros d'avoir accompagné mon mari jusqu'ici, mais pour astheure, j'vas m'arranger avec Ti-Paul... On se reparlera un autre tantôt. Mais avant...

Évangéline demanda alors à voir son mari, en précisant à Ti-Paul de bien vouloir l'attendre.

— C'est la dernière fois que j'vas être toute seule avec lui. Tu peux comprendre ça, hein?

Puis, elle suivit le médecin à l'autre bout de l'étage.

Alphonse avait l'air de dormir tout habillé. Elle demanda au médecin de la laisser seule pour un moment.

Amoureusement, Évangéline replaça la boucle des cheveux d'Alphonse qui retombait sur son front, comme elle l'avait fait tant et tant de fois dans l'intimité. Il avait l'air calme, presque serein, comme pour lui dire de ne pas s'en faire pour lui. Évangéline effleura donc sa joue encore tiède avec l'index replié, puis, elle y déposa un baiser timide.

Silencieusement, de cœur à cœur, la jeune femme répéta à son homme qu'elle l'aimait profondément, de toute son âme, et qu'elle l'aimerait ainsi jusqu'à la fin de sa vie. Puis, curieusement, elle lui demanda pardon pour le lunch oublié.

— Si t'avais ben mangé à midi, murmura-t-elle, l'accident serait petête pas arrivé. Allez donc savoir !

Puis, elle se redressa.

Elle aurait voulu être capable de pleurer tout près de lui, comme elle l'avait fait à la mort de leurs deux petites filles, mais les larmes ne venaient pas.

Évangéline resta encore un long moment à regarder son homme, celui avec qui elle aurait tant voulu vieillir, se répétant en boucle qu'elle n'avait pas le droit de flancher, car leurs fils auraient besoin d'elle plus que jamais.

Adrien, Marcel...

Pour eux, il lui fallait se montrer forte, même si elle se sentait aussi fragile et vulnérable qu'un oisillon.

Ensuite, elle se détourna brusquement, comme on s'arrache à quelqu'un qu'on n'a pas du tout envie de quitter, et elle rejoignit le médecin qui l'attendait de l'autre côté de la porte, dans le long corridor.

Elle eut à signer quelques papiers, et elle demanda à Ti-Paul d'écouter avec elle tout ce que le médecin jugeait important de leur dire. Évangéline avait tellement peur d'oublier quelque chose d'essentiel.

Par la suite, la jeune femme était retournée chez elle.

— Vous êtes ben certaine que vous voulez pas que je reste avec vous, Évangéline ?

Curieusement, Ti-Paul s'entêtait à vouvoyer Évangéline, tandis que celle-ci le tutoyait. En ce moment, Ti-Paul se tenait sur le perron, comme tout à l'heure, quand il était venu lui annoncer que son mari était à l'hôpital, et il avait l'air tout aussi désemparé qu'à ce moment-là.

— Non merci, Ti-Paul. Mais j'apprécierais que tu viennes demain matin, par exemple... J'veux pas être toute seule quand y vont me ramener mon mari, pour l'exposer dans le salon... Pis va falloir aussi passer au presbytère pour aviser monsieur le curé. Pis...

— C'est beau Évangéline, interrompit Ti-Paul. On verra à tout ça demain. À soir, pensez surtout à vous reposer un peu. C'est des grosses journées qui s'en viennent pour vous. Pis moé, j'vas mettre ce que le docteur a dit sur une feuille de papier, drette en rentrant chez nous, pour être sûr de rien oublier... Après, j'vas aller voir le patron. Chus sûr qu'y va vouloir faire de quoi pour les funérailles.

Ce dernier mot fit ciller Évangéline, qui dut se cramponner à la porte pour ne pas s'écrouler.

— C'est beau, arriva-t-elle toutefois à articuler. On se reverra demain.

Ti-Paul avait fait demi-tour et il s'apprêtait à descendre l'escalier quand il s'arrêta tout d'un coup et revint sur ses pas.

— Vous êtes ben certaine de vouloir rester toute seule? Je pourrais petête aller chercher les garçons? Me semble que c'est pas très...

— Pour les garçons, j'vas y voir plus tard. Pis pour moé, oui, c'est ben certain que j'veux être toute seule... J'ai besoin de me retrouver avec Alphonse, juste avec lui, pasqu'y me semble que j'ai encore une couple de choses à y jaser... Petête que tu peux pas comprendre, Ti-Paul, mais pour moé, c'est ben important. On va faire le tour de la maison ensemble, mon mari pis moé, pis après, j'irai chercher les garçons.

Sur ce, Évangéline referma la porte tout doucement. Elle retira son manteau, et plaça ses couvre-chaussures contre le mur, comme Alphonse et elle avaient pris l'habitude de le faire avant de voir à leurs garçons, quand ils revenaient à la maison, en plein hiver.

— Maintenant, j'aurai pas le choix de dire à Adrien de se ramasser tout seul, souligna-t-elle sans raison apparente... Sinon, j'y arriverai pas. Je pense qu'y est assez grand pour comprendre. Pis moé, j'vas continuer de m'occuper de Marcel, pasqu'y est encore ben p'tit.

Puis, Évangéline gagna le corridor, où elle se dépêcha de fermer la première porte à sa droite, sans même regarder à l'intérieur. C'était leur chambre, et elle n'était pas encore prête à y retourner sans son mari. Trop de souvenirs, trop de beaux moments, trop de confidences chuchotées à l'oreille.

Son cœur battait la chamade, alors que des centaines d'images se bousculaient dans sa tête. Elle toussota sèchement, à plusieurs reprises, car elle avait une boule dans la gorge qui l'empêchait presque de respirer. Pourtant, les larmes n'étaient toujours pas au rendez-vous.

Pourquoi n'arrivait-elle pas à pleurer?

Elle passa d'abord devant la pièce qui servait à la couture, puis devant la chambre des garçons. Les blocs en bois de Marcel traînaient à côté de son lit, et le cartable d'Adrien était resté ouvert sur le petit pupitre en bois qu'Alphonse lui avait fabriqué pour qu'il puisse faire ses devoirs... Ici aussi, on aurait dit que la vie avait été interrompue.

Évangéline pensa alors que si elle avait fait des caprices ce matin, son mari serait peut-être resté à la maison, et rien ne serait arrivé.

Elle ajouta d'un même souffle que c'était une idée ridicule, car Alphonse Lacaille était un homme de devoir.

Ensuite, Évangéline jeta un coup d'œil dans la dernière chambre, qui servait pour l'instant de débarras et de chambre d'amis, même s'ils n'avaient jamais reçu qui que ce soit à dormir.

C'était vraiment une très belle et très grande maison qu'Alphonse avait construite pour sa famille. «Quatre chambres, c'est vraiment beaucoup», se dit-elle, quand soudainement, elle aperçut la couchette de bébé qu'Alphonse avait entreposée là, en attendant la venue d'un troisième enfant.

Évangéline eut alors un geste de recul. Elle venait de prendre conscience qu'il n'y aurait jamais de troisième bébé. L'espoir ténu mais bien réel que le docteur Lalonde se soit trompé et qu'elle puisse un jour donner naissance à une petite fille serait enterré en même temps que son mari, dans quelques jours à peine, et c'était bien dommage.

Au final, Évangéline Lacaille, née Bolduc, n'aura eu que deux enfants, deux garçons, Adrien et Marcel. Pourtant, elle était encore si jeune. Même pas trente ans...

Elle pensa alors qu'il lui faudrait envoyer un télégramme à ses parents, dès le lendemain, après qu'elle se serait entendue avec le curé Ferland sur la date et l'heure des funérailles. Non qu'elle sente le besoin de leur présence, mais c'est ainsi que le voulait la bienséance. Après tout, Alphonse était leur gendre.

Il y avait aussi Conrad qu'il fallait prévenir que son frère était mort, même si, depuis la rencontre désagréable du premier de l'an, quatre ans plus tôt, ils ne s'étaient pas revus.

— Demain, murmura-t-elle en soupirant. M'en vas voir à tout ça demain.

Ensuite, la jeune femme entra dans la cuisine et par habitude, elle mit de l'eau à chauffer, comme elle le faisait tous les soirs.

La sauce du rôti avait figé dans la lèchefrite et les patates avaient grisonné. Elle soupira. Pour ça aussi, elle y verrait demain, en même temps qu'elle rédigerait les télégrammes à envoyer. Peut-être que Noëlla pourrait l'aider, parce que la pauvre Évangéline n'avait jamais été très à l'aise avec les mots à écrire.

Sur le bout du comptoir, il y avait le gâteau que Marcel avait aidé à glacer. Seul ce gâteau au chocolat avait fière allure. Évangéline se dit alors que Marcel serait content. Néanmoins, elle n'avait ni le cœur ni l'énergie de ressortir de la maison pour se présenter chez son amie Noëlla, afin d'aller chercher ses enfants. Pourtant, elle voudrait ses fils tout près d'elle. Mais comme elle ne savait pas ce qu'elle leur dirait...

Évangéline soupira encore, repoussant à plus tard ce moment où elle devrait affronter deux regards d'enfants qui se rempliraient de larmes à cause d'elle et de ces mots qu'elle n'aurait pas le choix de prononcer.

Ce « plus jamais » si lourd de sens.

Elle prendrait donc un thé pour se réchauffer, en pensant à son Alphonse, puis après, elle irait chez Noëlla. Juste après, quand elle saurait comment annoncer à deux enfants de sept et de deux ans et demi que leur père ne reviendrait jamais.

En attendant que l'eau se mette à bouillir, Évangéline leva les yeux au plafond, essayant d'imaginer son homme, assis à la droite du Père, comme le disaient les Saintes Écritures.

— Mais que c'est qui s'est passé, Alphonse, pour qu'on mérite ça? demanda-t-elle d'une voix rauque à peine audible.

Évangéline parlait tant pour elle et son mari que pour essayer de comprendre l'incompréhensible.

— D'abord, on a eu deux p'tites filles qui sont mortes avant même d'avoir commencé à vivre vraiment, pis ensuite toé, aujourd'hui... Tu dois ben le savoir, pourquoi on mérite tous ces malheurs-là, astheure que t'es rendu de l'autre bord... Pis tu peux-tu me dire, en même temps, comment c'est que j'vas pouvoir m'en sortir toute seule ? Pasque moé, tu sauras, je vois pas grand-chose au-delà d'à soir.

Sur ce, Évangeline ouvrit tout grand les bras en pivotant sur elle-même, et elle se retrouva devant la porte donnant sur la salle à manger et le salon.

— C'est pas mal grand, c'te maison-là, pour une femme seule avec ses deux garçons, constata-t-elle.

Elle releva les yeux vers le plafond.

— Tu trouves pas, Alphonse ? Ça a beau être confortable, pis ben beau, ça reste grand en verrat !

Puis, elle regarda par la fenêtre. C'était soir de pleine lune. Elle esquissa un sourire las.

— Tu vois, Alphonse, t'aurais pu jouer au hockey avec les garçons, comme t'avais promis à matin... Pourquoi t'as pas tenu ta promesse ? Ça te ressemble pas d'agir de même. Tes garçons vont être ben gros déçus que tu soyes pus là, pasque moé, je connais pas ça, le hockey... Pis je connais pas ça, le dessin, non plus... Mais que c'est que j'vas faire, avec deux garçons à élever, toute seule sans un homme dans la maison ? J'ai beau les aimer du plus profond de mon cœur, chus toujours ben pas pour leur montrer à faire du tricot pis de la couture, bâtard ! Pis qui c'est qui va pelleter les marches quand on va avoir des tempêtes? Tu le sais-tu, Alphonse? Pis qui va peinturer la galerie, au printemps, quand le bois est toute écaillé? Pis faut pas oublier de changer les châssis doubles, pour pas crever de chaleur en été... Pis qui c'est qui va me consoler de pus jamais avoir la chance de te voir, pis de te parler? C'est avec toé, d'habitude, que je pleure mes désespoirs.

Évangéline alignait les petites choses de leur quotidien qui n'existeraient plus, comme si elle sentait le besoin de faire une sorte de bilan avant de pouvoir se laisser aller à sa tristesse, qui, elle s'en doutait bien, engloutirait tout sur son passage. Comme une vague immense qui balaie le littoral, ne laissant que ruines et désolation.

— Comment c'est que j'vas faire moé, pour *ronner* tout ça avec de l'ennui plein le cœur, pis de la tristesse à revendre? Bâtard, Alphonse, pourquoi t'es parti vite de même? Pis après, on prétend que le Bon Dieu est bon... Je le sais pus, Alphonse, si Y est si bon qu'ça, le Bon Dieu. Tu le sais-tu, toé? Doux pis gentil comme t'étais, Y a ben dû t'ouvrir tout grand les bras... Qui c'est qui va m'ouvrir les bras, à moé, astheure que t'es pus là? Qui c'est qui va me dire quoi faire quand j'vas être dans l'embarras? Pis surtout, comment c'est que j'vas annoncer ça aux garçons? Tu peux-tu me le dire, Alphonse? Moé, je le sais pas pantoute comment j'vas pouvoir leur dire que tu seras pus jamais là. J'arrive même pas à y croire moi-même.

Ce fut ainsi que Noëlla retrouva son amie Évangéline, debout au milieu de sa cuisine, les yeux levés vers le plafond.

La bouilloire sifflait, mais la jeune femme ne semblait pas l'entendre, et elle parlait, parlait, parlait...

Oh, bien sûr, Noëlla avait cogné à la porte, et elle avait attendu un bon moment avant d'entrer. Devant l'absence de réponse, alors qu'elle savait très bien qu'Évangéline était de retour, puisqu'elle avait vu le camion de Ti-Paul passer et repasser devant chez elle, Noëlla avait entrouvert la porte, et elle s'était laissé guider par la voix d'Évangéline, persuadée de la retrouver avec son mari Alphonse.

Malheureusement, Évangéline était seule, et pour qu'Évangéline se mette à parler toute seule, il fallait que la situation soit très grave.

— Évangéline ?

La jeune femme se tourna brièvement vers elle, sans paraître autrement surprise de voir son amie.

— Pis ? Que c'est qui s'est passé, pour l'amour, pour que ton mari se retrouve à l'hôpital ?

Un simple regard rempli de désespoir, et en une fraction de seconde, Noëlla comprit l'horreur de la situation.

Sans dire un mot, parce qu'Évangéline ne lui avait pas répondu et qu'elle s'était détournée, Noëlla s'approcha de la cuisinière pour retirer la bouilloire du rond, et comme elle connaissait les aires de la maison, elle se mit à préparer le thé. Puis, avec une infinie douceur, elle glissa un bras autour des épaules d'Évangéline.

— Viens, ma belle amie, viens, on va s'asseoir ensemble, toé pis moé.

Évangéline se laissa faire, comme s'il était normal que quelqu'un prenne les décisions à sa place. Puis, elle regarda autour d'elle.

— Les enfants? demanda-t-elle d'une voix rauque.

— Y vont bien, les enfants, rassura Noëlla. Je les ai fait souper, pis pour astheure, c'est ma grande fille Denise qui s'occupe d'eux autres.

— Ah bon... C'est tant mieux, pasque moé, j'sais pas encore ce que j'vas leur dire.

Si Noëlla avait besoin d'une confirmation concernant la gravité de la situation, elle venait de l'avoir.

— Pis si tu me le disais, à moé, ce qui s'est passé? suggéra-t-elle. Ça t'aiderait petête.

— M'aider à quoi, Noëlla? À comprendre que mon mari sera pus jamais là? Y a rien à comprendre là-dedans. Rien en toute... Dire qu'on parlait d'avoir un troisième enfant, lui pis moé... J'veux pas, Noëlla, j'veux pas que ça s'arrête icitte à soir, pour Alphonse pis moé. Chus pas prête pantoute à vivre sans lui. Ça se peut pas, une affaire de même, voyons donc! Ça se peut juste pas... Que c'est qu'on va devenir, les enfants pis moé? Tu peux-tu me le dire, toé Noëlla, ce qu'on va devenir?

D'une phrase à l'autre, Noëlla comprenait l'étendue du désespoir que devait ressentir son amie. Elle ferma les yeux, le temps d'imaginer ce qu'elle ressentirait si son mari venait à partir aussi subitement, puis elle les rouvrit aussitôt. Évangéline avait raison : un tel cauchemar était inconcevable.

— Non, c'est ben triste à dire, mais j'peux pas prédire ce que vous allez devenir. Pas avec des mots clairs comme ceux qu'on lit dans le journal. Mais ce que j'peux affirmer, par exemple, pis sans me tromper, c'est que t'es une femme ben courageuse. Ouais, ça, je le sais.

— Courageuse ? Pas sûre, Noëlla, pas sûre pantoute que chus courageuse à c'te point-là. Au contraire, j'ai ben l'impression que j'en ai pus pantoute, du courage, pis que j'en aurai pus jamais. C'était facile d'avoir du courage quand Alphonse me tenait la main, mais astheure que chus toute seule...

Évangéline regarda encore une fois autour d'elle, comme si elle espérait voir apparaître son mari. Après tout, les cauchemars finissent toujours au réveil, n'est-ce pas ?

Mais Évangéline savait fort bien qu'elle n'était pas dans un rêve.

Alors pourquoi, pourquoi n'arrivait-elle pas à pleurer ?

— Ça, c'est ce que tu penses à soir, tenta de moduler Noëlla, pis c'est ben normal, ma pauvre Évangéline... Faut que ta colère pis ta tristesse finissent par sortir avant que tu soyes capable d'avoir la force de te relever...

— Me relever ? Pourquoi je voudrais me relever ? Pour me rendre compte que chus toute seule ? Non, j'ai pas envie de me relever... Je me sens tellement fatiguée, Noëlla. C'est comme tout vide en dedans de moé, sauf mon cœur, qui bat comme un malade. Pis qui fait mal... Ben ben mal! Le pire, je pense, c'est que chus pas capable de pleurer... Pourquoi, Noëlla, pourquoi j'arrive pas à pleurer si j'ai mal autant que ça? Me semble que ça me ferait du bien.

— C'est sûr que ça te ferait du bien, pis c'est vrai que t'as les yeux ben secs... T'as-tu pleuré au moins un peu, quand t'étais à l'hôpital?

— Même pas. Chus pas capable.

— Pourtant, ça fait du bien de brailler une bonne *shot*, quand on a de la peine.

— C'est ce que je me dis, moé avec. Mais ça veut pas, Noëlla. Y a rien qui veut sortir. Je te l'ai dit: c'est vide en dedans de moé.

— Ben dans ce cas-là, viens donc dormir un peu, pis...

— Mais y a les garçons... J'peux toujours ben pas abandonner mes garçons, pis aller me coucher comme si de rien n'était. Voyons donc! Surtout pas à soir. Pis en même temps, j'ai pas la force d'aller les chercher.

— Si c'est de même, fais c'que je te dis, pis viens te coucher... Promis, j'vas rester avec toé aussi longtemps que tu vas en avoir de besoin... Pis crains pas, Adrien pis Marcel sont pas en perdition avec Denise. A' l'a le tour avec les enfants.

— Petête ben, mais c'est pas elle qui va leur parler, par exemple. Que c'est j'vas ben pouvoir leur dire quand j'vas les revoir? Tu le sais-tu, toé, Noëlla?

— Essaye pas de prévoir, Évangéline. Tu te fais du mal pour rien. Ça viendra ben tout seul quand tu seras avec eux autres. Après toute, t'es leur mère, pis une mère comme toé, dédiée à ses enfants, a' finit toujours par trouver ce qu'y faut dire ou ben ce qu'y faut faire.

— Tu penses ?

— Chus ben sûre de ça. Astheure, suis-moi. Tu vas aller dormir un peu, pis après, t'auras les idées plus claires.

Noëlla avait pris sa voix autoritaire, alors Évangéline suivit son amie sans protester, se laissant conduire comme une automate. À défaut des larmes, le sommeil lui ravirait peut-être quelques heures de cette détresse absolue qui, elle le devinait, deviendrait sa compagne au quotidien, remplaçant son mari aimant.

Quand elle se glissa sous les draps, Évangéline ressentit un grand frisson de fatigue. En fait, elle était épuisée, dépouillée de toute énergie et de toute émotion, autre que cette sensation de vide immense en elle.

Ne sachant trop quoi faire et ne voulant surtout pas laisser son amie seule, Noëlla s'allongea pardessus les couvertures, juste à côté d'elle, et sans dire un mot, elle massa ses épaules jusqu'à ce qu'elle entende un souffle profond et régulier.

Noëlla attendit encore un peu, puis elle se leva tout doucement et retourna à la cuisine pour tout ranger. Au même moment, Émile, son fils aîné, venait la voir de la part de Denise pour savoir ce qu'ils devaient faire des enfants Lacaille.

— Le plus jeune s'est endormi sur le Chesterfield, pis le plus grand, y arrête pas de regarder par icitte en disant qu'y veut revenir chez eux, que c'est pas normal que sa mère soye pas encore venue les chercher.

— Pauvres enfants! Y a pas tort, le jeune Adrien. En temps normal, ça fait longtemps que sa mère serait venue les chercher... Mais à soir, y a rien de normal. C'est pas drôle pantoute ce qui se passe icitte, Émile. Monsieur Lacaille a eu un accident ben grave. J'sais pas trop comment c'est arrivé, rapport qu'Évangéline en mène pas large pis qu'a' m'a rien dit, mais le pauvre Alphonse y a laissé la vie...

— Oh! C'est ben triste, moman!

— Ouais, c'est triste en joual vert! Dis à ta sœur que j'vas rester icitte tant et aussi longtemps qu'Évangéline va avoir besoin de moé. Passe un «pydjama» d'Oscar à Adrien pour qu'y puisse se coucher, lui avec. Le Chesterfield est assez long pour deux enfants... Tant pis pour l'école demain, toé pis Denise, vous resterez à la maison pour voir aux p'tits... Pis demande donc à ton père de venir faire un tour quand y va revenir de sa *job*...

— C'est correct, moman. J'vas faire comme tu dis... Ça me fait de la peine, tu sais. Y était ben fin, monsieur Lacaille.

— Ouais, ben fin...

Quand la cuisine fut rangée, Noëlla s'installa dans le petit fauteuil de la chambre pour veiller Évangéline et attendre la visite de son mari, qui revenait tous les soirs vers minuit, sauf le samedi parce qu'il travaillait de jour. Au besoin, elle resterait sur place jusqu'au matin. Pas question pour Noëlla qu'Évangéline se réveille et se retrouve toute seule en pleine nuit. Son mari allait le comprendre. De toute façon, sa fille Denise était suffisamment intelligente et débrouillarde pour voir aux besoins d'une maisonnée comme la sienne, surtout aidée par son frère Émile. Ce n'étaient pas deux enfants de plus qui allaient lui faire peur !

Après quelques heures d'un mauvais sommeil, Évangéline entrouvrit les yeux. Il faisait nuit.

Curieusement, Alphonse n'était pas à ses côtés et, du salon, lui parvenaient les murmures d'une conversation. Mais qui donc était chez elle en pleine nuit, en train de parler ainsi à voix basse ?

La réalité lui fit éclater le cœur avec la fulgurance d'un éclair.

Alphonse était mort. Son Alphonse ne serait plus jamais couché dans ce lit avec elle.

Meurtrie comme si on l'avait rouée de coups, Évangéline se recroquevilla sous les couvertures en gémissant, et quand Noëlla revint dans la chambre, quelques instants plus tard, son amie était secouée de sanglots déchirants. Noëlla, le cœur lourd, resta un moment dans l'embrasure de la porte, puis elle s'éclipsa silencieusement. Évangéline n'avait pas besoin d'elle pour l'instant. Son deuil venait de commencer et c'était seule face à elle-même qu'elle devrait apprivoiser sa nouvelle vie. L'amitié prendrait toute son importance plus tard.

CHAPITRE 8

« Parlez-moi d'amour
Redites-moi des choses tendres,
Votre beau discours,
Mon cœur n'est pas las de l'entendre
Pourvu que toujours
Vous répétiez ces mots suprêmes,
Je vous aime »

Parlez-moi d'amour (J. LENOIR)
PAR LUCIENNE BOYER, 1930

Avril 1926, chez les Lacaille, puis à l'épicerie de Benjamin Perrette

Depuis les funérailles d'Alphonse, Évangéline évitait les sorties autant que possible. Même ses amies avaient été mises sur la touche, parce qu'elle n'aurait eu aucune conversation intéressante à tenir avec elles. Elle avait surtout très peur de se mettre à pleurer comme une fontaine, si jamais le nom d'Alphonse était mentionné, et une sorte de pudeur naturelle le lui interdisait. Tout comme du vivant de son mari, Évangéline gardait ses larmes pour les partager avec lui, le soir, sur l'oreiller.

Depuis les funérailles, elle continuait de parler à son homme comme s'il était à ses côtés. Elle lui demandait conseil, tentait d'être à la fois la mère et le père de leurs garçons, à qui elle n'avait finalement pas eu grand-chose à dire, lors du décès d'Alphonse. Quand elle les avait rejoints chez Noëlla, le lendemain matin, Adrien avait déjà deviné qu'il ne reverrait jamais son père, et Marcel était encore trop petit pour comprendre réellement ce qui se passait. La preuve, c'est qu'il demandait encore régulièrement quand son papa allait revenir, plantant chaque fois une épine dans le cœur d'Évangéline. Alors, quand elle les avait enfin retrouvés chez Noëlla, elle s'était contentée de leur ouvrir les bras, et ses larmes s'étaient mélangées à celles d'Adrien, tandis que Marcel se tortillait comme un beau diable pour échapper à son étreinte.

Depuis les funérailles, la jeune femme avait laissé tomber la couture et elle se limitait aux petits détails du quotidien. La semaine précédente, quand Marcel avait éclaté de rire, alors qu'il jouait dans sa chambre, la jeune femme lui en avait voulu d'être encore capable de s'amuser. Puis elle s'était dépêchée d'aller le prendre dans ses bras, se trouvant odieuse d'avoir eu une telle pensée. Après tout, Marcel n'était encore qu'un si petit garçon.

Des funérailles elles-mêmes, elle gardait un souvenir flou, comme une sorte de mauvais rêve qui ne lui parvenait plus que par bribes. Le cercueil posé sur des tréteaux, dans un coin du salon; l'odeur entêtante des fleurs que monsieur Gendron avait tenu à offrir ; la musique de l'orgue à l'église et le curé Ferland qui avait eu l'air sincère quand il avait dit qu'Alphonse allait manquer à leur paroisse. Et par-dessus tout, il y avait eu le bruit de la lourde porte du caveau se refermant sur la tombe de son mari, où elle serait gardée en attendant le dégel du sol pour qu'on puisse l'enterrer.

Et tous ces gens qui étaient venus saluer Alphonse une dernière fois...

Ses frères et leurs épouses, accompagnés de sa jeune sœur Estelle, qui lui avait remis un petit mot écrit par leur mère, qui regrettait de ne pouvoir venir avec son père ; Ti-Paul et tous les autres compagnons de travail de son mari, qui avaient été présents à plus d'une reprise, comme s'ils craignaient de la savoir seule, ou qu'ils voulaient garder un souvenir de cette maison qu'ils ne visiteraient plus aussi régulièrement. Les voisins de la rue avaient été souvent là, eux aussi, qui avec une salade de patates, qui avec un gâteau ou une chaudronnée de soupe... Le garde-manger et la glacière avaient débordé de victuailles durant une bonne semaine.

Même la veuve Sicotte s'était déplacée.

Évangéline se souvenait qu'en la voyant, elle s'était dit que maintenant, elle comprenait pourquoi cette femme-là vivait en ermite chez elle. Si ce n'avait été de ses enfants, elle aussi, elle aurait fait la même chose.

Monsieur Albert, lui, faute de relève et de parenté proche, avait tout simplement fermé son casse-croûte pour être de la cérémonie.

Et Benjamin Perrette avait confié son épicerie à un cousin.

Oui, vraiment, tous ceux qui avaient de l'importance aux yeux des Lacaille avaient su bien l'entourer.

Toutefois, de toutes ces présences, Évangéline ne gardait qu'une sensation globale, un peu vague, qui l'avait réconfortée sur le moment, certes, mais qui n'avait pas réussi à la consoler vraiment.

La seule chose qui était restée bien précise dans son esprit, c'était le moment où elle avait montré la porte à Conrad, le frère de son mari, qui avait osé prétendre, maintenant qu'Alphonse était mort, que le piano de leur oncle Jonas lui revenait de droit.

Évangéline savait d'ores et déjà qu'elle ne reverrait jamais la famille Lacaille, dont elle n'aurait connu que le frère, en fin de compte.

Au lendemain des funérailles, alors que les enfants étaient chez Arthémise et qu'elle-même marchait comme une âme en peine dans la maison, passant d'une pièce à l'autre sans but précis, elle s'était souvenue qu'Alphonse lui avait déjà dit que sur la tablette de leur garde-robe, il y avait une boîte à souliers dans laquelle il avait rangé tous leurs documents importants.

— En cas de besoin, tu vas trouver là des papiers de la banque, pis tout ce qui concerne la maison. Même les plans.

— Cré maudit, Alphonse! Veux-tu ben me dire pourquoi tu me racontes ça, là, à soir? lui avait alors demandé Évangéline.

— Au cas où il m'arriverait quèque chose d'imprévu. Ça faisait un boutte que je voulais t'en parler, pis ça finissait toujours par me sortir de l'idée... Là, c'est faite, pis chus ben content! Ça me rassure. On sait jamais de quoi demain va être faite, ma belle Line.

— Veux-tu ben te taire, oiseau de malheur! On est jeunes pis en santé, que c'est tu veux qu'y nous arrive, bâtard?

Évangéline se sentait encore forte de sa jeunesse. Pourtant, c'était Alphonse qui avait eu raison.

Les mains tremblantes, la jeune femme avait donc ouvert la boîte à chaussures. Non seulement elle y avait trouvé les papiers dont son mari avait parlé, mais c'était là aussi qu'il avait déposé toutes leurs économies. En découvrant les dollars qu'Alphonse avait soigneusement rangés dans une enveloppe, Évangéline s'était mise à pleurer comme une Madeleine.

Si les larmes avaient tardé à venir lors du décès de son mari, elles étaient devenues intarissables à partir du moment où elle s'était réveillée seule dans leur lit.

Il y avait, dans l'enveloppe, de quoi subsister durant plusieurs semaines, incluant la remise mensuelle qu'elle devrait faire à la banque pour payer la maison. Même parti, Alphonse continuait de veiller sur les siens.

Aujourd'hui, le printemps était là, mais c'est à peine si Évangéline avait pris conscience de la douceur de l'air quand elle était sortie sur son balcon, tout à l'heure, afin de déposer les ordures dans la poubelle.

Adrien était parti pour l'école, comme d'habitude, et Marcel s'était enfermé dans leur chambre, pour s'amuser tout seul, sans faire son vacarme habituel. Comme s'il avait instinctivement compris que sa mère était fragile et qu'il devait faire de gros efforts pour elle. Heureusement, le temps du hockey était terminé, et bientôt, Évangéline pourrait aller jouer avec lui au parc. Pousser la balançoire, c'était quelque chose qu'elle pouvait faire sans se lasser, et le regarder courir à s'en épuiser aussi ! Évangéline se disait qu'avec un peu de chance, quand reviendrait la saison froide, Marcel aurait oublié qu'un jour, il avait joué au hockey avec son père, et elle souhaitait de tout son cœur qu'il passe à autre chose, sans faire d'histoires. Après tout, il était encore bien jeune, n'est-ce pas, pour tout se rappeler avec précision ?

Levant les yeux au plafond, Évangéline murmura :

— Hein, Alphonse, que notre Marcel est ben p'tit pour avoir perdu son père comme ça ? Par contre, justement pasqu'y est ben jeune, y devrait petête pas en souffrir tant que ça. Je me demande même si y va garder un souvenir de toé vivant...

À cette pensée, Évangéline eut les larmes aux yeux et le cœur serré. Puis, soudainement, elle eut envie de faire plaisir à son petit Marcel, comme ça, sans raison autre que celle de voir son sourire s'épanouir. Il était si beau, Marcel, quand il souriait !

Alors, elle lança la guenille qu'elle tenait à la main dans l'évier, puis elle regagna le corridor.

— T'as-tu vu, Marcel? lança-t-elle sur ce ton léger qu'elle n'avait pas employé depuis des semaines.

— Vu quoi, moman? entendit-elle depuis la chambre des garçons.

— Comment c'est qu'y fait beau dehors. Ça te tente-tu de venir marcher jusqu'au parc avec moé?

— Au parc?

Évangéline entendit des blocs tomber en cascades sur le plancher, puis, l'instant d'après, le petit minois de Marcel apparut dans l'embrasure de la porte.

— La neige est toute partie? demanda-t-il alors, les yeux écarquillés.

— Non, pas toute toute, mais quand même, y fait beau en verrat!

Marcel tendit le cou pour regarder vers le salon, puis, enjambant le camion de pompier construit par Alphonse quand Adrien était petit, il se mit à courir pour se rendre à la fenêtre, où il faisait parfois le guet.

— Ouais, c'est vrai, y fait beau. Ben beau... Pis? lança-t-il joyeusement en tournant vers sa mère ce merveilleux sourire qui la faisait fondre. On y va-tu au parc?

C'est alors qu'Évangéline comprit qu'il n'en tenait peut-être qu'à elle pour faire de son petit énervé, comme elle le disait parfois, un gentil garçon sage. À elle de reprendre le flambeau qu'Alphonse avait si bien allumé en s'occupant de leur fils de façon régulière, et avec une patience qu'elle ne ressentait pas tout le temps.

— On y va, bâtard ! lança-t-elle.

Puis, sur un ton plus bas, elle ajouta :

— Tant pis pour le grand deuil, Alphonse, y va comprendre. De toute façon, ma peine, je l'ai dans le cœur, pis c'est pas le fait d'aller au parc qui va venir y changer de quoi. Sauf peut-être faire plaisir à notre garçon, pis pour ça, chus sûre que mon Alphonse serait d'accord.

Sur ce, Évangéline fit un grand sourire à Marcel.

— Envoye, mon homme, mets ton manteau, pis moman va t'aider à l'attacher.

Elle n'osa ajouter à voix haute qu'à cette heure-ci, il y avait peu de risques de croiser qui que ce soit, ce qui était pour elle une très bonne chose.

La mère et le fils marchèrent un long moment sur le sentier qui faisait le tour du parc. La chaleur du soleil traversait agréablement le tweed des manteaux, et le babil du bambin permit de rendre la promenade presque agréable.

— Pourquoi les balançoires sont pas là ? Y a juste les gros poteaux.

— Pasque tu te souviens de ça, toé ?

— Je me souviens de quoi ?

— Qu'y a des balançoires dans le parc, verrat !

— Ben oui... D'habitude, sont là-bas, en dessous des gros poteaux. J'aime ça quand vous me donnez des « allants » dans le dos pour aller haut.

— Eh ben !

Évangéline était vraiment surprise qu'à son âge, Marcel puisse se rappeler l'allure qu'avait le parc avant la venue de l'hiver.

— Pourquoi sont pus là, les balançoires? insista son fils.

— Verrat, Marcel, tu parles d'une question, toé là, à matin! À cause de l'hiver pis de la neige, je dirais ben... Mais inquiète-toé pas! Le monsieur qui s'occupe du parc, y va sûrement les remettre pour l'été.

— Ah bon...

Puis, un peu plus tard, quand Marcel fut un peu las de tourner en rond, il avoua dans un soupir:

— Je m'ennuie de popa, vous savez...

La voix du petit garçon était ténue.

— Y est gentil, popa.

— C'est le plus gentil des popas, Marcel! T'as ben raison.

Le gamin leva alors les yeux vers le ciel qui, ce matin-là, était d'un bleu lumineux, tout comme ses yeux.

— Y est où, popa?

Se méprenant sur le sens précis de la question, Évangéline répondit ce qu'elle expliquait toujours à son fils quand il lui demandait où était son père, avec cependant une pointe d'impatience dans la voix parce que, chaque fois, ça lui remuait le cœur.

— Tu le sais ben, Marcel, y est où ton père. Je te l'ai dit cent fois: astheure, popa est dans le ciel.

— Ben oui, ça, je le sais... Y est avec le p'tit Jésus. Mais c'est où dans le ciel?

Évangéline se pencha alors vers le petit garçon qui, le nez en l'air, examinait l'immensité toute bleue qui le surplombait. Son regard se promenait de la cime d'un arbre au toit des maisons, puis revenait à la cime d'un autre arbre.

— C'est grand le ciel, observa-t-il.

— T'as ben raison, mon Marcel, c'est très grand le ciel... Pis ben loin de nous autres.

— Ouais, c'est trop loin pour voir popa... Mais y est où, popa, dans le ciel trop grand ?

Évangéline fut sur le point de dire machinalement qu'elle ne le savait pas, quand par intuition, elle retint cette banale réponse. Elle s'accroupit alors pour être à la hauteur de Marcel, entoura ses épaules d'un bras protecteur, et, pointant avec l'index, elle montra le plus haut des arbres du parc.

— Tu vois le gros arbre là-bas ?

— Lequel ?

— Le plus gros pis le plus haut. Celui que toé, moé pis Adrien, on arrive pas ensemble à faire le tour du tronc avec nos bras.

— Ouais... je le vois. Y est là-bas, à côté du tas de sable où y a encore un p'tit peu de neige.

— En plein ça, mon garçon... Ben ton popa, y est dans le ciel, juste au-dessus de cet arbre-là.

— Ah ouais ? Comment vous le savez ?

— C'est comme ça, dans mon cœur.

— Pourquoi je le vois pas, d'abord, si popa est là, par-dessus l'arbre ?

— Je te l'ai dit ! C'est pasque le ciel est bien que trop loin.

— C'est ben plate, ça... J'veux voir popa, moé.

— Moman avec, tu sais, a' l'aimerait ça ben gros, voir ton père. Juste une p'tite menute, ça me ferait déjà pas mal plaisir. Je m'ennuie de lui, tu sais.

Marcel avait-il entendu la tristesse de sa maman dans sa réponse? Probablement, car le petit garçon, sourcils froncés, la fouilla du regard, avant de demander:

— Oh... Vous avec, moman, vous avez de la peine?

— Oh oui, pis en verrat à part de ça!

— Moé avec, j'ai de la peine en verrat...

Sur ce, Marcel détourna les yeux, et il y eut un court silence soutenu par le pépiement des moineaux.

— Que c'est tu dirais, Marcel, d'aller juste en dessous du gros arbre, toé pis moé? suggéra alors Évangéline.

— Pourquoi?

— Y a des chances que ton père nous voye, pis que ça y fasse plaisir.

Le petit garçon avait les yeux écarquillés d'étonnement, de plaisir et d'espoir entremêlés.

— Ça se peut, ça, que popa nous voye?

Évangéline resta silencieuse un instant, se demandant si elle n'allait pas trop loin dans des explications, qui finiraient bien, un jour ou l'autre, par ne plus vouloir rien dire du tout. «Mais en attendant, si ça fait plaisir à Marcel, pourquoi pas?»

— Ouais, confirma-t-elle finalement en se redressant. Moman pense que ça se pourrait ben que ton père nous voye, pis que ça a plein d'allure de penser que ça va y faire plaisir de nous voir là, tous les deux ensemble.

— Ben si c'est de même, faut y aller tusuite!

La mère et le fils restèrent sous « l'arbre à popa » comme le baptisa spontanément Marcel durant dix bonnes minutes, ce qui était une éternité pour ce petit enfant actif, puis il se remit à courir sur le sentier autour du parc.

Le temps que son fils s'épuise, que sa course ralentisse, puis Évangéline lui fit signe d'arrêter.

— Astheure, déclara-t-elle, tout en attrapant le petit garçon au vol, tandis qu'il passait devant elle en courant, que c'est tu dirais d'aller chercher du jambon chez monsieur Perrette?

— Pour dîner?

— En plein ça.

— Ouais...

Marcel ne semblait pas particulièrement enthousiaste.

— Moé, j'veux du baloney, déclara-t-il alors.

— Verrat, Marcel! T'es haut comme trois pommes pis tu sais déjà pas mal ce que tu veux.

— Ouais, j'veux du baloney. C'est trop bon.

— Dans ce cas-là, on va acheter du baloney, consentit Évangéline, qui ne demandait pas mieux que de satisfaire ses enfants quand la chose était possible. Envoye, donne la main à moman, on va traverser la rue pis on va aller chez Perrette. Adrien va être content, lui avec.

Malheureusement, il y avait une petite foule dans l'épicerie. Tout comme elle, les gens avaient probablement eu envie de sortir de chez eux en raison du temps exceptionnel de cette matinée de printemps. Évangéline hésita. Puis, sur un soupir, elle entra en saluant de la tête madame Bernier, qui tenait la caisse, derrière le gros comptoir en bois verni. Si ce n'était de la promesse faite à Marcel, Évangéline aurait tourné les talons sans faire le moindre achat.

Agrippant la main de son fils, qui avait la fâcheuse manie de fureter un peu partout dès qu'il accompagnait sa mère à l'épicerie, Évangéline se dirigea vers le fond du magasin, là où se trouvait la boucherie. Dix tranches de saucisson, pour elle et les garçons, un peu de steak haché pour les galettes du souper, puis elle repartirait aussi vite, demandant à Benjamin Perrette de marquer l'achat sur son compte.

C'était depuis qu'Adrien avait commencé à faire certaines courses pour elle qu'Évangéline avait accepté à contrecœur d'ouvrir un compte à l'épicerie. Cela lui faisait peur d'acheter à crédit, et elle l'avait mentionné à Benjamin Perrette.

— Moi, j'appelle ça une ardoise, lui avait répondu monsieur Perrette en riant. Comme disent les Français... Avec les enfants, j'aime mieux ça de même. Comme ça, y a pas de danger qu'y perdent l'argent des commissions. Pis vous, ben, vous aurez juste à régler quand vous passerez à votre tour au magasin.

Ce qu'Évangéline ferait à sa prochaine visite, car pour l'instant, elle n'avait pas un sou sur elle.

Cependant, la jeune femme n'avait pas fini de remonter l'allée que Marcel tirait fortement sur sa main pour qu'elle s'arrête.

— Regardez, moman! La madame sur la boîte en haut, on dirait que c'est vous.

Évangéline leva les yeux. Effectivement, sur le devant d'une boîte de céréales, il y avait une jeune femme aux cheveux auburn comme les siens. Elle tenait une gerbe de maïs dans ses bras.

— T'as l'œil vif, mon Marcel. Pis en verrat, à part de ça, pasque la boîte est haute... Mais c'est vrai que la madame a la même allure que moé.

— On peut-tu l'acheter, la boîte?

— Ben non... On mange pas de ça, nous autres, des céréales de même. On mange du gruau, le matin, quand on veut des céréales.

Ce fut à l'instant où elle terminait sa phrase qu'Évangéline entendit une conversation menée à mi-voix et qui lui parvenait depuis l'allée voisine. Par curiosité naturelle, elle tendit l'oreille, faisant signe à Marcel de se taire, d'un petit geste sec de la main.

— T'as-tu vu, Gontrand? C'est la nouvelle veuve, celle qui demeure dans la rue que le monde appelle L'Impasse.

À ces mots, Évangéline se sentit blêmir et soudainement, ses jambes lui parurent très lourdes. Elle aurait donc dû rester chez elle, aussi, au lieu d'alimenter les commérages du quartier.

Allait-on lui reprocher d'être sortie de la maison si peu de temps après le décès de son mari?

— Ah ouais ? répondit celui qui semblait s'appeler Gontrand. Où ça ? T'es ben sûre que c'est elle ?

— Quasiment...

Puis, le timbre de voix de la femme baissa.

— Est dans l'allée voisine. Je l'ai vue rentrer, juste après nous autres. Est avec son plus jeune. Du moins, c'est ce que je pense... Je me demande ben comment a' va... Pauvre femme, ça doit être ben dur de se retrouver toute seule du jour au lendemain, avec deux garçons à élever.

— Ça, c'est ben certain. Mais c'est pas la première femme à qui ça arrive. Pense à toutes celles qui sont restées veuves après la Grande Guerre.

— Ouais... Dans le fond, t'as ben raison.

— Non, moé, ce que je me demande, c'est comment qu'a' va faire pour garder une grosse maison de même.

— Une grosse maison ?

— Ben oui. Elle pis son mari, y avaient fait construire la grosse bâtisse grise dans le fond de la rue cul-de-sac. C'est gros en pas pour rire, une maison de même. Surtout pour une femme seule.

— Que c'est que t'en sais ? Est peut-être toute payée, leur maison. Comme celle de la veuve Sicotte.

— Ben non, voyons ! Pas à leur âge. Pis pour la veuve Sicotte, c'est pas pareil, pasque c'était un héritage... À mon avis, tu vas voir que ça prendra pas longtemps qu'on va apprendre qu'est à vendre, c'te maison-là. Y a pas une femme qui peut garder ça sans mari.

— Ouais... On verra ben... Astheure, amène-toé! J'veux des *chops* de lard, pis du jambon.

Tout au long de cette brève conversation, Évangéline était restée figée, ne portant pas attention à Marcel, qui répétait sur tous les tons, et de plus en plus fort, qu'il voulait «la boîte de céréales avec la madame dessus».

Évangéline n'entendait plus que les voix anonymes qui parlaient d'elle sans la moindre gêne. Elle n'avait peut-être pas reconnu ces gens, mais à ses yeux, c'était sans importance...

Ainsi donc c'était là ce que l'on pensait d'elle dans le quartier? Elle n'était qu'une femme démunie, un peu idiote et incapable de garder le bien construit par son mari?

Jamais, de toute sa vie, Évangéline Lacaille n'avait été aussi mortifiée. Bien sûr qu'elle était anéantie par le décès de son homme. On le serait à bien moins que cela. Et oui, elle avait besoin d'un certain temps pour se ressaisir. N'importe qui serait comme elle. Mais il n'était pas dit qu'elle allait rester prostrée jusqu'à la fin des temps, et risquer ainsi de perdre le bien le plus précieux qu'elle avait sur Terre, après ses deux enfants.

Voyons donc!

Voir qu'elle allait perdre la maison!

Curieusement, à la suite de quelques mots entendus par inadvertance, le lourd chagrin qui la portait depuis quelques semaines s'était transformé en une formidable colère, à cause de l'idée qu'on se faisait d'elle.

Évangéline ne savait peut-être pas encore comment elle allait s'y prendre pour garder la maison, tout en élevant ses deux garçons, mais elle avait tout de même encore quelques semaines devant elle pour y réfléchir sérieusement. Chose certaine, elle s'était jurée qu'elle ferait tout en son pouvoir pour garder cette maison et la payer jusqu'au dernier sou. Et ce n'était pas une vague promesse lancée en l'air pour épater la galerie. Oh non! Depuis le moment où elle avait compris qu'Alphonse ne reviendrait plus jamais la retrouver, le soir après l'ouvrage, l'idée s'était imposée. D'abord confuse, certes, mais bien réelle, et pas un seul instant, Évangéline Lacaille ne s'était imaginée vivre ailleurs avec ses fils. Jamais. Cette maison, elle allait la garder coûte que coûte.

— Ou ben je m'appelle pas Évangéline Lacaille, grommela-t-elle à l'instant où, fatigué de ne recevoir aucune réponse, Marcel poussa un cri strident, faisant sursauter sa mère.

La claque partit toute seule, et Marcel en perdit sa tuque.

— Veux-tu ben me dire, Marcel Lacaille, qui c'est qui t'a montré à crier de même? T'as beau être p'tit encore, c'est pas une raison pour être un mal élevé. Espèce de sans dessein, va... Envoye, marche, on retourne à la maison.

— Pis le baloney, lui?

— Laisse faire le baloney pour astheure. T'en mérites pas pantoute. Y reste des bines en canne, c'est ça qu'on va manger.

— Mais...

— Que j'entende pas un mot de plus, sinon, tu vas passer en dessous de la table. Maudit bâtard... De quoi c'est qu'on a l'air, je me le demande un peu. Envoye, grouille !

Pour un Marcel qui aimait courir, il dut être satisfait, car ce fut effectivement au pas de course qu'il retourna chez lui, remorqué par une Évangéline en furie.

Non seulement on se moquait d'elle, du moins était-ce là ce qu'elle avait retenu des propos entendus, mais en plus, Marcel recommençait à être le gamin turbulent qu'il avait longtemps été, et elle détestait les enfants malappris.

— C'est pas vrai que moman va finir sa vie à endurer ton mauvais caractère, Marcel. M'as-tu ben compris ? T'avais appris à être gentil pis obéissant avec ton père, pis je te jure que tu vas apprendre à être gentil pis obéissant avec moé aussi... Tout le temps... Pis avec tout le monde, tiens, maudit bâtard !

Il lui fallut attendre jusqu'au moment où elle passa devant la maison de Noëlla pour qu'Évangéline sente enfin sa colère diminuer, et pour cause ! En effet, de toutes les femmes de la rue, Noëlla était celle dont Évangéline se sentait le plus proche. De nombreux fous rires entre elles témoignaient de cette complicité qui avait spontanément vu le jour. Et comme Noëlla le répétait souvent, Marcel était un si petit garçon qu'il ne saisissait pas encore la portée de ses gestes ni de ses paroles.

— J'en ai quatre gars, pis de tous les âges, à part de ça, avait-elle déjà souligné devant une Évangéline à bout de patience. Ça fait que je sais de quoi je parle. Avec les garçons, faut tenir les rênes serrés, c'est ben certain, ça a de l'énergie à revendre, ces p'tits monstres-là. Mais faut aussi apprendre à *slaquer* la poulie, de temps en temps. Oublie jamais ça, Évangéline.

— Tu penses?

— Ouais, ouais... Tu sauras m'en reparler dans une couple d'années.

Ce furent ces quelques paroles qui vinrent à l'esprit d'Évangéline, alors qu'elle passait devant la maison de son amie.

La jeune femme poussa un long soupir.

À défaut d'avoir Alphonse à ses côtés pour discuter de Marcel, afin de tenter de retrouver un peu plus de patience à son égard, il y avait son amie Noëlla qui pourrait l'aider.

Pourquoi pas?

Puis, avec Noëlla, elle trouverait peut-être aussi l'ébauche d'une solution pour garder la maison. Peut-être...

Évangéline regarda par-dessus son épaule, en direction de la maison de Noëlla qu'elle venait de dépasser, et elle se sentit apaisée. Alors, elle ralentit l'allure pour permettre à Marcel de souffler un peu.

— Que c'est tu dirais, mon homme, de venir faire un tour chez Noëlla, après-midi? proposa-t-elle à mi-voix.

À ces mots, le petit garçon arrêta de marcher, et il leva les yeux vers sa mère.

— Vous êtes pus fâchée, moman ?

Évangéline secoua la tête, le cœur gros.

— On dirait ben que non, Marcel... Mais t'avais mérité que je soye de mauvaise humeur, par exemple. On crie pas comme un perdu comme tu l'as faite... De quoi c'est que moman va avoir l'air, elle, la prochaine fois qu'a' va aller à l'épicerie ? Des plans pour que j'envoye Adrien faire toutes les commissions durant un mois, pasque moé j'vas être trop gênée à cause de toé !

Au fur et à mesure qu'Évangéline énumérait les raisons de son impatience, elle vit apparaître une lueur de tristesse dans le regard de Marcel, un regard qui ressemblait tant à celui d'Alphonse qu'elle se sentit aussitôt honteuse.

— Mais pour astheure, ça va mieux, ajouta-t-elle précipitamment, avec un semblant d'enthousiasme dans la voix. Pis si tu manges toutes tes bines comme un grand, on viendra faire un tour chez Noëlla, après le dîner. Moman veut jaser avec elle de choses importantes... Astheure, Marcel, on se grouille un peu. Avec un peu de chance, on aurait le temps de faire des p'tits pains instantanés pour aller avec nos bines.

Un faible sourire éclaira le visage chagrin de Marcel.

— Chus content !

Visiblement, le petit garçon était soulagé.

216

— Vous êtes pus fâchée, pis on va avoir des p'tits pains... Vite, moman, on s'en va chez nous.

Et lâchant la main de sa mère, l'enfant se remit à courir en direction de leur maison, tandis que la jeune veuve le suivait à pas lents, se demandant comment elle allait bien y arriver, avec un fils aussi déconcertant.

Agité à rendre fou, Marcel donnait parfois l'impression d'être encore un bébé, de ne jamais comprendre ce qu'elle attendait de lui, et cette attitude la faisait sortir de ses gonds. Cependant, quand elle se donnait la peine de discuter avec lui, elle avait souvent la troublante impression d'être avec un adulte.

— Une autre affaire à discuter avec Noëlla, marmonna-t-elle, en attaquant l'escalier en colimaçon qui menait chez elle. Petête ben qu'elle en a eu, elle avec, un p'tit tannant malin comme un singe... De toute façon, avec toute l'expérience qu'a' l'a, Noëlla va sûrement pouvoir m'aider.

Et sans plus s'en faire, elle ajouta, en arrivant sur le balcon :

— C'est bien, ça, mon homme, d'attendre moman, tranquille à côté de la porte. Tu vois, quand tu t'énerves pas, ça me donne toujours envie d'être fine avec toé.... Astheure, on va enlever nos manteaux, pis on va faire des p'tits pains ensemble, toé pis moé. Ça va faire une belle surprise à Adrien !

— Youpi !

CHAPITRE 9

« Frou-frou, frou-frou
Par son jupon la femme
Frou-frou, frou-frou
De l'homme trouble l'âme
Frou-frou, frou-frou
Certainement la femme
Séduit surtout
Par son gentil frou-frou »

Frou-frou (H. MONRÉAL ET H. BLONDEAU/
H. CHATAU)
PAR BERTHE SYLVA, 1930

Mai 1926, sur le balcon d'Évangéline, par une chaude journée grise et humide

Munies toutes les deux d'une feuille de papier journal pliée en éventail, Évangéline et Arthémise tentaient de se rafraîchir à grands coups de poignets.

— Simonac qu'y fait chaud! J'ai jamais vu ça, un été qui commence vite de même, souligna Arthémise en expirant bruyamment, ce qui fit virevolter les bouclettes de sa frange.

— Ben d'accord avec vous. C'est pas mêlant, hier soir, les garçons pis moé, on s'est bassiné les pieds à l'eau froide pour essayer de se rafraîchir, juste pour réussir à s'endormir... Mais à matin, on avait quand même toutes les cheveux collés sur le front, tellement on a sué durant la nuit.

Puis, après un court silence, Évangéline souffla à son tour sur l'encolure de son chemisier, dont elle avait laissé deux boutons détachés, puis elle nota :

— Ça doit être Alphonse qui m'envoye c'te temps-là.

Arthémise tourna un œil moqueur vers son amie.

— Pourquoi c'est que vous dites ça, vous là ? Voir que votre défunt mari a quèque chose à voir avec le temps qu'y fait.

— Pourquoi pas ? Que c'est qui nous dit qu'Alphonse aurait pas intercédé pour moé auprès du Bon Dieu pour nous envoyer l'été avant le temps ? Y le sait, lui, que j'aime mieux l'été que l'hiver.

— Ma pauvre Évangéline ! C'est pas pasque vous, vous préférez l'été, qu'on est obligés de l'avoir en avance.

Sur ce, Arthémise poussa un long soupir, avant de demander, de cette voix toujours aussi brusque :

— D'après ce que j'peux voir, vous vous ennuyez toujours autant de votre Alphonse, hein ?

— Y a de ça, c'est ben certain. Comment c'est que vous voulez que je vive ça autrement ? Cré maudit, Arthémise ! Le grand deuil est même pas encore fini.

— C'est ben que trop vrai... Même que je me disais, l'autre jour, en vous voyant passer dans la rue en face de chez nous, que vous deviez être ben tannée de toujours devoir porter du noir quand vous sortez de votre maison.

— C'est vrai que c'est pas ma couleur préférée. Mais faut ce qu'y faut, non? Les convenances parlent de six mois de grand deuil, pis six mois de demi-deuil. J'entends ben faire ça dans le sens du monde, par respect pour mon Alphonse, même si je trouve que c'est un peu stupide de devoir porter du noir pour annoncer à tout le monde que chus en deuil. Après toute, c'est moé, d'abord et avant tout, que ça regarde... Mais pour en revenir au temps qu'y fait depuis une semaine, je me dis qu'y faut que j'en profite, pasque le jour où l'ouvrage va rentrer, maudit verrat, j'aurai probablement pus une menute à moé!

— Ben oui, c'est vrai, votre ouvrage... J'avais oublié ça que vous vouliez travailler... Remarquez que pour d'aucuns, c'est une obligation, alors que pour d'autres, ça serait plutôt une sorte de désennui... Vous, c'est pourquoi, au juste, que vous voulez travailler?

La question suintait de curiosité à plein nez. Évangéline se fit donc volontairement évasive, car elle détestait que l'on se mêle de ses affaires.

— Pour un peu des deux, admit-elle prudemment.

— Ben dans ce cas-là, c'est une bonne idée.

— Oh! L'idée était pas dure à trouver, rapport que la couture, c'est toute ce que je sais faire, pis que j'aime ben ça, comme j'ai dit à Noëlla. C'était ben important pour moé de choisir quèque chose que j'aime.

— Je comprends pas... Travailler, c'est toujours ben travailler. Qu'on aime ce qu'on fait ou pas, que c'est ça change?

— Chus pas d'accord avec vous, Arthémise. Tant qu'à devoir travailler, autant le faire dans le plaisir, non? Par exemple, je serais jamais partie pour travailler dans une *shop*, ou ben dans un grand magasin comme je l'ai faite avant de me marier. Pas que ça me déplairait, j'aime ça, voir du monde, mais la routine pis l'obligation de toujours être là à l'heure me conviendraient pas. Avec deux garçons à ma charge, ma place est à la maison, y a personne qui va me faire dire le contraire. Ça, c'est ben certain. C'est en jasant avec Noëlla que j'ai décidé de me remettre à la couture à temps plein. J'ai un bon moulin, pis chus pas trop manchotte quand vient le temps de bâtir un patron...

— Eh ben!

— Remarquez que j'ai pas ben ben le choix, avec le salaire de mon mari qui rentre pus comme avant, c'est sûr que j'peux pas garder le même rythme, pis c'est ce que je vise pour le bien des enfants.

— Vous avez ben raison... Mais quand même... Travailler pour un *boss*, ça veut quand même dire un salaire *steady*, tandis que vous, toute seule dans votre maison... J'voudrais pas faire mon éteignoir, Évangéline, mais ça va vous prendre des clientes,

222

pour arriver à joindre les deux bouts. Ben ben des clientes !

— Bâtard, Arthémise ! C'est quoi l'idée ? Découragez-moé pas avant même que je commence.

— C'est pas le but. Pis je vous souhaite ben du succès avec votre couture. Mais vous avouerez avec moé que les femmes du coin sont pas du genre à courir chez la couturière pour faire refaire un bord de pantalon, ou ben réparer une déchirure.

— Ouais, tant qu'à ça...

— Non, j'ai pour mon dire qu'icitte, dans notre quartier, les femmes ont l'habitude de coudre elles-mêmes, ou ben, comme moé, a' vont chez Eaton ou chez Dupuis Frères, quand leur famille a besoin de linge... Quand ben même je changerais mes habitudes pour vous accommoder, ma pauvre vous, pis que je vous commanderais une robe de temps en temps, c'est pas ça qui suffirait à vous faire vivre... Pas même si toutes les femmes de la rue s'y mettaient.

Évangéline prit une longue inspiration pour calmer l'impatience qui lui chatouillait le bout de la langue. Tout ce qu'Arthémise venait d'énoncer, elle y avait pensé. Elle n'était quand même pas complètement demeurée !

— Je sais tout ça, Arthémise, fit-elle donc, avec un calme exemplaire. Chus pas une imbécile. Pis je vous demande pas la charité non plus, maudit verrat ! Si ça vous tente pas de me commander une robe ou ben un chemisier, j'irai pas vous tordre un bras chez vous pour vous faire changer d'avis...

C'est pour ça que chus allée porter des papiers qui annoncent mes services dans les épiceries des quartiers avoisinants, pis pas juste chez Benjamin Perrette ou à l'épicerie Dallaire, à trois rues d'icitte. J'ai faite ça avec les garçons, l'autre samedi, quand y a commencé à faire ben beau... J'ai ratissé large, comme on dit... Toute ce qu'y me reste à faire, pour astheure, c'est espérer que l'ouvrage tardera pas trop, pis tant mieux si chus obligée de coudre nuit et jour dans pas longtemps.

— Ah! Je comprends astheure pourquoi vous vous plaignez pas trop de la chaleur. C'est vrai que si les commandes se mettent à rentrer, vous aurez pas le temps de profiter de la belle saison.

— Comme vous dites, ouais.

Il y eut un petit silence soutenu par un bruit de papier froissé secoué avec énergie, puis Arthémise ajouta :

— Moé avec je penserais comme vous, si j'étais à votre place... Ça me fatiguerait, pis en saint simonac à part de ça, si j'avais la charge d'une famille sans avoir le mari qui vient avec.

Cette réplique se voulait peut-être réconfortante, une façon de montrer qu'Évangéline n'était pas toute seule dans son malheur, mais celle-ci le vit plutôt comme une pique inutile. Elle rétorqua donc du tac au tac.

— Ben justement, vous êtes pas à ma place, Arthémise! Ça fait qu'on va changer de sujet de conversation, si vous voulez ben. Vous l'avez petête pas remarqué, mais chus pas une tête folle, pis je finirai ben par m'arranger toute seule avec mes affaires.

Le message n'aurait pu être plus clair.

Sur ce, Évangéline donna un coup de talon sur le plancher du balcon et mit sa chaise berçante en branle, bien déterminée à ne plus parler de ses finances, même de façon indirecte. Insultée de s'être fait remettre vertement à sa place, Arthémise en fit autant, et durant quelques instants, on n'entendit que le frottement des patins des deux chaises, et le bruit de papier de deux éventails secoués sans ménagement.

En effet, plutôt discrète au sujet de ses revenus, Évangéline n'avait parlé à personne des réserves laissées par son mari, réserves qui, avouons-le tristement, baissaient maintenant à vue d'œil. Encore un tout petit mois, et elle ne pourrait plus payer l'épicerie.

En fait, Évangéline n'avait même pas parlé des économies que son mari avait réussi à accumuler. Ce sujet ne regardait personne, pas même Noëlla, sa grande amie, et surtout pas Arthémise, qui avait le désagréable défaut de ne pas vraiment savoir faire la différence entre une confidence et un fait divers. Selon Évangéline, la plupart du temps, Arthémise agissait sans malice, mais le mal était fait quand un secret devenait une affaire publique! De toute façon, il ne fallait surtout pas que les gens s'imaginent qu'Évangéline Lacaille était devenue riche, ou que la maison était payée.

Elle ne s'appelait pas la veuve Sicotte!

Quant aux deux appartements du rez-de-chaussée qu'elle louait, ils suffisaient à peine à payer les mensualités à la banque pour qu'elle puisse garder la maison. Et comme le vieux monsieur Leclerc, son locataire de droite, était un retraité de l'enseignement plutôt calme et silencieux, elle espérait le garder longtemps et n'avait donc pas l'intention d'augmenter son loyer. À elle de trouver le moyen de se débrouiller autrement. Elle en avait douloureusement pris conscience le jour où elle avait rencontré celui qui devait diriger la banque. Du moins, c'est ce qu'Évangéline en avait conclu quand elle était entrée dans un bureau cossu où siégeait, derrière un lourd pupitre de bois verni, un homme habillé comme un monsieur, et qui parlait pointu, selon l'image que la jeune veuve se faisait de quelqu'un ayant beaucoup d'instruction. Donc, toujours selon les idées préconçues d'Évangéline, cet homme-là devait posséder probablement beaucoup d'argent. C'était peut-être même cet argent que la banque prêtait. Allez donc savoir !

Intimidée, la jeune femme s'était assise sur le bout de son fauteuil, osant à peine respirer ou promener les yeux autour d'elle.

En un mot, Évangéline était impressionnée par le faste de la banque, et c'était bien par souci de franchise qu'elle s'y était présentée. Après tout, sur tous les papiers contenus dans la boîte à chaussures, il y avait des tas de chiffres qu'elle ne comprenait pas trop, et aussi le nom de son mari, qui était inscrit à quelques endroits. Malheureusement, son cher Alphonse était aujourd'hui décédé, il ne pouvait donc rien lui expliquer. La jeune femme en avait aisément déduit qu'il était de son devoir d'en aviser la banque pour qu'il n'y ait aucune confusion possible.

Elle avait donc revêtu sa robe noire la plus élégante, avait mis son chapeau à voilette et des gants de dentelle, puis elle avait confié ses enfants à Noëlla.

— Y a ben juste à toé que j'peux dire ça : faut que j'aille à la banque où mon mari faisait ses affaires. Mais tu gardes ça pour toé...

— Crains pas, Évangéline, je sais tenir ma langue quand c'est nécessaire. Je m'appelle pas Arthémise, moé ! Mais pourquoi tu vas à la banque ?

— Pasque mon Alphonse est mort, maudit verrat, pis qu'y avait un compte à la banque, au coin de la rue voisine ! Si moé, je leur dis pas que mon mari est décédé, je vois pas qui c'est qui pourrait le faire à ma place.

— T'as ben raison... Bonne chance, Évangéline, moé, je serais ben que trop gênée pour rentrer dans une banque... Me semble que c'est juste du monde riche qui va là...

— C'était aussi ce que je croyais... Ça a ben l'air que non, pasque j'ai jamais eu le sentiment qu'on était ben riches, mon mari pis moé, pis y a quand même un compte à la Banque Royale au nom d'Alphonse Lacaille... J'aurais jamais cru. On manquait de rien, c'est sûr, mais on était pas riches pour autant, avait répété Évangéline, pour être bien certaine que Noëlla ne se ferait pas d'idées erronées sur sa fortune personnelle. Ça fait que moé non plus, ça me tente pas pantoute de me présenter à la banque, pis laisse-moé te dire que j'en mène pas large, à matin. Mais j'ai-tu le choix?

— Pis que c'est tu vas leur dire?

— Qu'Alphonse est décédé. Pour le reste, j'ai icitte, dans ma sacoche, tous les papiers de mon mari. On verra ben ce que ça va donner, pasque moé, chus pas sûre d'avoir toute compris.

En fin de compte, le directeur de la banque avait été très poli, mais aussi très clair: si madame Lacaille voulait voir son nom apparaître sur les papiers, il n'y avait aucun problème, puisqu'elle était l'épouse légitime de feu Alphonse Lacaille et que, de ce fait, elle héritait de la maison. Alphonse Lacaille y avait vu, et tout était en règle. Il y avait même deux autres mensualités en réserve dans son compte. Toutefois, il lui faudrait tout mettre en œuvre pour payer tous les mois ce que son mari devait à la banque, sinon, on devrait saisir la maison.

Évangeline n'avait pas osé demander qui était ce « on ». Lui-même ou quelqu'un d'autre qui serait encore plus important que lui, plus chic, et surtout plus riche?

Quelques instants plus tard, elle avait donc quitté la banque avec la quasi-certitude que la maison lui revenait de droit, mais qu'on l'aurait à l'œil et qu'au moindre défaut de paiement, elle serait évincée de chez elle.

— Et il faut voir à bien l'entretenir, madame!

Ce fut sur ces mots que, d'un regard foudroyant, Évangéline avait clos la discussion.

— Voir que j'vas laisser ma maison décrépir, avait-elle grommelé en sortant de la banque. Quand ben même ça serait juste en souvenir de mon Alphonse, m'en vas l'entretenir comme lui l'aurait faite, voyons donc ! Y en était tellement fier, de c'te maison-là. Pis moé avec... Ouais, avec ou sans Alphonse, faut quand même être honnête jusqu'au boutte : on doit de l'argent à la banque, pis m'en vas y voir. Astheure, j'veux pus entendre parler de ça, maudit bâtard !

Néanmoins, quelques jours plus tard, elle en discutait avec Noëlla. Pour payer les mensualités, l'épicerie et tout le reste, il fallait de l'argent, et pour avoir de l'argent, il fallait travailler. C'était clair comme de l'eau de roche.

Ce fut à ce moment de la discussion que la couture avait été suggérée et retenue. Ensuite, les petites annonces de service avaient été écrites à deux, avec l'adresse, et aussi le numéro de téléphone d'Évangéline, sait-on jamais, l'information pourrait servir. Le samedi suivant, la jeune femme les avait distribuées et épinglées sur des babillards ou des poteaux de lampadaires, un peu partout dans leur quartier et dans les quartiers avoisinants, en compagnie de ses deux garçons.

Ce matin, elle en était là. Elle se berçait avec Arthémise en suant à grosses gouttes, espérant qu'on donnerait suite à son annonce le plus rapidement possible. Chaque jour qui passait ajoutait à ses inquiétudes, et si ce n'était du soleil omniprésent, envoyé expressément par Alphonse, et de cette chaleur qui la rendait un brin indolente, Évangéline n'aurait su à quel saint se vouer pour qu'il puisse régler tous ses tourments.

Pour l'instant, on entendait les garçons qui s'amusaient dans la ruelle d'à côté, et le soleil tapait de plus en plus fort, quand soudain Arthémise s'écria :

— Saint simonac ! Avez-vous vu qui c'est qui s'en vient par icitte ?

Évangéline tourna vivement la tête.

— Ben voyons donc ! On dirait ben que c'est notre curé Ferland, pis ma grand foi du Bon Dieu, on dirait en plus qu'y s'en vient par icitte. À moins qu'y fasse une promenade de digestion.

— Avant le dîner ?

— Ouais... C'est un peu niaiseux ce que j'viens de dire là.

— Chus du même avis que vous, Évangéline... Ça serait-tu que vous auriez des choses à vous faire pardonner ?

Si Arthémise avait voulu se montrer drôle, elle avait royalement raté son coup. Évangéline lui lança aussitôt un regard furibond.

— Que c'est ça encore ? Allez surtout pas lancer des fausses rumeurs, vous là... Non, Arthémise, j'ai rien à me faire pardonner. Rien en toute. Chus une bonne chrétienne, pis je fais mes dévotions comme tout le monde... C'est pour ça, verrat, que chus aussi curieuse que vous de savoir ce que notre curé vient faire dans notre rue... De toute façon, tu parles d'une journée pour aller se promener, si c'est pas pour digérer. Y fait ben que trop chaud. On sue à rien faire.

— M'en vas dire comme vous! Surtout avec sa grande soutane pis son col romain.

— Cré maudit! Mon collet.

D'un geste preste, mais qui se voulait tout de même discret, Évangéline reboutonna son chemisier, tandis qu'Arthémise se levait.

— C'est pas pasque je m'ennuie, Évangéline, mais j'vas faire un boutte vers chez nous. Même si y fait chaud comme dans un four, j'ai quand même un dîner à préparer... Mais j'y pense! Pourquoi vous viendriez pas manger chez nous, à midi? Avec les garçons, ben entendu.

— Ben... Je sais pas trop... Vous le savez comme moé que chus pas tellement sorteuse, par les temps qui courent.

— Justement! Y serait petête temps de recommencer votre vie d'avant, Évangéline... Pis c'est sûrement pas en restant encabanée chez vous que vous allez attirer de la clientèle... On a ben assez d'une veuve Sicotte sur la rue, on en a pas besoin d'une autre.

— Ouais... Tant qu'à ça...

— Envoyez donc! J'vous attends, sur le coup de midi. Rien de ben compliqué. Des sandwichs, pis un gros pot de limonade... Pierre-Paul va être content de voir vos garçons. Ah ben regarde-moé donc ça qui c'est qui est là! Bien le bonjour, m'sieur le curé! C'est-tu le beau temps qui vous amène?

— En plein ça, madame Gariépy, en plein ça. Il fait une chaleur d'enfer, au presbytère. Pour un curé, vous admettrez avec moi que ce n'est pas tellement convenable. Je me suis donc sauvé de mon bureau et j'ai décidé de venir vous voir.

— Me voir moé ?

— Pas particulièrement... Je n'ai aucune préférence entre mes paroissiens, vous devriez le savoir.

À ces mots, Arthémise fronça les sourcils, ayant vaguement l'impression que leur curé se moquait d'elle. Ramassant promptement son sac de tricot qui la suivait partout, même si ce matin, elle ne l'avait pas ouvert, elle fit quelques pas vers l'escalier.

— Tenez, m'sieur le curé, prenez ma place ! Je m'en allais justement... Pis vous, Évangéline, je vous attends t'à l'heure avec les garçons.

L'instant d'après, la grande Arthémise remontait la rue à grandes enjambées militaires, regardant tous les deux pas par-dessus son épaule, tandis que Marcellin Ferland se laissait tomber sur la chaise berçante en poussant un long soupir.

— Une journée comme celle-ci me conforte dans ma décision de tout faire ce qui est humainement possible pour me mériter une place au Ciel, souligna-t-il, tout en passant l'index entre son cou et son col romain. De toute évidence, l'enfer n'est pas pour moi. Je déteste avoir chaud à ce point... Quelle chaleur !

— Eh ben... Moé, voyez-vous, j'aime mieux crever pis m'éventer comme aujourd'hui que de geler en hiver, les deux pieds dans le banc de neige... Mais ça veut pas dire que j'veux aller en enfer pour autant, comprenez-moé ben.

Sur ce, Évangéline leva le doigt en esquissant un petit sourire qui avait l'air presque joyeux.

— Écoutez, monsieur le curé, écoutez! Les oiseaux chantent de plaisir, eux autres avec, pis la brise, même si a' l'est ben fragile, a' nous apporte des senteurs de fleurs qui font plaisir à l'âme.

L'image était jolie, et le curé approuva d'un lent hochement de la tête.

— Savez-vous que vous êtes une poète, madame Lacaille? J'ignorais qu'on avait une artiste dans la paroisse!

— Vous trouvez?

Depuis le décès de son mari, c'était probablement le premier vrai compliment qu'on lui faisait, et la jeune femme se sentit rougir de confusion.

— Je fais juste dire ce que je pense, vous savez.

— Si ce sont là vos pensées intimes, c'est que vous avez une belle âme...

Sur ce, le prêtre se pencha en appuyant ses avant-bras sur ses cuisses. Puis, il tourna la tête et il contempla la jeune femme avec beaucoup de bienveillance dans le regard.

— Alors? demanda-t-il d'une voix très douce. Que devenez-vous depuis le décès de votre mari?

— Oh, vous savez...

Devant cette question directe qu'elle trouvait un peu indiscrète, même de la part de son curé, Évangéline hésita, et elle porta les yeux tout au bout de la rue, se demandant quoi répondre. Toutefois, la sollicitude qu'elle avait entendue dans la voix de celui qui avait posé la question aidait à faire fondre ses réticences. Alors, Évangéline se redressa.

— Comment c'est que je pourrais ben vous dire ça...

Intimidée, la jeune femme jeta un regard en coin vers son curé.

Marcellin Ferland devait avoir à peu près son âge, peut-être un peu plus, mais pas beaucoup. Elle avait toujours considéré qu'il était un bel homme, et ce n'était pas d'hier qu'elle aurait bien voulu savoir ce qui l'avait poussé à la prêtrise. Avait-il eu une grosse peine d'amour, y avait-il été obligé par ses parents, ou était-il de ceux qui ont la vocation en eux depuis le berceau? Évangéline se demanda alors jusqu'où elle pouvait aller dans ses confidences. Un homme comme lui pouvait-il comprendre ce qu'une femme comme elle ressentait d'ennui, de tristesse et de révolte?

En contrepartie, une chose était certaine : avec le curé de la paroisse, tout ce qui se dirait ici, ce matin, n'irait jamais plus loin. Les confidences resteraient entre eux deux, comme au confessionnal.

— Je pensais jamais que ça serait difficile de même, de perdre mon mari, échappa-t-elle dans un souffle. De toute façon, vous devez ben vous douter qu'à nos âges, à Alphonse pis moé, la mort était pas quèque chose à quoi on pensait ben ben souvent. C'est pour les vieux, la mort, pas pour nous autres. Ça fait que le jour où un malheur nous arrive, c'est comme qui dirait que ça nous prend par surprise,

234

pis en verrat à part de ça! Oh! Pardon pour le gros mot, monsieur le curé.

— Quel gros mot? Verrat? C'est juste le nom qu'on donne à un porc reproducteur. Ce n'est pas ce que j'appelle un gros mot.

— Ben coudonc... Mais toujours est-il que oui, je trouve ça pas mal dur. Mon mari me manque ben gros... Je sais pas trop si j'peux dire ça à mon curé, mais on s'aimait beaucoup, vous savez.

— Je le sais, oui. Ça se sent, ces choses-là. Alphonse et vous étiez beaux à voir, avec vos deux garçons... Les regards que vous échangiez étaient très éloquents. Ce n'est pas parce que je porte une soutane que j'imagine encore que les bébés naissent sous les feuilles de chou, si vous voyez ce que je veux dire.

Oh! Pour voir, Évangéline voyait très bien, et elle sentit qu'elle devenait écarlate comme un coquelicot.

— Je pensais jamais que ça paraissait à c'te point-là, murmura-t-elle, confuse.

Puis, après une longue inspiration pour se ressaisir, elle ajouta:

— Mais si vous voulez la vérité vraie, monsieur le curé, oui, notre mariage a été un mariage d'amour, pis si le Bon Dieu l'avait compris dans le sens du monde, Y nous aurait laissés ensemble, Alphonse pis moé... Du moins, pour encore un bout de temps.

— Vous Lui en voulez beaucoup, n'est-ce pas?

— À qui? Au Bon Dieu? Ouais, j'Y en veux pas mal. Si Y est aussi bon que vous le dites, vous autres, les prêtres, jamais Y aurait permis que ça arrive, un accident comme celui qui a emporté mon mari. Voyons donc! Jamais Y aurait voulu non plus que deux p'tits garçons comme Adrien pis Marcel se retrouvent jeunes de même sans leur père pour leur montrer la vie.

— C'est beau ce que vous venez de dire là, madame Lacaille.

Évangéline fronça les sourcils, sans comprendre.

— J'ai pourtant rien dit de spécial.

— Oui vous avez dit quelque chose de bien beau et de bien important, en parlant de votre mari comme d'un modèle à suivre pour ses garçons.

— Ben là... Pour Alphonse pis moé, c'était juste normal que ça soye de même. Vous pensez pas, vous?

— Je suis d'accord, oui... Malheureusement, ce n'est pas ainsi que la majorité des gens voient les choses... Toutefois, là où je suis moins d'accord avec vous, madame Lacaille, c'est quand vous dites que Dieu est responsable de votre malheur.

— C'est qui d'abord qui a voulu ça? C'est sûrement ni moé ni mon mari Alphonse. On était heureux ensemble, pis on avait pas pantoute envie que ça s'arrête.

— Je comprends très bien ce que vous tentez de m'expliquer, mais ce n'est pas le Seigneur non plus qui a voulu vous séparer.

— Ben là, je comprends pus.

— Il est écrit dans la Bible que Dieu nous a créés à Son image, certes, mais il est dit aussi qu'Il nous a créés libres.

— Ouais, c'est vrai, ça là. J'ai appris ça dans le p'tit catéchisme, à l'école... C'est vrai que le Bon Dieu nous aime assez pour nous laisser libres. Quand on est plongés dans le malheur sans avertissement, y a ben des choses de même qu'on oublie... Mais dites-vous ben que c'est pas à cause de la mauvaise volonté, par exemple.

— Ça je m'en doute un peu, et sachez que le Bon Dieu sait très bien que vous n'êtes pas une mauvaise personne, même si vous Le boudez un peu, depuis quelque temps. Le ressentiment est une émotion normale, parfois.

— Ben contente de voir que vous le compreniez.

— Je comprends, oui, mais ce n'est pas une raison pour l'entretenir, ce ressentiment. Sachez, madame Lacaille, que le Bon Dieu et moi, nous ne demanderions pas mieux que de vous revoir à la messe du dimanche de temps en temps... Pour ne pas dire tout le temps !

— Ah... C'est ça qui vous amène à matin, monsieur le curé ? Le fait que chus pas à la messe tous les dimanches ?

— Ça et autre chose, oui... Mais revenons à la messe, pour l'instant... Si le Bon Dieu, comme vous dites, n'a pas voulu cet accident, Il est tout de même prêt à vous aider, à prendre sur Lui une part de votre peine. Faites-Lui confiance, et quand la douleur sera trop grande, parlez-Lui. Soyez assurée qu'Il va vous écouter.

— Pour ça, j'en doute pas une miette. Non, le problème avec Lui, c'est qu'Y parle pas assez fort pour qu'on comprenne sa réponse.

— Vous savez, madame Lacaille, parfois, les mots sont inutiles. Il suffit de regarder autour de soi pour comprendre qu'on a été écoutée.

Tout en parlant, Marcellin Ferland avait posé sa main sur celle d'Évangéline, et il la serra avec affection.

Un peu mal à l'aise, la jeune femme concentra son regard sur cette main large et chaude, comme l'était celle d'Alphonse, et aussitôt, elle sentit les larmes lui monter aux yeux.

Elle retira sa main promptement, et détourna la tête en reniflant.

— Je m'excuse, monsieur le curé. C'est pas dans ma nature de me donner en spectacle de même, mais là, y a eu un trop-plein d'émotion.

— C'est normal d'avoir du chagrin et de le montrer.

— Je sais ben. Mais quand vous parlez du Bon Dieu comme ça, ça me fait penser à mon Alphonse. Même si je l'entends pus, par bouttes, j'ai vraiment l'impression que mon mari est encore là, pas trop loin.

— Et probablement que vous n'avez pas tort. Nos défunts ne nous abandonnent pas vraiment. Ils se font tout simplement plus discrets... Allons ! Ne vous en faites pas pour moi, je comprends très bien tout ce que vous devez ressentir. Faites juste me promettre que vous allez songer à ce que je viens de vous dire, et que dimanche prochain, j'aurai la joie de vous voir dans notre belle église.

— M'en vas y penser, ça c'est sûr, promit alors Évangéline avec conviction. Mais ça dépend pas juste de moé.

— Comment ça?

— C'est ben simple, monsieur le curé! Encore faut-il que mon Marcel soye d'adon... Quand y se lève de la patte gauche, mon fiston est difficile à endurer. Moé, ça peut aller, pasque chus sa mère, mais dans une église où c'est qu'on doit garder le silence, c'est une autre paire de manches.

— Vous ferez alors ce que votre mari faisait: vous sortirez de l'église durant quelques minutes, puis vous reviendrez.

— Pasque vous avez déjà remarqué ça, vous, que mon mari sortait avec le p'tit?

— C'est difficile de le rater, parfois, n'est-ce pas?

— Ouais... C'est vrai que notre Marcel a une bonne voix, pis quand y est tanné de quèque chose, y le fait savoir. Ben j'vas penser à tout ça, monsieur le curé. Promis.

— Merci, madame Lacaille. Je n'en attendais pas moins de vous... Et maintenant, si nous parlions de votre travail?

À ces mots, Évangéline cessa brusquement de se bercer et se tourna promptement vers le prêtre.

— Mon travail? demanda-t-elle, un peu sur la défensive. Pasque vous êtes au courant que j'veux travailler?

— C'est le rôle d'un curé de voir au bien-être tant moral que physique de tous ses paroissiens... Alors oui, j'ai entendu parler de votre désir de vous trouver des menus travaux de couture à effectuer et...

— Pas juste des altérations ou ben des réparations, vous saurez! Chus pas mal habile avec un moulin à coudre, pis si j'peux avoir une couple de commandes importantes comme des robes de mariée ou ben des habits pour homme, je lèverai sûrement pas le nez là-dessus.

— Voilà pourquoi je suis ici...

— Comment ça? interrompit Évangéline, qui ne voyait pas du tout où voulait en venir le curé Ferland. Ça serait-tu que vous aimeriez ça que je vous couse des soutanes?

— Mais non...

Marcellin Ferland esquissa un sourire amusé.

— Pour les soutanes, le diocèse y voit.

— Tant mieux pasque j'ai jamais cousu ça, moé, des soutanes... Remarquez que ça doit pas être pire qu'une robe longue... C'est pourquoi d'abord que vous voulez me parler de mon travail? Si je couds pas le dimanche, je vois pas en quoi ça peut...

— Laissez-moi terminer... L'idée m'est venue l'autre jour, quand je suis passé à l'épicerie de monsieur Perrette pour acheter mon tabac à pipe... Il n'y a que lui qui garde le bon tabac hollandais et...

— Ben coudonc! Alphonse avec, y disait la même chose que vous, interrompit Évangéline. C'est vrai que ça sent bon en verrat, c'te tabac-là! Pis, que c'est vous aviez à me dire au sujet de mon travail? Pasque moé, je vois pas ce que le tabac vient faire dans notre conversation.

— En fait, c'est grâce au tabac si je suis allé à l'épicerie, et c'est grâce à monsieur Perrette si je suis au courant de vos projets.

— Ah ouais?

— Tout à fait. Benjamin Perrette montre votre petite affiche à tous ses clients, vous savez!

— Cré maudit! Je savais que c'est un monsieur pas mal gentil pis ben avenant, pis un bon boucher en plus, mais je pensais pas qu'y pouvait aller jusqu'à parler d'une de ses clientes comme ça. Merci de me l'avoir dit, j'vas le remercier la prochaine fois que j'vas y aller.

— De rien, madame Lacaille...

— Mais comme vous pouvez le voir, coupa alors Évangéline en ouvrant les bras pour montrer la galerie, pour astheure, mon travail, je fais juste en parler, sinon je serais pas icitte en train de me bercer, en jasant avec vous.

— Et si je vous disais que j'aurais peut-être une bonne idée pour vous trouver des clientes?

— Pasque vous faites ça en plus?

Tout en parlant, Évangeline dévisageait Marcellin Ferland avec une bonne dose d'incrédulité dans le regard. Cela ne fit qu'accentuer le sourire du prêtre.

— En fait, même si la chose va vous sembler un peu biscornue, ajouta-t-il, pince-sans-rire, c'est probablement votre mari Alphonse qui va vous venir en aide.

— Ben là! Sauf votre respect, monsieur le curé, je comprends pus rien. Comment voulez-vous que mon...

— Laissez-moi finir... Vous allez voir, c'est simple comme bonjour... Vous n'auriez pas trouvé à travers les papiers de votre mari, ou dans son coffre à outils, un petit carnet de cuir noir?

Ce fut comme si Évangéline venait d'avoir une apparition. Depuis le décès d'Alphonse, c'était la première fois que son sourire était aussi franc, aussi lumineux.

— Verrat d'affaire! s'exclama-t-elle, toute fébrile. Ben oui, le carnet de mon mari... Astheure, je vois où c'est que vous voulez en venir, monsieur le curé... Je l'ai pas vu, non, mais j'sais où aller regarder, par exemple... Dans la cave, dans son atelier. Si je l'ai pas trouvé dans notre chambre en faisant le ménage, c'est là qu'y doit être, pis pas ailleurs... Mais j'y pense... Comment ça se fait que vous connaissez l'existence du carnet de mon mari?

— C'est là que je me dis que la divine Providence veille et voit tellement plus loin que nous... Vous souvenez-vous quand monsieur Lacaille est venu nous aider à bâtir la crèche?

— Ben sûr! Y m'en a parlé en long pis en large. Y disait que ça le changeait des meubles pis des maisons, pis ça y faisait ben gros plaisir que vous ayez pensé à lui.

— Voilà! C'est à cette époque-là que j'ai vu le carnet de votre mari et qu'il m'a expliqué qu'il y notait le nom et l'adresse de ses bons clients, et les dates où il devait livrer les commandes.

— C'est vrai. Alphonse avait son carnet noir pour ses clients, pis moé, j'ai mon carnet brun où je note les mesures de tout le monde. Mais ça me dit pas pourquoi vous avez vu le carnet de mon mari, par exemple.

— C'est qu'il l'a sorti devant moi, afin de voir ses disponibilités pour la paroisse, car il disait que l'époque des Fêtes était toujours un moment fort occupé pour lui.

— Cher Alphonse... Y a toujours été ben à l'ordre, mon mari...

— En effet. On n'avait qu'à le voir travailler pour le comprendre. C'est donc en pensant aux clients fortunés de votre mari si j'ai pensé à vous. À mon avis, vous auriez plus de chances de trouver là une clientèle qui vous serait fidèle. Ici, dans nos quartiers, les revenus de nos familles sont nettement plus modestes. Je ne dis pas qu'il n'y aura pas quelques menus travaux à effectuer à l'occasion, comme je viens de vous le mentionner, mais pour asseoir votre réputation et vous créer une bonne clientèle, j'ai bon espoir que ça se fera par le biais de ces familles plus fortunées et qui ont déjà su apprécier le travail de votre mari.

— C'est vrai que c'est une verrat de bonne idée...
Je vendrai pas la peau de l'ours avant de l'avoir tué,
c'est ben certain, mais comme vous dites, j'ai bon
espoir, moé avec, que ça devrait donner de quoi...
Comment c'est que je pourrais vous remercier, monsieur le curé?

— En assistant à la messe du dimanche,
peut-être?

À ces mots, Évangéline se mit à rougir de plus
belle.

— Ouais... Dans le fond, vous avez pas tort.
Pis si j'veux être vraiment sincère, j'avoue que
ça me manque un peu. Le Bon Dieu a toujours eu
une grosse place dans ma vie. Pis j'aime ben vos
sermons.

— Je ne suis que le porte-parole, vous savez. C'est
le Seigneur qui m'inspire quand j'écris mes sermons
et c'est probablement Lui qui m'a aidé à me souvenir
du carnet de votre mari.

— C'est pas bête, ce que vous dites là... Pas sûre,
moé, que j'y aurais pensé toute seule. Du moins pas
dans l'immédiat... Ben coudonc, j'sais ce que j'vas
faire après-midi... Pis encore merci, monsieur le
curé.

— Ça me fait plaisir de voir que mon idée vous
donne un peu d'entrain! Allez, je vous quitte
là-dessus. Ma cuisinière doit s'inquiéter et se
demander ce que je fais.

— Pis moé, ben, faudrait que je rapatrie mes garçons. On va manger chez Arthémise!

— J'avais cru comprendre, oui.

Marcellin Ferland était déjà debout.

— Alors, bon appétit, madame Lacaille, et vous me donnerez des nouvelles de vos démarches, dimanche prochain, après la messe.

— Vous pouvez compter sur nous autres, monsieur le curé. On va être là tous les trois, Adrien, Marcel, pis moé. Pis normalement, à moins d'un ben gros empêchement, on devrait être là tous les dimanches.

PARTIE 3

1927-1929

CHAPITRE 10

« Une chanson douce
Que me chantait ma maman,
En suçant mon pouce
J'écoutais en m'endormant.
Cette chanson douce,
Je veux la chanter pour toi
Car ta peau est douce
Comme la mousse des bois »

Une chanson douce (aussi connue sous le nom de
Le Loup, la Biche et le Chevalier)
(M. PON ET H. SALVADOR/H. SALVADOR)
PAR HENRI SALVADOR, 1950

**Mai 1927, dans la cour de la maison d'Évangéline,
où elle prépare son potager**

Un peu plus d'une année s'était écoulée depuis le décès d'Alphonse, et Évangéline n'arrivait pas à oublier. Bien sûr, le quotidien et le temps avaient fait leur œuvre, et les larmes étaient taries depuis longtemps. Cependant, la douleur au cœur restait toujours aussi vive, à travers l'ennui d'un corps à côté du sien dans leur lit trop grand, et les souvenirs d'une vie à deux qui avait été beaucoup trop brève.

Heureusement, grâce au curé Ferland, le Ciel avait écouté les suppliques de la jeune femme et le travail ne manquait pas. Son ouvrage occupait son esprit et permettait que les journées ne lui semblent pas trop longues.

En effet, les clients de son mari, qu'Évangéline avait réussi à rejoindre assez facilement, avaient offert leurs condoléances, puis ils avaient parlé d'elle à leurs épouses qui, à leur tour, lui avaient passé quelques commandes de menus travaux, pour l'exprimer comme le curé Ferland. Une jupe à rapetisser, un ourlet de pantalon à faire, quelques boutons à recoudre.... Déçue, Évangéline s'en était plainte à son amie Arthémise.

— C'est pas avec une couture par-ci par-là que j'vas arriver à m'occuper dans le sens du monde.

C'était une façon détournée de dire qu'elle n'y arriverait pas financièrement, puisqu'elle avait choisi de ne plus jamais parler d'argent avec Arthémise. Celle-ci n'y vit que du feu et, sans vouloir être mal intentionnée, elle avait enfoncé le clou.

— C'était normal, non? Ces femmes-là ont probablement agi par charité, avait-elle osé suggérer.

Le regard noir qu'Évangéline lui avait alors jeté avait fait rougir Arthémise d'impatience.

— Saint simonac, Évangéline! Que c'est qui va pas encore? Vous prenez souvent ce que je dis tout croche... C'est pas par méchanceté si je parle comme ça, voyons donc! Comment c'est que vous voulez que des femmes qui vous connaissent ni d'Ève ni d'Adam pensent autrement, ma pauvre vous ? Les femmes des anciens clients de votre mari, a' savaient pas pantoute, elles, que vous cousiez ben de même. Fallait ben qu'a' vous essayent une première fois pour le savoir.

— Ouais, mettons.

— Quoi d'autre ? s'était alors dépêchée d'ajouter Arthémise. Laissez le temps passer, pis vous saurez m'en reparler.

Ce qu'Évangéline avait fait, bien entendu, mais avait-elle le choix ? En revanche, moins d'un mois plus tard, elle s'était excusée auprès d'Arthémise.

— Vous saurez que ça va mieux, ben mieux... Vous aviez raison, Arthémise, pis je m'excuse si j'avais l'air de mauvais poil, l'autre jour... Une chance que ça va sur des roulettes, pasque moé, dans la couture, c'est la confection que j'aime. Pas les altérations.

— Ça, vous me l'avez déjà dit. Pis comme vous êtes bonne, ça a pas été ben long que les madames de Westmount ont vu le beau travail que vous faisiez, pis a' sont vite devenues vos clientes... J'ai jamais mis votre talent en doute, voyons donc ! Reste juste à voir si ça va continuer, astheure.

L'intention n'était probablement pas méchante, comme de coutume, mais Évangéline en avait tiré la leçon de ne plus jamais parler de son travail avec Arthémise, comme elle le faisait déjà pour ses finances. Comme le disait si bien Noëlla, leur amie ne savait pas arrondir les angles, et ses propos étaient souvent blessants.

Il n'en restait pas moins qu'Évangéline avait une belle clientèle, et elle regrettait de ne pouvoir en jaser avec son Alphonse, qui aurait sûrement été fier de ses efforts.

Robes, chemisiers et tailleurs étaient devenus son pain quotidien, comme Évangéline le disait parfois à Noëlla.

— Mais je prends rien pour acquis, par exemple, ajoutait-elle régulièrement quand elle rencontrait son amie, le temps d'un thé. Si ça va ben aujourd'hui, ça veut pas dire que ça va ben aller demain. Ça fait que j'essaye d'en mettre de côté le plus possible.

Noëlla était bien la seule personne, avec le curé Ferland, à connaître les besoins réels d'Évangéline, et son obstination à vouloir garder la maison construite par Alphonse. Toutefois, l'un comme l'autre, ils avaient la délicatesse de ne jamais lui en parler, sauf si elle le faisait elle-même.

— Tu peux pas savoir comment c'est que je t'admire! lui avait donc répondu Noëlla, ce jour-là.

— Comment ça? Je fais juste mon devoir de mère. Cré maudit, Noëlla! Faut toujours ben que mes enfants mangent à leur faim.

— C'est vrai. Mais ça prend une bonne organisation pour arriver à toute mener de front. Moé, je serais pas capable. C'est pour ça que je dis que je t'admire. Surtout avec ton Marcel, qui est pas toujours facile à suivre... C'est pas mêlant, des fois, on dirait qu'y a le diable au corps, ton garçon.

— Bâtard, Noëlla! Retourne pas le fer dans la plaie, c'est ben assez dur de même! Je le sais ben, va, que mon Marcel est pas du monde, par bouttes. Ça fait qu'astheure, imagine de quoi ça a l'air chez nous quand j'ai du travail pressant, pis que lui, y se met à fouiller partout.

— C'est pas un reproche, Évangéline! Je le sais ben que tu fais ton gros possible...

— Ouais... Comme si j'avais besoin d'avoir un gars aussi grouillant. C'est sûr que ça irait mieux si j'avais le temps de l'amener au parc à tous les jours pour qu'y lâche son fou. Mais c'est pas le cas. Ça fait que j'essaye de m'arranger du mieux que je peux.

— Ouais...

Noëlla avait fixé Évangéline durant un court instant, puis, malgré la peine qu'elle allait probablement faire à son amie, elle avait ajouté:

— D'après moé, c'est pas toé le problème.

— Comment ça?

— C'est plate à dire, mais j'ai l'impression que la présence d'un homme y manque ben gros, à cet enfant-là.

À ces mots, Évangéline avait poussé un très long soupir.

— Comme si je le savais pas... C'est clair que t'as raison, pasqu'avec Alphonse, ça allait de mieux en mieux. Mon mari avait vraiment le tour avec Marcel, pis y le faisait rire souvent. Mais on dirait ben que moé, j'ai pas c'te don-là. Chus trop prime, je pense ben, pis je pogne les mouches pour pas grand-chose... Ça fait que mon p'tit garçon, je l'entends pus rire tellement souvent, pis ça avec, ça me fait ben gros de la peine. Mais que c'est tu veux que j'y fasse ? Des fois, je me dis qu'y est encore ben p'tit pour contrôler son humeur, pis que ça va finir par s'arranger avec le temps. C'est pas pasque Marcel Lacaille est né grognon pis malendurant qu'y va le rester jusqu'à la fin de ses jours.

— C'est ben à souhaiter.

— Ouais, comme tu dis. Y a juste l'avenir qui va pouvoir répondre à ça. En attendant, c'est moé qui écope... Une chance qu'Adrien est pas comme lui.

— Ben là !

Cette fois-ci, Noëlla était toute souriante. Tout le monde sur la rue aimait Adrien.

— Ton Adrien, y est-tu assez *swell*, pas rien qu'un peu. Des fins de même, y s'en fait pas à tous les jours.

— Toé avec, tu trouves ça, hein ? C'est pas mêlant, Adrien, c'est mon p'tit rayon de soleil. Jamais un mot plus haut que l'autre, toujours ben à son affaire... Mon grand garçon me fait penser à son père. Ouais, encore une chance que je l'ai, lui. Ça a beau être un garçon, ça l'empêche pas de m'aider le plus qu'y peut. Savais-tu ça que c'est lui qui fait la vaisselle à tous les soirs, pendant que je m'occupe de Marcel ?

— Eh ben... Un gars qui fait la vaisselle ? T'es chanceuse, rare, y a pas de doute là-dessus.

À ces mots, une ombre de tristesse avait traversé le regard d'Évangéline, et l'enthousiasme du moment était retombé aussi vite qu'il s'était manifesté.

— Non, Noëlla, avait-elle rétorqué d'une voix triste, chus pas si chanceuse que ça. Toé, au moins, t'as encore ton mari, pis ça, pour moé, ça vaudrait de l'or... Je m'ennuie, Noëlla, tu peux même pas t'imaginer comment.

— Je m'excuse, Évangéline. J'ai pas réfléchi avant de parler. Je voulais surtout pas te faire de peine.

— Je le sais, va! Je te connais ben, pis y a pas plus fine que toé. C'est juste que pour moé, c'est toé la chanceuse, pis je sais pas ce que je donnerais pour me retrouver à ta place... Je pense que je prendrais trois autres Marcel si c'était pour me ramener mon Alphonse.

Et cette pensée lancée l'automne précédent était toujours d'actualité, en cette belle journée de printemps. Malgré le fait que les journées passaient vite quand elle était débordée d'ouvrage, il n'en restait pas moins que l'hiver avait paru très long à Évangéline, à toujours avoir un petit Marcel dans les jambes et à devoir déployer des trésors d'ingéniosité pour l'occuper. Le bambin de trois ans et demi se lassait vite de ses jouets, réclamait à grands cris le droit d'aller jouer dehors, et faisait même damner son grand frère quand celui-ci revenait de l'école.

— M'man, dites à Marcel de lâcher mes cahiers d'école. Y dit qu'y veut dessiner des bonhommes.

— Bâtard, Marcel! Laisse ton frère tranquille! T'aimes même pas ça, dessiner...

Heureusement, l'hiver avait fini par finir, la neige avait fondu, et la ruelle, tout comme leur cour, pouvaient aisément devenir un parc d'amusement à la hauteur d'un petit garçon de l'âge de Marcel. Et c'était ce qu'Évangéline tentait d'expliquer à son fils, en lui montrant l'arrière de leur maison d'un large mouvement des bras, comme elle aurait pu le faire pour un terrain de baseball.

— Comme tu vas avoir quatre ans durant l'été, mon homme, déclara-t-elle, avec un brin d'emphase, pour montrer à quel point c'était important pour elle, moman va te donner la permission de jouer dans la ruelle pis dans la cour, même si chus pas à côté de toé.

— Jouer tout seul?

— Ben là... Ça fait pas ton bonheur, ce que je viens de dire là?

— Tout seul, c'est plate.

— Verrat, Marcel! Y a jamais rien qui fait ton affaire. Moman pensait que tu serais content d'être traité comme un grand.

— Les grands sont toujours beaucoup, pour jouer ensemble, constata le bambin avec pertinence. Comme Adrien!

— Que c'est ça encore? T'en rates pas une, hein? Mais dans le fond, t'as pas tort... J'vas te faire plaisir, pis pour une fois, j'vas dire comme toé: c'est ben plus plaisant de jouer avec quèqu'un.

Le merveilleux sourire du bambin fut la plus éloquente des réponses.

— Ben si c'est de même, Marcel, j'vas voir avec Noëlla si son garçon Germain pourrait pas venir jouer avec toé. Ça ferait-tu ton affaire, ça?

Le sourire s'effaça aussitôt.

— Y joue pas bien, Germain. Y a toujours peur de se faire mal.

— Bâtard, Marcel ! Tu parles d'une réponse de fou. On a pas besoin de se faire mal pour s'amuser.

— Non, je le sais. Mais j'aime pas ça rester assis tout le temps, par exemple. Germain, lui, y aime juste regarder les bebites. C'est plate.

— Coudonc toé ! Toute est plate, à matin !

— Moé, ce que j'veux, c'est courir pis grimper. Comme Adrien quand y joue avec ses amis. Je peux-tu jouer avec Adrien, moé avec ?

— Non. T'es encore trop p'tit, pis ça va achaler ton frère d'être obligé de te traîner partout avec lui. Adrien travaille fort dans la maison pour m'aider, y travaille fort à l'école pour avoir des bonnes notes, ça fait qu'y a le droit de s'amuser un peu lui avec, sans être pogné pour te surveiller.

— Ben c'est pas juste, d'abord. Tout seul dans la cour, moé, j'ai rien à faire pantoute.

Évangéline leva les yeux au ciel, découragée. Non seulement ça promettait pour le jour où Marcel serait obligé d'aller à l'école et qu'il devrait passer des heures assis à écouter sans dire un mot, mais de plus, le temps risquait de lui sembler fort long avant que son plus jeune soit en âge d'aller à l'école !

— Assez long, bâtard, pour que je revire complètement folle d'ici là, murmura alors Évangéline en montant l'escalier menant à son appartement, tandis que Marcel passait sa frustration sur les petits cailloux qu'il bottait du bout de ses souliers.

Voilà pourquoi, une fois arrivée sur le balcon, Évangéline se retourna et tança Marcel du doigt.

— Pis fais ben attention, mon garçon, de pas me casser une vitre avec tes cailloux, sinon tu vas te faire chauffer les oreilles.

Un haussement d'épaules indifférent fut la seule réponse du petit garçon, ce qui n'avait rien en soi pour améliorer l'humeur d'Évangéline.

Elle claqua la porte derrière elle.

Dans les faits, la bonne humeur lui revint uniquement quelques jours plus tard, alors que la jeune femme semait son potager.

Pourtant la journée avait bien mal commencé.

En effet, quand Marcel avait vu sa mère sortir ses outils du petit hangar au fond, près de la clôture, il s'était tout de suite montré intéressé. Enfin, il y avait un peu d'action dans la cour.

— C'est pourquoi ça, moman?

Du doigt, il montrait le sarcloir.

— C'est pour brasser la terre ben comme y faut, pis pour défaire les mottes trop dures, si y en a.

— Ah... Pourquoi faut défaire les mottes de terre?

— Tu t'en rappelles pas?

Marcel avait froncé son petit nez retroussé, puis il avait fait mine de chercher.

— Me rappeler quoi, moman?

— Le jardin, c't'affaire! À matin, moman veut préparer le jardin pis semer ses légumes. Tu vois, le grand carré de terre? avait-elle demandé, en désignant du doigt l'espace du potager qui occupait au moins une bonne moitié de leur cour.

Marcel avait tourné la tête et regardé les buttes de terre où sa mère l'avait obligé à jouer depuis quelques jours.

— Ouais, je le vois. C'est là que je promène mes p'tits camions.

— Ben c'est là que moman va planter son jardin.

— Pis?

— Comment, pis? Ça veut dire que dans pas trop longtemps, on va avoir des beaux légumes ben frais à manger.

Même si Marcel ne s'en souvenait pas, c'était depuis son installation à la maison qu'Évangéline se faisait une obligation de semer un potager chaque été. Comme elle l'avait jadis expliqué à Alphonse, les légumes récoltés à la fin de la belle saison agrémentaient à moindre coût l'ordinaire des repas durant l'hiver.

— C'est une ben bonne idée que t'as là, ma belle Line, avait joyeusement approuvé le jeune homme. Ça fait que j'vas te bâtir dans un coin de la cave un beau caveau pour tes légumes, avec ben des bacs de sable dedans.

Cet été serait donc la septième saison où Évangéline verrait à son potager. Elle disait que c'était une belle détente, en plus d'être fort utile.

— Astheure, Marcel, moman va préparer son jardin, expliquait justement Évangéline. Ça fait que toé, tu peux pus marcher sur la terre.

— Pourquoi?

— Pasque ça va empêcher les légumes de pousser.

— Pis ça? C'est pas grave. J'aime pas ça, les légumes.

— Verrat! C'est pas une raison pour pas en manger, ça fait cent fois que je te le dis. C'est bon pour ta santé, des légumes. Astheure, tasse-toé, j'ai ben de l'ouvrage devant moé, si j'veux que toute soye fini avant la fin de la journée.

D'une poigne énergique, Évangéline prit Marcel par l'épaule et l'obligea à reculer jusqu'à ce que ses deux pieds soient en dehors du potager.

— Pis toé, mon homme, tu bouges pas de là, sauf pour aller jouer dans la ruelle, si ça te tente.

Puis, elle se mit à l'ouvrage.

Le temps de retourner la terre, de tracer de beaux sillons, quelques buttes, puis elle récupéra au fond de la poche de son tablier les petits sachets de coton qu'elle avait soigneusement cousus pour garder les semences de l'année précédente, alors qu'elle laissait monter quelques plants en graine.

Ensuite, en fredonnant, elle se pencha sur le premier rang.

Évangéline se sentait bien. Travailler le sol, penser aux récoltes à venir, imaginer les bons repas qu'elle allait pouvoir préparer pour ses fils, se sentir rassurée en se disant qu'il y aurait quelque chose à mettre dans les assiettes une fois l'hiver arrivé permettaient de rattacher de beaux souvenirs au moment présent. En ce moment, l'ennui de son Alphonse se faisait doux, car elle avait la sensation que de son ciel, il l'accompagnait dans ses semis, comme il l'avait fait à quelques reprises.

Avec précision, la jeune femme piquait la terre avec l'index et déposait une petite graine dans le trou. Ou alors, elle traçait un fin sillon et laissait tomber une pluie de graines minuscules, qu'elle recouvrait ensuite d'une fine couche de terre. Dans une semaine ou deux, elle éclaircirait les plants qui auraient commencé à pousser.

À la demande d'Adrien, Évangéline semait toujours un peu de petites fèves jaunes et vertes, et quelques radis. Pour le plaisir de l'été, disait-elle. Mais ce qui lui importait surtout, c'étaient les carottes, les pommes de terre, les navets, les choux, les betteraves et finalement les citrouilles, qu'elle faisait pousser plus loin dans la cour, près du hangar, là où les plants immenses pouvaient courir librement jusqu'à la clôture. Tous ces légumes-là étaient surtout destinés au caveau.

La liste était longue et le jardin bien petit, aux yeux d'Évangéline, mais ça n'avait guère d'importance pour l'instant. Le temps de se dire que dans quelques années, les garçons seraient trop vieux pour jouer dans la cour et qu'elle pourrait alors avoir un immense potager, comme elle en rêvait, puis elle se redressa pour se masser le dos, quand soudain :

— Bâtard, Marcel, s'écria Évangéline, apercevant son garçon du coin de l'œil. Que c'est tu fais là, maudit verrat ?

Depuis un bon moment déjà, Marcel suivait sa mère sans faire de bruit. Concentré sur son travail,

261

il était occupé à déterrer les graines plantées par Évangéline, faute de mieux pour passer le temps.

En moins de deux, cette dernière avait rejoint Marcel, et d'une taloche adroite, la jeune femme exaspérée repoussa son fils, qui tomba sur les fesses, en plein sur le rang des radis qu'elle venait de semer, réduisant ainsi à néant tout le labeur des dernières minutes.

Puis, elle leva les yeux, et rapidement, elle comprit que c'était le travail de la dernière heure qui y avait passé. Aussitôt, elle vit rouge.

— Mais que c'est que t'as faite là, toé? lança-t-elle en secouant le petit garçon comme un pommier au temps des récoltes. Ça prend juste un verrat de sans dessein, de pas brillant, pour penser que c'est...

— Youhou!

Coupée en plein élan, et surtout de très mauvaise humeur, Évangéline lâcha Marcel, et se retourna vivement pour signifier au visiteur qu'il n'était pas particulièrement le bienvenu en ce moment, quand elle s'arrêta brusquement.

— Ben voyons donc, toé!

Le cœur d'Évangéline battait la chamade et bien malgré elle, un fragile sourire effleura ses lèvres.

— Que c'est tu fais là?

Une jolie jeune femme la regardait en souriant.

— Salut ma grande sœur! Je sais pas trop si tu t'en rappelles, mais tu m'avais invitée, l'autre fois, y a longtemps, quand vous êtes venus chercher un sapin pour Noël... Ben, me v'là!

Rose et jolie sous son chapeau de paille, et tenant une petite valise à deux mains, Estelle, la jeune sœur d'Évangéline, attendait au coin de la maison qu'on l'invite à avancer.

Oubliant Marcel et les semis, Évangéline se précipita vers elle.

— Tu parles d'une belle surprise... Bâtard que chus contente !

Et sans plus de façon, Évangéline prit la valise, la déposa sur le sol, et elle enlaça sa sœur pour la serrer tout contre elle. Ensuite, reculant d'un pas, elle laissa ses deux mains sales sur les épaules d'Estelle et elle la dévora des yeux avec affection.

— Tu peux pas savoir le plaisir que tu me fais, toé là...

Sur ce, au grand désarroi d'Estelle et de Marcel, Évangéline éclata en sanglots sans crier gare.

Quelques instants plus tard, les deux sœurs se retrouvèrent à la cuisine, en train de siroter une limonade, tandis que, tout surpris, Marcel s'était vu offrir un biscuit au chocolat et un verre de lait.

— Chus pus tannant ? avait-il demandé candidement à sa mère qui, en quelques instants, était passée d'une taloche bien sentie à un sourire resplendissant, ce qui faisait d'elle, pour l'instant, la plus gentille maman de la rue.

— Ben non, mon Marcel, chus pus fâchée pantoute... On va dire que t'as pas trop réfléchi, pis on va oublier tout ça. Astheure, mange ton biscuit pis laisse moman jaser avec matante Estelle... Tu te rappelles-tu de matante Estelle ?

Marcel leva les yeux et dévisagea sa jeune tante.

— Non, avoua-t-il bien franchement. Je l'ai déjà vue?

— Ouais, à une couple de fois... Mais c'est pas grave. A' va sûrement rester icitte pour quèques jours, pis tu vas avoir en masse le temps de la connaître.

Puis, se tournant vers Estelle, Évangéline demanda, avec une évidente espérance dans le regard et dans la voix:

— Pasque tu vas ben rester pour un p'tit bout de temps avec moé, hein?

— Ben plus que ça, si t'es d'accord, laissa tomber Estelle, sans la moindre hésitation.

— Bâtard! Que c'est qui se passe tout d'un coup?

— Laisse-moé te raconter.

L'histoire était courte, bien simple, et surtout facile à comprendre pour Évangéline: à son tour, Estelle avait fui la maison de leurs parents, exaspérée d'être la servante d'un peu tout le monde.

— La mère voulait même pas que je sorte le soir avec mes amies, au cas où quèqu'un aurait eu besoin de mes services. Ça se peut-tu? Fallait que je fasse comme toé, pis que je trouve à m'occuper chez nous. Mais moé, chus pas comme toé, justement, pis j'aime pas ça, la couture pis le tricot. Moé, ce que je voulais, c'était d'aller voir mes amies. Mais la mère était pas d'accord. A' disait que dans son temps, ça se faisait pas, «jeunesser», pis qu'a' voyait pas pourquoi ça serait différent pour moé.

— Pauvre Estelle... Ça ressemble ben à notre mère de dire des affaires de même. Pis ?

— Pis quoi ? J'ai « toffé » une couple de mois à m'ostiner avec les parents pour qu'y me laissent sortir un peu. Mais ça a rien donné. Comme j'en pouvais pus, l'autre soir, après le chapelet du mois de Marie, j'ai demandé à Germaine de me passer un peu d'argent pour prendre le train, pis me v'là. Quand j'aurai une *job*, je rembourserai mon amie.

— Pis les parents, eux autres ?

— Quoi, les parents ? Y sont pas contents, c'est sûr. Y ont chialé avec plein de gros mots, y m'ont crié dessus, mais j'ai pas changé mon fusil d'épaule, pis chus partie pareil. Y vont finir par se faire à l'idée... Dis-toé ben que le jour ousque j'vas leur envoyer un peu d'argent, y m'en voudront pus. Y sont de même, les parents. Donne-leur quèques piasses, pis y sont contents. Le temps de m'installer, si t'es d'accord, ben entendu, pis j'vas essayer de me trouver de l'ouvrage. Chus surtout pas icitte pour être une charge, comprends-moé ben, Évangéline. T'en as déjà plein les bras, ma pauvre toé. J'vas t'aider le plus possible, tout en travaillant un peu pour régler le problème face aux parents.... Pis toé, dis-moé donc comment c'est que ça va. À part ta carte à Noël, je sais pas grand-chose de toé.

— Oh, moé...

Évangéline regarda au bout de la table, où Marcel finissait son verre de lait. Puis, le gamin s'essuya la bouche sur le revers de sa manche, et, levant les yeux, il s'aperçut que sa mère le regardait. Alors, il lui fit son magnifique sourire, celui qui faisait chavirer le cœur d'Évangéline. Tant bien que mal, elle esquissa une moue qui pouvait passer pour quelque chose de gentil, puis elle permit à Marcel de sortir de table. Elle n'avait pas du tout l'intention de parler de ses émotions devant lui.

— Astheure, mon Marcel, tu peux aller jouer dehors. Mais pas dans le jardin à moman, par exemple. Tu m'as ben compris?

— Ouais, j'ai compris. Pas dans le jardin. J'vas aller dans la ruelle.

Évangéline attendit que son fils soit rendu en bas de l'escalier, puis elle s'ouvrit comme un grand livre. Après tout, Estelle était sa sœur, n'est-ce pas? Elle n'avait pas besoin de se retenir devant elle.

Évangéline parla donc de l'année qu'elle venait de traverser péniblement, elle aussi, depuis les funérailles de son Alphonse. Son ennui, sa tristesse et sa révolte ne furent plus un secret pour Estelle, qui l'écouta sans l'interrompre.

— Comme quoi les sœurs Bolduc l'ont pas trop facile, par les temps qui courent, conclut alors Évangéline. D'un bord, y a toé, avec les parents, qui t'ont faite suer comme je sais qu'y sont capables de le faire, pis d'un autre bord, y a moé, qui a connu l'enfer... Je pense que ça finira jamais, l'ennui que j'ai de mon Alphonse. Mais au moins, j'ai du travail.

— Tu travailles? Toé?

Estelle regarda autour d'elle, comme si la réponse était inscrite sur les murs.

— Où ça?

— Icitte, dans une des chambres. À croire que mon Alphonse avait deviné qu'un jour, j'aurais besoin de c'te pièce-là...

— Pis que c'est tu fais ? demanda alors Estelle, qui ne savait trop quoi penser de la réponse de sa sœur.

— C'est pas sorcier, tu l'as dit toi-même, t'à l'heure : j'aime ça, la couture pis le tricot.

— C'est ben vrai.

— Ça fait qu'imagine-toé donc que je fais de la couture pour les femmes riches de Westmount.

— Ben voyons donc, toé !

— Ben oui, c'est comme je te dis. Difficile à croire, hein ? Pis tout ça, cré maudit, c'est grâce à notre bon curé Ferland, qui est venu me voir au printemps passé pasqu'y disait avoir eu une bonne idée. Assis-toé comme y faut, Estelle, c'est à mon tour de raconter !

* * *

En moins d'une semaine, les deux sœurs avaient concocté un quotidien qui leur convenait à toutes les deux.

En riant, elles avaient commencé par faire le ménage de la chambre qui servait de débarras, descendant au sous-sol tout ce qui ne leur serait pas utile, et elles l'avaient rebaptisée « la chambre à matante Estelle ».

— Pis que je te voye pas entrer dans c'te chambre-là, Marcel, sinon, tu vas avoir affaire à moé ! avait prévenu Évangéline.

La mise en garde avait été proférée sur un ton suffisamment sévère et menaçant pour impressionner le petit garçon. Pour l'instant, il se contentait donc de regarder de loin. Et la chambre et la tante.

Toutefois, de son côté, Évangeline se sentait renaître. Oh, bien sûr, Estelle n'était pas Alphonse, mais peu lui importait, car la jeune femme savait qu'elle ne voudrait jamais remplacer son mari. Les autres hommes ne l'intéressaient pas. Mais cela ne l'empêchait pas de prendre plaisir à partager sa vie avec quelqu'un qu'elle aimait beaucoup, et avec qui elle s'entendait à merveille. Ses amies avaient intégré Estelle dans leur petit groupe avec empressement, malgré la différence d'âge, et Arthémise s'était fait un devoir de lui présenter sa fille Annette.

— J'sais ben que ma fille est un peu plus jeune que toé, mais a' l'est ben mature pour son âge. Tu viens la voir quand tu veux, ma porte va toujours être ouverte pour toé.

Ce jour-là, Arthémise avait remonté de quelques crans dans l'estime d'Évangéline. Après tout, si elle était un peu trop bavarde, et franchement indiscrète, Arthémise Gariépy avait tout de même un grand cœur.

Si besoin était, Évangéline avait aujourd'hui la preuve que l'amitié qui l'unissait aux femmes de leur rue était sincère, et de surcroît, elle avait retrouvé sa petite sœur. À ses yeux, cette relation avait un petit quelque chose d'irremplaçable qui s'appelait les souvenirs communs et les liens du sang. Dans les circonstances, Évangéline considérait que rien de mieux n'aurait pu lui arriver, et tous les soirs, avant de s'endormir, elle remerciait Alphonse et le Bon Dieu, ne sachant trop à qui elle devait sa bonne fortune.

Quant à Adrien, qui se souvenait fort bien d'Estelle, il l'avait accueillie avec beaucoup de plaisir.

— Ça va être agréable d'avoir quèqu'un de nouveau avec qui jaser, hein m'man ?

— Ça c'est sûr.

— Juste à nos deux, m'man pis moé, avait alors expliqué Adrien en se tournant vers sa tante, on finissait par bouttes par pus avoir d'idées de jasette. Pis Marcel, ben, y parle juste de manger pis de hockey. Y est trop p'tit encore pour avoir de la conversation, comme dit ma maîtresse à l'école.

— Ah bon... C'est vrai que Marcel est pas tellement vieux. Pis toé, Adrien, tu joues-tu au hockey ?

Le visage habituellement serein du jeune garçon s'était assombri tout d'un coup.

— Des fois, pas souvent, avait-il répondu, sans regarder sa tante directement dans les yeux. J'aimais mieux jouer du temps de mon père.

Du temps de mon père...

C'était l'expression qu'Adrien employait pour parler de sa tendre enfance, alors qu'Alphonse vivait encore avec eux. À l'évidence, le jeune garçon était tout aussi bouleversé qu'Évangéline quand il parlait de cet homme chaleureux, et la guérison n'était pas totale. Le pressentant, Estelle n'avait pas insisté.

Ce fut probablement grâce à son caractère expansif et à sa grande générosité que la jeune Estelle gagna le cœur de toute la petite famille Lacaille. En quelques jours, elle s'était trouvé un emploi, trois soirs par semaine, au casse-croûte de monsieur Albert, et elle aurait bien voulu participer aux dépenses de la maison, mais Évangéline avait opposé son droit de veto.

— Pourquoi tu veux pas? avait protesté Estelle. Chus comme un coq en pâte, moé, icitte. Ça me change tellement de la maison des parents que juste pour ça, je te donnerais tout ce que j'ai avec le sourire... Ça fait que, s'il vous plaît, laisse-moé faire au moins ma part. Je me sentirais plus à mon aise.

— Mais tu la fais, ta part, ma pauvre Estelle! Tout le temps que tu passes avec Marcel, ça vaut une p'tite fortune pour moé. Pas besoin de rajouter d'argent par-dessus le marché. Pis c'est pas toute! T'oublies qu'en plus, tu fais ben de l'ouvrage de maison pour m'aider.

— Pis ça? Si ça me fait plaisir à moé de te donner un coup de main, t'es toujours ben pas pour m'en empêcher?

— Ben non, c'est quoi l'idée? Mais j'veux pas une cenne de plus que tout ce que tu fais pour moé, par exemple.

— Chus pas d'accord!

— Bâtard, Estelle! T'as ben en masse d'envoyer de l'argent aux parents à tous les mois. Garde le reste pour te gâter.

En fin de compte, Évangéline avait tenu son bout jusqu'à ce qu'Estelle comprenne qu'elle peinerait sa sœur à trop insister.

Il n'en demeure pas moins que le bonheur recommençait à fleurir dans l'imposante maison grise au fond de L'Impasse, et qu'Évangéline se surprenait à chanter de plus en plus souvent en travaillant.

Et que dire de Marcel? Sous l'influence de sa tante, qui avait toujours du temps à lui consacrer, le petit garçon avait recommencé à rire, et les promenades au parc se faisaient maintenant tous les jours, beau temps mauvais temps.

Et il lui arrivait même de rester calme durant au moins vingt minutes, le temps de faire un beau dessin. Certes, Marcel n'avait pas hérité du talent de son père, loin de là, et Évangéline devait se servir de toute son imagination pour comprendre ce que son fils avait cherché à illustrer. Mais pourquoi s'en faire avec si peu? Les murs de la salle de couture étaient tapissés des gribouillis d'un petit garçon heureux, qui s'efforçait d'être sage et gentil, et aux yeux de sa maman, c'était amplement suffisant pour s'exclamer devant ses dessins malhabiles.

— Mais c'est ben beau, Marcel! C'est pas mêlant, t'es bon en verrat, mon garçon! Où c'est qu'on va le mettre, astheure, ton beau bonhomme de neige? Y a quasiment pus de place sur mes murs!

Alors, sous le toit d'Évangéline, il y eut un mois de novembre pluvieux et venteux, mais rempli de rires et de dessins; un mois de décembre sentant bon la pâtisserie et les tourtières, puis un peu plus tard, embaumant le sapin qu'Estelle avait installé dans le salon, tandis qu'Évangéline cousait sans relâche pour satisfaire ces dames qui voulaient des robes neuves pour le temps des Fêtes. Puis, il y eut un mois de janvier à l'odeur de chocolat chaud, quand Marcel revenait du parc avec sa tante Estelle qui était devenue, en quelques semaines à peine, sa meilleure amie.

— Pis en plus, moman, vous me croirez pas, mais matante joue au hockey comme un vrai garçon !

Alors, il y eut aussi une Évangéline qui priait maintenant chaque soir, pour que cette vie nouvelle ne s'arrête jamais.

Du moins, pas tout de suite, parce qu'un jour, Estelle finirait bien par se marier, elle aussi, n'est-ce pas ?

Mais Évangéline estimait qu'il y avait encore loin de la coupe aux lèvres, et en attendant, elle comptait bien profiter de la situation au maximum. Il y allait du bonheur de sa petite famille et pour elle, rien sur Terre n'avait autant d'importance que le bonheur de ses enfants.

Sauf peut-être arriver à payer la banque chaque mois, afin de garder la maison de son Alphonse !

CHAPITRE 11

« (La Bolduc)
Messieurs, messieurs, je voudrais danser
Oh la bastringue, et pis la bastringue
Messieurs, messieurs, je voudrais danser
La bastringue dans votre café
(Ovila Légaré)
Venez, venez, j'vas vous faire danser
La bastringue, et pis la bastringue
Venez, venez, j'vas vous faire danser
La queue de votre robe va revoler »

La Bastringue (chanson du folklore québécois)
PAR LA BOLDUC ET OVILA LÉGARÉ, 1930

Mai 1928, sur le balcon d'Évangéline, par une belle soirée de printemps

Cela faisait maintenant un an qu'Estelle habitait chez sa sœur, et tout comme du temps d'Alphonse, l'entente régnait en permanence sous le toit d'Évangéline, car personne ne pouvait résister à la bonne humeur contagieuse de la jeune femme.

Même Marcel était tombé sous le charme !

À un point tel qu'Évangéline était persuadée que les petites misères du quotidien étaient enfin derrière elle, et que son plus jeune fils avait dépassé le stade de la mauvaise humeur chronique. À l'exception de rares mais spectaculaires rechutes, le petit garçon faisait de louables efforts pour ne pas s'obstiner tout le temps et avec tout le monde, et on l'entendait de plus en plus souvent éclater de rire.

Évangéline était justement en train de regarder son plus jeune, durant l'un des courts et rares moments de détente qu'elle prenait sur son balcon avec Estelle.

Le petit garçon courait présentement avec les grands, qui disputaient une partie de ballon, et ma foi, il se débrouillait très bien.

— C'est Alphonse qui disait à quel point notre Marcel était bon rare dans les sports, souligna-t-elle à sa sœur, sans quitter son fils des yeux.

— À le voir aller, je dirais comme ton mari, approuva Estelle. Je te l'avais-tu dit ? Quand j'vas au parc pour m'amuser avec Marcel, ça arrive souvent que ton fils joue avec des garçons ben plus vieux que lui, pis ça dérange personne. Maurice me disait, l'autre jour, que...

— Maurice ?

— Ben oui, Maurice Gariépy ! Je le rencontre des fois au parc quand y va jouer au baseball avec son frère Pierre-Paul.

— Ah ! C'te Maurice-là.

— Ben oui... Qui veux-tu que ça soye ? J'en connais pas d'autres, moé, des Maurice... Mais toujours est-il que Maurice me disait, l'autre jour, que Marcel y fait penser à lui-même quand y était plus p'tit. Toujours juste sur une patte!

Ce fut à partir de ce soir-là qu'Évangéline remarqua que le nom de Maurice revenait régulièrement dans les conversations qu'elle avait avec sa sœur. Maurice par-ci, Maurice par-là; Maurice a dit ceci, Maurice a dit cela...

Aussi, ne fut-elle pas surprise outre mesure quand Estelle lui annonça que le lendemain, elle irait au cinéma avec Maurice.

— Si ça te dérange pas, comme de raison!

— Verrat, Estelle! Pourquoi c'est faire que ça me dérangerait? C'est de ton âge de vouloir sortir un peu, pis Maurice est justement du même âge que toé... Ça pourrait pas mieux adonner. Pis en plus, y vient d'une bonne famille. J'ai rien à redire là-dessus. Ça fait longtemps que je connais les Gariépy, pis c'est du ben bon monde.

Évangéline fut sur le point d'ajouter que la mère de Maurice, son amie Arthémise, était peut-être un peu trop bavasseuse à son goût, mais à la dernière minute, elle préféra se taire. Ce défaut ne concernait en rien l'éducation que les enfants Gariépy avaient reçue. De toute façon, ce qu'elle pensait d'Arthémise ne regardait pas Estelle.

Ce fut ainsi, au cours de l'été 1928, qu'Évangéline vit sa jeune sœur s'épanouir comme toute femme amoureuse le fait. Oh! Estelle ne voyait pas Maurice tous les jours, mais elle affirmait qu'une sortie de temps en temps lui suffisait.

— Maurice travaille pour le CN, lui avec. Comme son père, avait-elle expliqué. Ça fait qu'y peut pas disposer de son temps comme y en aurait envie. Pis c'est pour ça aussi que la plupart du temps, y faut que j'aille le rejoindre en ville, quand on veut sortir. C'est ça que Maurice m'a dit, l'autre soir, quand j'y ai demandé où c'est qu'y passait le plus clair de ses soirées. Mais c'est pas grave. L'important, c'est que je puisse le voir au moins une fois par semaine, pis qu'y comprenne que je l'oublie pas...

— Si tu vois la situation de même, ma belle Estelle, c'est parfait.

— Tu sauras, ma grande sœur, que Maurice vient même me voir au casse-croûte, des fois. Tout seul ou ben avec ses amis de garçons, ça dépend. On essaye de rester discrets, lui pis moé, comme de raison, mais ça me fait ben gros plaisir de le voir.

— Eh ben... Pis ça dérange pas monsieur Albert, ça là ?

— Ben non, voyons ! Je pense qu'y s'en est même pas rendu compte. De toute façon, en autant que je fais mon travail pareil, je vois pas pourquoi y se plaindrait.

— Dans c'te sens-là, t'as ben raison.

Pour tout le monde, et pour toutes sortes de raisons, l'été passa donc beaucoup trop vite. Comme tous les étés, finalement !

Quand septembre fut arrivé, Adrien reprit joyeusement le chemin de l'école, tout heureux de retrouver ceux de ses amis qui avaient la chance de passer leurs vacances à la campagne ; Évangéline reçut de plus en plus de commandes, compte tenu du changement de saison, et elle dut s'asseoir devant sa machine à coudre pratiquement tous les jours; Estelle commença à faire des conserves en fredonnant, parce que, visiblement, elle était une jeune femme heureuse; et Marcel trépigna qu'il voulait aller à l'école lui aussi, « pasqu'il était grand maintenant ».

Effectivement, le gamin n'avait pas tort en disant qu'il était grand, car il avait poussé comme de la mauvaise herbe durant la belle saison. Mais il n'avait toujours que cinq ans! Toutefois, inutile de dire que sa mère fut aux anges de l'entendre parler ainsi de l'école. La rentrée serait peut-être moins pénible que ce qu'elle avait toujours anticipé. Elle lui expliqua donc que ce serait la dernière année qu'il serait obligé de rester à la maison. Dans un an, quasiment jour pour jour, il suivrait Adrien sur le chemin de l'école.

— Si tu veux, mon beau Marcel, à chaque soir, on va barrer la journée qui vient de passer sur le calendrier de la bonne Sainte Anne.

— Le calendrier? C'est quoi ça?

— Viens avec moé, j'vas te le montrer. Y est accroché sur le mur dans ma salle de couture, à côté de tes beaux dessins.

Et d'expliquer à Marcel que chaque page représentait un mois et chaque chiffre de chaque case, une journée.

— Pis après Noël, moman va mettre un nouveau calendrier sur son mur, pasqu'on va changer d'année.

Du bout du doigt, Marcel suivit les lignes du mois de septembre, puis il souleva la page, répéta son manège pour le mois d'octobre, puis sur une autre page, et enfin sur une dernière, car il était arrivé au mois de décembre.

— C'est ben long pour l'école! se lamenta-t-il. Ça me tente pas pantoute, moé, d'attendre longtemps comme ça. Pis après, vous allez mettre un autre calendrier sur le mur, avec encore tout plein de pages?

— Ben oui, répliqua Évangéline, avec une pointe d'irritation dans la voix, parce qu'elle sentait sa patience lui échapper. Que c'est tu veux que je te dise d'autre, Marcel?

— Ben... Que ça prendra pas trop de temps pour aller à l'école, petête? Moé, j'veux aller plus vite!

— Bâtard, Marcel! C'est toujours ben pas de ma faute à moé si le monde est faite comme ça. C'est de même que ça marche, les jours, les mois, pis les années. C'est pas toé, icitte, qui va venir changer le cours des choses.

— Si c'est de même, ça me tente pas de barrer les journées, d'abord. C'est trop long avant l'école.

Et sur ce, Marcel tourna les talons et partit en courant pour se réfugier au salon, tout en appelant sa tante Estelle à pleins poumons.

Exaspérée par ce qu'elle appelait des enfantillages, Évangéline soupira et claqua la porte de la salle de couture. Puis, elle se mit au travail sans tarder. Si Marcel trouvait que le temps ne passait pas assez vite à son goût, elle, par contre, se désespérait de le voir passer trop rapidement.

En effet, depuis la fin du mois d'août, les commandes s'empilaient, et le petit carnet noir de son mari, qu'elle utilisait à son tour pour noter le nom de ses clientes et leurs commandes, débordait. Non qu'elle s'en plaigne, comprenons-nous bien, car au contraire, elle pourrait ainsi faire des économies qui rejoindraient celles qu'elle avait déjà cachées dans la boîte à chaussures utilisée par Alphonse.

Mais encore fallait-il donner satisfaction à toutes ses clientes sans exception, n'est-ce pas?

En fait, en ce moment, la plus grande inquiétude d'Évangéline était de ne pas trouver le temps de tout coudre ce qui lui avait été demandé, et qu'en conséquence, elle voit fondre sa clientèle comme le banc de neige baissait à vue d'œil devant sa maison, quand le mois de mars se pointait le bout du nez.

Voilà pourquoi, quand le travail débordait, perdre son temps à cause de Marcel la faisait sortir de ses gonds.

Toutefois, si Évangéline avait su qu'encore une fois, le ciel s'apprêtait à lui tomber sur la tête, elle aurait peut-être été plus indulgente à l'égard de son fils, et elle aurait pris sa mauvaise humeur actuelle avec un grain de sel.

Mais Évangéline ne se doutait pas que sa petite sœur s'apprêtait à vivre des moments particulièrement difficiles avec celui qu'elle appelait « son »

Maurice, alors que ce dernier ne voyait en Estelle qu'une jolie fille de plus pendue à son bras.

Et ce, uniquement quand ils quittaient le quartier, pour ne pas s'offrir en spectacle à qui que ce soit!

Ce qu'Estelle commençait à trouver de plus en plus difficile.

« Quand on est en amour, ça doit être plaisant de l'afficher un peu, non »? pensait-elle de plus en plus souvent.

Alors, pour se garantir des fréquentations plus régulières, plus normales selon l'idée que la jeune femme s'en faisait, à la fin du mois de septembre, par une belle soirée qui ressemblait à l'été, elle avait cédé à ses avances, priant le Ciel de la protéger d'une éventuelle grossesse. En fille de la campagne, elle savait très bien ce qu'elle risquait, mais perdre l'affection de Maurice était une éventualité encore plus angoissante, car la menace de la laisser tomber planait chaque fois qu'il se faisait insistant.

— Envoye donc, Estelle! Dis oui. Après toute, on est en amour, toé pis moé, non?

Oh oui, Estelle était amoureuse, et par-dessus la tête!

La jeune femme avait donc fini par céder. Elle osait croire que si un « événement fâcheux » se produisait, Maurice prendrait ses responsabilités, comme l'homme droit et bien élevé qu'il était.

N'avait-il pas dit, dans le feu de l'action, qu'elle était la plus jolie femme qu'il connaisse? Si ce n'était pas une déclaration d'amour, ça, elle se demandait bien ce que ça pouvait être.

Mais le Ciel avait probablement d'autres chats à fouetter, car il ne l'avait pas écoutée. Ce fut donc avec le plus grand des sérieux, et une crampe qui lui tordait le ventre, qu'Estelle avait annoncé à Maurice qu'ils seraient parents au printemps.

Le jeune homme ne s'était pas donné la peine de réfléchir ni même de sembler heureux ou inquiet. Il avait tout bonnement haussé les épaules, et ce fut secouée par les larmes et l'appréhension qu'Estelle l'avait entendu lui répondre que malheureusement, c'était à elle d'y voir, car lui ne se sentait pas concerné.

— Comment veux-tu que je soye sûr que c'est à moé, cet enfant-là? Si tu m'as dit oui, t'as ben pu faire la même chose avec d'autres. Je passe pas mon temps à te *watcher*, moé!

De toute façon, il n'avait pas du tout l'intention de se marier, avait-il ajouté d'emblée.

Et surtout pas avec elle.

Ce furent ces derniers mots qui anéantirent Estelle qui, en désespoir de cause, se confia finalement à sa grande sœur. Elle était rouge de honte et elle tremblait de la tête aux pieds. Évangéline l'écouta sans dire un mot, le visage hermétique. Estelle s'attendait à une volée de bois vert, certes, mais elle espérait néanmoins qu'Évangéline aurait peut-être une solution à lui proposer.

Peut-être...

Estelle avait attendu que les garçons soient couchés pour parler à sa sœur, et en ce moment, elles étaient toutes les deux dans la cuisine, dont Estelle avait soigneusement fermé la porte avant de se confier.

— Ben non, ma pauvre Estelle, j'ai pas de réponse toute faite à te donner, répondit laconiquement Évangéline, tandis que sa jeune sœur pétrissait un petit mouchoir de batiste entre ses mains. C'est pas des affaires qui se règlent de même, sur un claquement des doigts...

Devant cette réponse, Estelle comprit que tout ce qu'elle avait anticipé comme problème se précisait sans équivoque : pour l'instant, elle se retrouvait dans un sérieux pétrin. Et ce furent exactement les mêmes mots qui encombrèrent désagréablement l'esprit d'Évangéline.

— Bâtard, Estelle ! Mais à quoi t'as ben pu penser ? lança-t-elle alors, visiblement fâchée.

À ces mots, les larmes de la pauvre Estelle redoublèrent d'intensité. De toute évidence, non seulement elle se retrouvait dans le pétrin, mais elle s'y retrouvait complètement seule.

Heureusement, la colère d'Évangéline ne dura pas. Elle se revit aussitôt au même âge, dévorant son Alphonse des yeux, et elle comprit facilement ce que sa petite sœur avait pu vivre... et ce qu'elle devait subir présentement de déception et d'effroi devant la réaction de Maurice, qui se montrait pour le moins désinvolte.

— Ma pauvre p'tite fille, murmura-t-elle enfin, en ouvrant les bras à la jeune Estelle, qui se leva aussitôt de table pour se précipiter vers Évangéline. Tu l'aimais ben gros, hein ?

— Oh oui !

Elles restèrent ainsi un long moment, dans les bras l'une de l'autre, chacune perdue dans ses pensées.

Évangéline revoyait avec nostalgie et douleur ce grand amour vécu avec Alphonse et à jamais disparu, tandis qu'Estelle pleurait sa première peine d'amour dans la hantise de ce qui allait lui arriver.

Puis, Évangéline se détacha lentement de l'étreinte d'Estelle.

— Laisse-moé penser à tout ça, pis on va en reparler bientôt... Surtout, pas un mot devant les garçons... Pis tant qu'à y être, essaye donc de rester souriante comme d'habitude. Ouais, c'est toute ce que je te demande pour astheure, pis laisse-moé aller avec ça.

Après une nuit blanche à échafauder mille et une solutions plus ou moins réalistes, Évangéline en arriva à la conclusion qu'il n'y avait qu'une seule chose à faire : elle devait rencontrer Arthémise. Ensemble, toutes les deux, elles finiraient bien par trouver une manière de faire qui conviendrait à tout le monde.

Et selon Évangéline, le mariage restait la seule et unique porte de sortie possible pour sauver les réputations, tant d'une famille que de l'autre, d'ailleurs.

Quant à Arthémise, dans le bain jusqu'au cou tout comme elle, elle devrait tenir sa langue pour une fois, et dans un mois tout au plus, pour que rien ne paraisse, on irait à la noce et tout le monde serait content.

Estelle n'avait-elle pas dit que Maurice avait un bon emploi? Ce serait donc un moindre mal de s'installer aussi vite dans leur vie d'adultes.

Ce fut en se répétant que ses pauvres économies allaient y passer au grand complet qu'Évangéline fit le petit bout de chemin la menant jusque devant l'imposante maison de briques brunes. Elle n'était pas du tout à l'aise avec la démarche qu'elle entreprenait ce matin, mais elle était persuadée qu'au nom de leur amitié, Arthémise allait bien l'accueillir et se donner la peine de l'écouter jusqu'au bout.

Il n'en fut rien.

Le temps de répéter consciencieusement tout ce qu'Estelle lui avait confié, et Arthémise intervenait en soupirant comme une diva.

— Pauvre Évangéline! Et vous avez cru tout ce que votre dévergondée de sœur vous a dit?

Se faisant violence pour rester polie et ainsi éviter les esclandres, Évangéline prit le temps de respirer un bon coup, avant de déclarer, sur un ton neutre:

— Y a petête un mot de trop, icitte...

— Ah ouais... Lequel?

— Ma sœur Estelle est pas une dévergondée.

— Ça, c'est vous qui le dites. Moé, chus loin d'être sûre de ça... C'est pour c'te raison-là que je vous demande si vous avez cru toute ce qu'a' vous a raconté?

— Ouais... Pourquoi je l'aurais pas faite?

— Pasque c'est juste un tissu de mensonges, son affaire! Facile de faire porter le chapeau à mon gars. Mais que c'est qui nous dit qu'y en a pas eu d'autres? De toute façon, c'est toujours ben pas de la faute à mon Maurice si les filles lui courent après.

— Comment ça, les filles lui courent après? Pasqu'y aurait pas juste Estelle dans le décor? Si c'est le cas, vous voyez ben que ce que ma sœur a dit tient debout, pis que...

— J'ai jamais dit que mon garçon avait une blonde à chaque coin de rue. Partez pas de rumeur, vous là. Mais c'est un fait que mon Maurice est un bel homme, pis y fait souvent tourner les têtes... Bon, y a aussi un grand cœur, pis si y a accepté de jouer les cavaliers pour votre Estelle, c'est juste qu'y trouvait ça triste de la voir toujours toute seule...

— Comment ça, toute seule? Est pas toute seule, ma sœur, chus là, moé, pis...

— J'ai pas dit toute seule dans c'te sens-là. Saint simonac que vous comprenez toujours tout croche, vous... Ce que j'en dis, c'est plutôt dans le sens qu'Estelle, a' s'est pas faite ben ben des amis depuis qu'a' l'est en ville... À part ma Annette de temps en temps, ben sûr, pis encore, sont même pas du même âge.

— Verrat Arthémise, c'est pas de ça qu'on parle!

— Je le sais ben, saint simonac! On parle de votre sœur qui se retrouve dans une situation gênante, pis de vous qui êtes là à accuser mon garçon. C'est ben intolérable d'entendre ça dans ma propre maison, vous saurez... Que c'est qui nous dit qu'Estelle, a' l'a pas faite exprès pour obliger Maurice à la marier? Après toute, c'est un bon parti, mon gars... Non, non, si Maurice avait quèque chose à se reprocher, y m'aurait pas parlé comme y l'a faite hier soir. Pis devant son père, en plus! Ça fait que si mon gars dit que c'est Estelle qui s'est montrée aguicheuse, je le crois. Pauvre Maurice! Y est pas faite en bois.

— Bâtard, Arthémise, vous pensez vraiment qu'Estelle a...

— Je pense rien, moé, là-dedans, je fais juste constater. Est enceinte, oui ou non, la belle Estelle?

— Ben oui! Sinon, je serais pas icitte, à matin, en train de me démener comme...

Assise à la table devant Arthémise, Évangéline s'agrippait si fort à son sac à main qu'elle en avait les jointures toute blanches.

— Ben arrêtez de gaspiller votre salive, Évangéline. Pour moé, y a pus rien à dire sur le sujet. Maurice affirme qu'y a ben essayé de faire entendre raison à Estelle, mais a' l'a rien voulu savoir de ses arguments. Pour moé, ça suffit comme explicâtion, pis une affaire en entraînant une autre, y est arrivé ce qu'on sait...

— Mais c'est pas vrai, tout ça!

— Pasqu'en plus, vous traitez Maurice de menteur? Vous avez du front tout le tour de la tête, Évangéline!

286

— Dites-moé donc pourquoi ça serait Estelle la menteuse ?

— Pasque Maurice a déjà une promise... Une fille qui vit dans l'ouest de la ville. Ça fait déjà un an que ces deux jeunes-là se fréquentent régulièrement, pis y ont même parlé de mariage. Ça vous en bouche un coin, ça là, hein ?

— Même pas. Voyons donc, Arthémise, est où la logique dans ce que vous dites ?

— Tant pis pour vous si vous la voyez pas.

— Ben voyons donc ! répéta Évangéline, dépassée par tant de mauvaise foi. C'est pas pasque Maurice a une promise, comme vous dites, qu'y dit la vérité... Verrat ! À mon avis, ça serait plutôt le contraire ! *Anyway,* on fait quoi avec cette histoire-là ?

— On fait rien de plus que continuer nos vies chacune de notre bord... Dites-vous ben, Évangéline, que si votre sœur Estelle avait gardé ses cuisses fermées, on en serait pas là, à matin...

Ces quelques mots étaient provocants et vulgaires. Ils étaient surtout inutiles. Mais avant qu'Évangéline ait pu rétorquer quoi que ce soit, Arthémise ajouta :

— Astheure qu'on a dit toute ce qu'on avait à se dire, pis je vois ben qu'on est pas pantoute du même avis, vous pis moé, vous allez repartir par ousque vous êtes venue, pis on va en rester là. Moé, j'ai pus rien à vous dire, Évangéline Lacaille, pis pour l'instant, vous êtes pas la bienvenue chez nous. Je pense même qu'on devrait laisser couler un peu d'eau en dessous des ponts avant de se revoir, vous pis moé.

— Vous aurez jamais si ben parlé de toute votre vie, Arthémise... Pis je vous dis même pas bonjour.

Quand Évangéline quitta la cuisine d'Arthémise, non seulement était-elle complètement découragée, mais elle était surtout ulcérée et remontée comme un ressort de cadran. Il y avait aussi que pour l'instant, elle ne voyait aucune issue à la situation d'Estelle.

Elle retourna donc chez elle au pas de charge.

Estelle l'attendait, pétrie d'inquiétude, et au premier coup d'œil, elle comprit qu'elle avait raison de s'en faire.

— Assis-toé, Estelle, faut que je te parle.

Quelques instants plus tard, Évangéline concluait le bref résumé de sa rencontre, en affirmant avec conviction :

— Je pense ben qu'on va devoir en parler à monsieur le curé.

— Monsieur le curé? Voyons donc, Évangéline... Je serais ben trop gênée de me retrouver devant lui pour y raconter mon histoire. Y va ben vouloir m'arracher les yeux!

— Pantoute! Je le connais bien, le curé Ferland, pis même si ça fait drôle de dire ça d'un curé, c'est un vrai gentleman. Y t'arrachera pas les yeux, comme tu dis, pis y va nous aider à trouver une solution... Là, pour astheure, y a pas vraiment de presse. Ça paraît pas encore, pis c'est pas demain que le monde va s'apercevoir que t'attends du nouveau... On va ben penser à notre affaire, surtout toé, pasque c'est toé que ça concerne le plus, pis quand

t'auras pris une décision, tu viendras m'en parler...
Ensuite, on ira voir monsieur le curé pour qu'y nous
donne ses conseils.

— Mais à quoi c'est que tu veux que je pense, ma
pauvre Évangéline ? Le fait de réfléchir, pis de ben
gros prier, ça changera rien à ma situation.

— Ça c'est sûr. T'es en famille, pis y a des bonnes
chances que tu le soyes encore pour les sept mois à
venir. C'est pas de ça que j'veux parler... C'est plutôt
pour après. Encore faut-il que tu saches si tu veux
le garder, c'te bebé-là... Si tu choisis de le donner en
adoption, je...

— Mais y en est pas question !

— Deux menutes, toé là. C'est facile à dire que tu
veux pas le faire adopter, quand t'es encore sur le
coup d'une grosse émotion comme celle-là. Toutes
les femmes qui ont le cœur à la bonne place vont
répondre qu'a' veulent garder leur bebé. Mais ça
veut pas dire pour autant que c'est ce qu'y a de
mieux à faire. Pour lui comme pour toé. Pis ça
veut pas dire non plus que tu changeras pas d'avis.
Donne-toé au moins une couple de semaines pour
ben envisager le pour pis le contre. C'est un moyen
contrat, avoir un enfant, pis je sais de quoi je parle...
Mais si jamais tu décidais d'aller jusqu'au bout pis
de le garder, crains pas, m'en vas être là pour toé.
T'es toujours ma p'tite sœur, pis y a rien au monde
qui va venir changer ça.

* * *

La décision d'Estelle ne se fit pas attendre et elle arriva deux jours plus tard, après le départ d'Adrien pour l'école, tandis que Marcel jouait dans la cour. Maintenant que la moitié du potager était vidé de ses légumes, il pouvait enfin s'en donner à cœur joie. La jeune femme demanda donc à Évangéline de rester un moment à la cuisine avec elle, avant de retourner à sa couture.

— J'vas le garder, Évangéline, déclara-t-elle alors avec une farouche détermination dans la voix.

— T'es ben sûre de toé ?

— Oh oui ! Quand ben même j'y penserais jusqu'à Noël, y a rien pis personne qui va pouvoir me faire changer d'idée. Je l'aime déjà, mon bebé, pis je serais jamais capable de le donner à une autre femme pour qu'a' l'élève à ma place. Si pour ça, je dois déménager pis aller me cacher à l'autre bout de la ville pour ménager ta réputation, m'en vas le faire, pis en chantant, si y faut.

— Bâtard, Estelle ! Comme si j'étais pour te demander une affaire de même. J'ose espérer que face à mes amies, ma réputation est déjà faite, pis qu'est ben solide.

— Je m'en doutais un peu que tu me répondrais ça.

Sur ces mots, les deux sœurs échangèrent un regard chargé de tendresse.

— Mais ça nous dit pas quoi faire, par exemple, modula Évangéline.

— Pour moé, l'idéal, ça serait que je reste icitte avec toé. C'est ben certain que le monde va jaser, pis qu'un jour, va ben falloir que j'en parle à nos parents, mais pour astheure, j'ai envie de dire comme toé : y a rien qui presse... Chus encore mince comme une tige de fleur, pis à part nous deux pis Maurice avec ses parents, y a personne qui peut se douter de quoi que ce soit !

— Ouais... J'veux pas te faire peur, ma pauvre Estelle, mais ta taille de guêpe, a' va changer, pis dans pas trop longtemps, à part de ça.

— C'est sûr... Je me rappelle très bien comment c'est que la mère venait grosse, chez nous... Pis toé avec, quand vous êtes venus chercher votre arbre de Noël, Alphonse pis toé. Mais ça nous donne quand même le temps de prévenir tout le monde, non ? Le monde du quartier, j'veux dire, pasque pour moé, les parents, ça va attendre que le p'tit soye au monde. D'icitte à Saint-Eustache, y a un méchant bout de chemin, pis y a juste nous deux qui pourraient leur en parler.

— Oublie les parents, veux-tu ! C'est pas eux autres qui m'inquiètent. C'est ben plus le monde du quartier qui risque de jaser pas mal fort... T'es pas mariée, ma pauvre Estelle, pis ça, ça change ben gros la perception du monde. Un bebé, dans une famille, c'est juste de la joie pis du bonheur. Malheureusement, dans ton cas, y en a ben gros qui pensent que c'est juste de la honte, pis du déshonneur...

— Je sais ben.

— À mon avis, c'est là que le curé Ferland va nous être d'une grande utilité. Y est ben bon dans ses sermons, pis y réussit à faire passer ben des messages, des fois... Mais j'y pense... Si c'est notre bon curé qui parlait à l'air bête à Arthémise ? Ou même à son grand vaurien de garçon, y me semble que ça serait plus pesant que tout ce que moé j'ai pu dire, pis...

— Parle pas de même, Évangéline. Le grand vaurien, comme tu dis, moé, je l'aime encore. C'est stupide, j'en suis ben consciente, pasqu'y le mérite pas, mais c'est comme ça. D'un autre côté, Maurice m'aime pas, pis je peux rien faire contre ça, Évangéline, rien en toute ! J'peux même pas y en vouloir.

— Pardon ?

— Oui, t'as ben entendu : j'y en veux pas.

— Mais faut qu'y prenne ses responsabilités, bâtard ! C'est là que le curé pourrait y faire entendre raison.

— Pis moé, je me retrouverais malheureuse ?

— Comment ça, malheureuse ? Tu viens de le dire que tu l'aimais !

— Ouais... Moé, Maurice, je l'aime pour de vrai, faudra jamais douter de ça, pis c'est pour cette raison-là si j'ai dit oui... Ça me faisait peur, mais en même temps, ça me tentait ben gros. Je sais pas si tu peux comprendre ce que j'essaye de dire, mais...

— Oh oui, que je te comprends !

— Tant mieux. Mais comme je viens de te le confier, si lui, y m'aime pas, ça serait ben malhabile de ma part de l'obliger à me marier. Que ça soye le curé ou ben moé qui y demande, ça changera rien à ses sentiments à lui, pis c'est là que je serais malheureuse pour le reste de ma vie, pasque lui, y serait pas ben là-dedans.

— Ben voyons donc, toé... T'es généreuse rare, ma p'tite sœur.

— Je vois pas ça comme de la générosité, Évangéline. Ben au contraire, c'est pasque je pense à moé pis à mon p'tit, si je parle de même. J'ai juste pas envie de brailler pour le reste de mes jours. C'est toute.

— Ben si c'est de même, c'est clair que tu changeras pas d'avis... On va prendre la semaine pour ben penser à notre affaire, pis dimanche, après la messe, on demandera à monsieur le curé quand c'est qu'y serait prêt à nous recevoir au presbytère... Par la suite, on verra ben ce que ça va donner, maudit verrat !

C'était sans compter les manigances de la grande Arthémise.

Le dimanche matin, quand elle aperçut Évangéline et Estelle se diriger vers la sacristie au lieu de se joindre à la foule des fidèles au sortir de l'église, elle devina aisément ce qui allait se dire entre le curé et les deux femmes. Elle connaissait trop bien l'opinion qu'Évangéline avait de la situation pour lui faire confiance et attendre calmement la suite des choses.

Or, pour Arthémise, il n'était pas question que le nom de son fils se fasse traîner dans la boue par celle qui, jusqu'à il n'y avait pas si longtemps de cela, se prétendait son amie.

— Peuh! Des amies de même, j'peux ben m'en passer, grommela-t-elle.

Arthémise fit donc signe à son mari de poursuivre son chemin, puis elle regarda autour d'elle. Un sourire de satisfaction traversa brièvement son visage, et sans hésiter, elle interpella Georgianna, qui passait à deux pas.

— Eh Georgianna! Comment allez-vous? Me semble que ça fait longtemps qu'on s'est pas vues!

— C'est vrai que ça fait un boutte! Mais vous savez ce que c'est, hein? Quand l'automne nous tombe dessus, on s'encabane vite chacun chez nous...

Et tout comme Arthémise l'avait fait avant elle, Georgianna se tourna vers son mari.

— Retourne à la maison, Armand. Pis amène donc Jules avec toé. J'en ai pour quèques menutes à jaser avec mon amie, pis je te rejoins tusuite après, pour le dîner.

Le temps que son mari s'éloigne, puis Georgianna se tourna vers Arthémise, qui s'empressa de lui adresser son plus beau sourire.

— Que c'est vous diriez d'un p'tit thé chez nous, demain après-midi?

— Je dirais pas non. Ça va me changer de mon ordinaire, pis je finirai mon lavage en rentrant.

— C'est ben ce que je me disais, moé avec. Simonac que c'est plate le lundi! Pis j'vas en profiter pour vous montrer un patron de chandail pas mal beau que j'ai trouvé dans une revue... Ah ben regarde-moé donc ça! Noëlla qui est là-bas.

Excusez-moé, Georgianna, mais j'vas aller l'inviter, elle avec... On se revoit demain, chez nous, vers deux heures. Ça va être ben agréable de jaser entre nous autres.

La teneur de cette réunion fut rapportée à Évangéline dès le mardi, en toute discrétion, dans la cuisine de Noëlla.

— La vlimeuse... C'était donc ça!

— Quoi?

— Quand chus sortie de l'église avec Estelle, dimanche, Arthémise m'a regardée de travers... Je sais ben qu'a' veut pus me parler, pis moé non plus, tant qu'à ça, mais quand même... Y avait un p'tit quèque chose de pas net dans ses yeux... Je comprends, astheure... Comme ça, c'était pour dénigrer mon Estelle, c'te réunion-là... Tu parles d'une langue de vipère...

— C'est aussi ce que j'ai pensé quand Arthémise nous a dit que ta sœur était juste une p'tite vicieuse, pis qu'y fallait surtout pas croire toute ce qu'a' l'allait nous raconter... Voir qu'Estelle est de même. Je peux-tu te dire que chus partie pas longtemps après, pis Angélique m'a suivie. Ça me tentait pas d'écouter la grande Arthémise déblatérer sur ta sœur comme ça... Voyons donc! Y a pas plus doux pis gentil qu'Estelle. Si ça se trouve, c'est son escogriffe de garçon qui... Pis j'aime mieux pus en parler.

Sur ces mots, Noëlla avala une longue gorgée de thé, avant d'ajouter:

— *Anyway...* Astheure, Arthémise sait de quel bord je penche, pis c'est tant mieux. Moé non plus, ça me tente pas plus qu'y faut d'y reparler... Pis, comment c'est qu'a' se porte, notre belle Estelle?

Ce fut ainsi que les femmes de L'Impasse furent divisées en deux clans, au grand déplaisir du curé Ferland.

— On est loin de la charité chrétienne, ici!

— Je comprends toute ça, monsieur le curé, tenta d'expliquer Évangéline. Mais que c'est vous voulez qu'on fasse, Estelle pis moé? Chus toujours ben pas pour la cacher dans le fond d'un garde-robe jusqu'au printemps!

— En effet... À moi de faire entendre raison à mes paroissiens.

Il y eut donc un sermon sur le pardon et la tolérance, mais sans grand succès.

Alors, d'un jour à l'autre, on se fit tranquillement à l'idée de devoir traverser la rue pour éviter d'avoir à se croiser. C'était à qui ferait bouger l'autre en premier.

Quand Évangéline entendait la voix criarde d'Arthémise, elle faisait le tour du bloc à pas lents, avant de se décider à entrer dans l'épicerie de Benjamin Perrette, pour ne pas avoir à la croiser, et Estelle en faisait autant.

Puis novembre fut là, avec sa pluie diluvienne et froide. Alors, chacun avait une bonne raison pour rester chez soi le plus souvent possible.

— Tu vas voir, Estelle, quand le printemps va revenir, le monde se rappellera même pus pourquoi y nous boudait... Ta grosse bedaine va faire fondre les réticences...

— C'est à souhaiter, Évangéline... En attendant, que c'est tu dirais que je fasse des carrés aux dattes? Me semble que ça serait bon.

Il y eut le soir où Évangéline parla de coudre une belle courtepointe à mettre dans le lit de bébé, et celui où elle ajouta qu'elle aimerait bien que ce soit une petite fille.

— Me semble que ça ferait du bien à Marcel d'être une sorte de grand frère, à son tour.

Puis, il y eut le soir où l'on frappa à leur porte, tuant tous les rêves et les espoirs.

— Veux-tu ben me dire, toé, murmura Évangéline, en levant la tête de sa couture.

Puis, elle demanda d'une voix forte:

— Attends-tu du monde, Estelle?

— Tu sais ben que non... Veux-tu que j'aille ouvrir?

— Envoye donc!

Dès qu'elle reconnut la voix de leur visiteuse, car c'était bien une femme qui avait frappé à sa porte, Évangéline eut le pressentiment que cette arrivée n'augurait rien de bon. Malgré tout, elle s'efforça d'afficher un petit sourire de bienvenue, et elle sortit de la salle de couture. Elle n'eut pas à marcher bien loin, car sa sœur Georgette avançait déjà dans le corridor. Dès qu'elle aperçut Évangéline, elle fonça vers elle.

— Veux-tu ben me dire comment c'est que tu t'es occupée de notre sœur, toé?

— Du mieux que j'ai pu, imagine-toé donc!

— T'as ben menti... Si t'avais vu à elle dans le sens du monde, Estelle serait pas en famille.

Évangéline accusa le coup, et à ces mots, elle se mit à blêmir. Les nouvelles avaient voyagé vite et loin.

— De quoi c'est que tu...

— Laisse-moé finir. Chus toujours ben pas venue depuis Québec pour perdre mon temps à écouter tes explications. De toute façon, y est trop tard pour expliquer quoi que ce soit, le mal est faite.

— Ça, c'est toé qui le dis... Icitte, vois-tu, on s'accommode de la situation, pis on se porte pas si mal que ça...

Restée dans le vestibule, Estelle écoutait la discussion, de grosses larmes inondant ses joues.

— Pis de quel droit tu rentres icitte, dans ma maison, poursuivit Évangéline, pour venir m'abîmer de bêtises, pis...

— Du droit que c'est notre père qui m'a demandé de venir te voir, interrompit Georgette qui, aux yeux d'Évangéline, semblait plus grande que jamais.

— Le père ?

— Ben oui, notre père. C'est pas pasque tu vas jamais les voir que les parents existent pus.

— Je le sais ben. Mais tu sauras que je leur écris de temps en temps pour leur donner des nouvelles, pis...

— Pis rien ! Des nouvelles, t'en donnes petête, mais tu les donnes pas toutes. Pis ça, imagine-toé donc que ça a choqué le père... Pour faire court, y m'a même téléphoné, tu sauras, pis y était dans tous ses états. Pour que notre père sorte ses cennes pour m'appeler chez nous, à Québec, depuis le presbytère de Saint-Eustache, c'est qu'y est ben gros choqué. C'est sa réputation à lui avec qui est mise en cause, tu sauras...

— Verrat, Georgette! Viens surtout pas me dire ça, à moé... D'habitude, le père, y s'en balance pas mal de ce que le monde dit ou pense... Pis toé, tu l'as écouté?

— C'est sûr, c'est mon père. J'ai du respect pour mes parents, moé... Astheure, tu vas dire à Estelle qu'a' doit faire son bagage pasqu'a' s'en vient à Québec avec moé.

— Comment ça à Québec? Que c'est que ça peut ben changer pour le père qu'Estelle soye icitte ou ben à Québec? Est ben à Montréal, Estelle. Pis c'est elle-même qui m'a dit qu'a' voulait rester chez nous.

— Ben c'est pas de même que le père voit ça. C'est lui en personne qui m'a demandé de venir chercher Estelle pour l'amener chez nous, pis c'est en plein ce que j'vas faire. Comme y m'a dit au téléphone: le plus loin de Saint-Eustache Estelle va être, pis le mieux y va se porter. Pis la mère avec, comme de raison. Ça a l'air qu'a' braille sans bon sens depuis qu'a' l'a appris que sa plus jeune fille avait fauté, pasque toé, pas plus fine, t'as pas su la surveiller. C'est juste pour savoir Estelle en sécurité si le père me demande de m'en occuper. Tu peux toujours ben pas reprocher à des parents de vouloir le bien de leur fille!

— Me semble que tu vas un peu vite en affaire, pis que c'est un peu gros à «envaler», ton histoire! Laisse-moé au moins la chance d'y parler, au père, pis on verra ce...

— Donne-toé pas c'te trouble-là, ma pauvre Évangéline, le père fait dire que pour astheure, ça y tente pas ben ben de te voir la face... Y dit avec qu'Estelle est encore mineure, que ça revient à lui de prendre les décisions pour elle, pis que c'est ben dommage, pasqu'on dirait ben que tu l'as oublié. Ça fait que grouille, pis dis à Estelle de se préparer, pasque si c'est pas toé qui y dis, j'ai ben l'impression qu'a' bougera pas... On part d'icitte dans une p'tite demi-heure... M'en vas aller prendre un café au coin de la rue, pis après, on va *caller* un taxi pour retourner à la gare. J'ai déjà les billets, ça fait que niaisez pas!

Sur ce, la grande Georgette quitta la maison, sans se soucier qu'elle avait laissé des traces mouillées partout sur le plancher verni du corridor.

Quelques instants plus tard, Estelle se préparait à quitter la maison d'Évangéline, pleurant toutes les larmes de son corps.

— Mais je comprends pas, Évangeline... Qui c'est qui a ben pu parler aux parents comme ça?

— J'ai pas de preuve de ça, comme de raison, mais je serais pas surprise pantoute que ça soye l'air bête à Arthémise... Avec tout le mal qu'a' dit de nous autres, ça serait son genre de faire ça... Pis en plus, a' savait qu'on venait de Saint-Eustache, pis des Bolduc, à Saint-Eustache, y en a pas des tonnes. Envoye, Estelle, prépare-toé !

— Mais j'veux pas partir !

Assise au pied de son lit, Estelle levait un regard implorant vers sa grande sœur.

— Pis moé non plus, j'ai pas pantoute envie que tu t'en ailles, que c'est tu vas penser là...

Évangéline était venue rejoindre Estelle, et elle passa un bras autour de ses épaules.

— Mais pour à soir, je pense qu'on aura pas vraiment le choix, expliqua-t-elle. Tu connais Georgette, non ?

— Ouais... Pis je l'aime pas tellement.

— Ben moé non plus, tu sauras... Maudit verrat que j'haïs ça, des affaires de même... Mais on a-tu le choix ? répéta Évangéline, visiblement dépassée par la situation. Je me dis que l'important, pour astheure, c'est de fermer la trappe à la grande Georgette, justement, pour qu'a' puisse aller raconter aux parents que toute est arrangé...

— Pis monsieur Albert, lui ? Y m'attend demain soir...

— Inquiète-toé pas pour ça. J'vas aller le voir demain matin... Pis pour le reste, crains pas, je te laisserai jamais tomber. On va attendre un peu que ça se tasse, pis j'vas toute faire ce qui est en mon pouvoir pour te ramener à Montréal. Bâtard que oui !

Pendant ce temps, Adrien et Marcel, l'oreille tendue, tentaient de comprendre ce qui se tramait chez eux. De toute évidence, la grande dame qui parlait fort n'avait pas l'air commode du tout, et il semblait bien que c'était elle qui menait tout le monde par le bout du nez. Même dans leur maison.

— M'man?

Évangéline sursauta. Ses deux garçons, le visage dans l'entrebâillement de la porte et les yeux grands comme des soucoupes, fixaient la valise ouverte sur le lit.

— Pourquoi la valise est ouverte, m'man?

— Pauvre Adrien! Tu dois ben te demander ce qui se passe... Allez dans votre chambre, les garçons. Ça sera pas long, j'vas venir vous retrouver dans quèques menutes, pis j'vas toute vous expliquer ça.

Un peu plus tard, ce fut ce qu'Évangéline tenta de faire, bien maladroitement.

— C'est à cause de votre grand-père Bolduc qui a voulu faire une surprise à matante Estelle. C'est lui qui a payé son billet de train pour qu'a' l'aille passer un p'tit bout de temps à Québec.

— Comme des vacances?

— Un peu, oui.

— Ah bon... Pourquoi d'abord a' l'avait pas l'air contente? Moi, quand je tombe en vacances, ça me fait pas pleurer.

— Ça devait être la surprise, je cré ben...

— Mais a' va revenir, hein, matante Estelle?

— Ben oui, mon beau Marcel. Y a pas de crainte à y avoir. Matante Estelle vous aime ben que trop pour s'en aller comme ça, sans vous autres... Pis a' m'a dit de vous donner chacun un beau bec de sa part... Astheure, au dodo. Y a de l'école demain, Adrien, pis toé, Marcel, tu vas m'aider à faire un gâteau au chocolat.

— Youpi !

Ce soir-là, pour la première fois depuis long-temps, Évangéline s'endormit en pleurant, la tête cachée sous l'oreiller. Elle implorait son Alphonse de lui venir en aide, parce que dans le fond, elle n'avait pas la moindre idée de ce qu'elle pourrait faire pour ramener sa petite sœur chez elle, et que cette situation la rendait profondément malheureuse.

Et il y avait aussi que si Estelle ne revenait pas, elle ne voyait pas du tout comment elle pourrait l'expliquer aux enfants.

CHAPITRE 12

« J'attendrai le jour et la nuit
J'attendrai toujours ton retour
J'attendrai car l'oiseau qui s'enfuit
Vient chercher l'oubli dans son nid »

J'attendrai (N. RASTELLI/D. OLIVIERI)
PAR TINO ROSSI, 1939

Décembre 1928, dans la chambre d'Adrien et de Marcel, quelques jours avant Noël

Assise à même le plancher, Évangéline s'était bien promis que ce soir-là, quand elle irait se coucher, elle aurait dit la vérité à ses deux fils. Du moins, une partie de la vérité, car elle ne se voyait pas en train de leur annoncer que leur tante attendait un bébé...

Cependant, ses réponses évasives concernant le retour d'Estelle se termineraient ce soir. Elles suscitaient trop d'espoir inutile et risquaient, en fin de compte, de créer de grandes déceptions. Puis, elle en avait assez de tergiverser sur le sujet. Elle y avait longuement réfléchi et elle estimait que oui, elle pouvait trouver les mots à dire, car, de toute évidence, Estelle ne reviendrait pas de sitôt.

En effet, les trois lettres qu'elle avait envoyées à Québec n'avaient trouvé aucun écho. Comme si Estelle ne les avait pas reçues... à moins qu'elle soit mieux à Québec et qu'elle ne sache comment le dire.

Cette désagréable perspective avait trotté dans la tête d'Évangéline durant quelques jours, puis la jeune femme l'avait définitivement écartée. Personne ne pouvait aimer vivre en compagnie de la grande Georgette, c'était un non-sens!

Alors, pour en avoir le cœur net, Évangéline avait réussi à obtenir le numéro de téléphone de Georgette. Puis, prenant son courage à deux mains, elle avait appelé à Québec.

Georgette lui avait raccroché la ligne au nez.

Si Évangéline avait besoin d'une preuve qu'Estelle n'y était pour rien dans ce silence persistant, elle venait de l'avoir. À elle, maintenant, de faire comprendre à ses garçons que le retour d'Estelle n'était pas pour demain. Elle se disait qu'avec la perspective de Noël qui aurait lieu dans quelques jours à peine, la pilule serait plus facile à avaler. Quant à elle, Évangéline s'était faite à l'idée qu'Estelle aurait probablement son bébé à Québec et qu'elle lui reviendrait par la suite.

Après tout, sa petite sœur finirait bien par avoir vingt et un ans un jour, n'est-ce pas?

Et Georgette, aussi désagréable soit-elle, n'était tout de même pas un gardien de prison.

— Comme ça, matante est partie pour de bon...

Il y avait une infinie tristesse dans la voix d'Adrien, qui fixait sa mère avec intensité.

— C'est pas ce que j'ai dit, Adrien. J'ai dit que le voyage à matante allait être un peu plus long que prévu.

— Ouais... Pour moé, ça revient au même, déclara le garçon d'une voix chagrine.

Et il y eut encore plus de tristesse dans la petite voix de Marcel quand il demanda :

— Pourquoi, moman, matante est partie ?

— Elle avait pas le choix, mon beau Marcel.

— J'veux pas, bon !

À ces mots, Évangéline ébouriffa les boucles blondes de son petit garçon pour le réconforter.

— Moé avec, mon beau garçon, je trouve ça ben dur. On s'entendait ben, elle pis moé... Mais c'est ça qui est ça, pis on peut rien y changer pour astheure, quand ben même on le voudrait très fort.

Puis, se disant qu'un petit mensonge aiderait peut-être à arrondir les angles, elle ajouta :

— Matante fait quand même dire qu'a' vous aime ben gros pis qu'a' l'a hâte de revenir.

— Pourquoi, d'abord qu'a' revient pas tusuite ?

— Je pense qu'a' s'est trouvé un travail ben payant du côté de Québec. A' dit que ça va y donner la chance de mettre un peu d'argent de côté pour vous gâter, Adrien pis toé.

— J'veux pas être gâté, j'veux juste que matante soye là !

— Ça va venir, mon garçon. Inquiète-toé pas. Je dirais que ça va être comme pour l'école : y va falloir attendre encore un peu.

— Ouais... Ça va être long, d'abord... Mais après, j'veux que matante Estelle reste chez nous pour toujours.

— Moé avec, mon garçon, c'est ce que j'veux de tout mon cœur. Pis c'est ce qui va se passer, maudit verrat ! En hiver, improvisa alors Évangéline, c'est difficile de voyager. Mais au printemps, par exemple, matante Estelle va avoir plein de sous, pis a' va pouvoir nous revenir en train sans problème... En attendant, que c'est tu dirais de faire des beaux dessins pour elle ?

— J'aime pas trop ça dessiner, moman. C'est juste avec matante que j'aime faire des dessins.

— Je le sais ben, mon Marcel, mais si je te dis que c'est matante qui me l'a demandé ? Moman va les mettre sur le mur dans sa chambre, pis quand a' va revenir, matante Estelle va être ben contente.

Marcel haussa alors les épaules, puis il se releva.

— Ouais, j'vas le faire. Promis ! Mais pas tusuite...

Si Évangéline avait su que cette histoire de dessin la blesserait d'un autre coup au cœur, jamais elle n'en aurait parlé. Mais c'est bien à cause de son insistance, parce qu'elle avait beaucoup d'ouvrage et qu'elle voulait avoir la paix, comme elle le clamait sur tous les tons, si par une froide matinée de janvier, Marcel se décida enfin à sortir la boîte de crayons de cire.

Évangéline l'installa donc confortablement sur la table de cuisine, avec un grand verre d'eau s'il avait soif, deux biscuits s'il avait faim, et une pile impressionnante de papier brouillon à sa disposition.

— Astheure, mon Marcel, ça serait gentil en verrat que tu me laisses travailler tranquille, sans venir me bâdrer aux cinq menutes.

Puis, elle se retira dans la salle de couture.

Ce fut au moment où Évangéline décida d'aller préparer le dîner qu'elle prit conscience à quel point son fils avait été sage, pour une fois. Elle se dirigea donc vers la cuisine avec l'intention de le féliciter et de lui promettre une promenade au parc, même s'il faisait plutôt froid. Elle en profiterait pour passer à l'épicerie afin d'acheter du baloney.

Et si Marcel s'était mis à aimer le dessin, elle pourrait peut-être lui acheter des beaux cahiers comme ceux d'Adrien?

Quand Marcel entendit sa mère entrer dans la cuisine, il leva vers elle son merveilleux sourire. Sur la table, il y avait une impressionnante collection de dessins plus ou moins réussis et, dans ses mains, il tenait une feuille bariolée de toutes les couleurs.

— Regardez, moman, ce dessin-là, c'est pour vous!

— Ah ouais? Montre-moé donc ça, pour voir!

Marcel tendit la feuille, visiblement très fier de lui, tandis qu'Évangéline s'approchait de la table.

Ce fut quand elle reconnut le papier que le cœur de la jeune femme battit un grand coup douloureux. De ceux qui disent la surprise, le désespoir et l'impossibilité de retour en arrière. Comme si le temps s'était arrêté une fraction de seconde.

— Veux-tu ben me dire...

Le dessin que Marcel lui tendait, c'était le portrait qu'Alphonse avait fait d'elle.

— J'ai mis plein de couleurs, pasque matante Estelle dit souvent que les dessins sont toujours plus beaux avec plein de couleurs... Vous êtes-tu contente, moman?

La claque reçue derrière la tête fut d'autant plus douloureuse que Marcel ne s'y attendait pas du tout. Il était si fier de lui! Surpris, il en eut aussitôt les yeux pleins d'eau.

— Vous êtes pas contente?

Évangéline n'écoutait pas. Tout ce qu'elle ressentait présentement, c'était la douleur d'un autre deuil dans sa vie. Ce cadeau d'Alphonse était aussi précieux pour elle que l'alliance en argent qu'il avait glissée à son doigt le jour de leur mariage.

Machinalement, Évangéline porta la main à son annulaire et y tourna le jonc. Elle avait dû maigrir récemment, car il lui sembla un peu grand. Puis, elle ramena les yeux sur la pitoyable image d'elle-même, toute bariolée de jaune, de bleu et de rouge.

— Viarge que tu peux être un maudit innocent, des fois, Marcel!

Évangéline se tut brusquement et mit aussitôt la main sur sa bouche.

— Ma grand foi du Bon Dieu, me v'là rendue à blasphémer comme un homme... J'ai dit viarge!

Évangéline ne savait plus si elle devait rire ou pleurer. Et Marcel qui continuait de la dévisager, les yeux brillants de larmes.

— Mais c'est vrai qu'icitte, par la force des choses, c'est moé le père pis la mère, souligna alors Évangéline, comme si elle avait besoin d'une excuse pour justifier son gros mot.

— Viarge, répéta-t-elle. Ça se dit ben. Pis ça sort tout seul.

Ensuite, par réflexe, elle leva les yeux au plafond, tandis que Marcel n'osait plus bouger. En fait, il ne comprenait pas grand-chose à la situation, sinon que sa mère était vraiment fâchée parce que ça lui avait valu encore une fois une taloche en arrière de la tête, alors qu'il pensait lui faire un si grand plaisir. Pourtant, en ce moment, elle avait un drôle de sourire sur le visage. C'était à n'y rien comprendre.

— Coudonc Alphonse? demanda alors Évangéline à mi-voix, les yeux toujours au plafond. Ça serait-tu toé qui m'aurait envoyé ça, c'te gros mot-là? C'est ben maudit, mais y me semble que ça m'a fait du bien...

Sur ce, Évangéline ramena les yeux sur Marcel, et d'un index autoritaire, elle lui indiqua la porte donnant sur le corridor.

— Va réfléchir dans ta chambre, Marcel. J'sais pas trop c'que t'as dans la tête, toé, mais bâtard que c'est pas toujours des bonnes idées... T'as-tu vu de quoi j'ai l'air sur le beau dessin que ton père avait faite? Tu sauras que tu m'as faite ben gros de la peine en gâchant le dessin de ton père... Ouais, de la ben grosse peine.

— Mais matante Estelle, a' dit que...

— Lâche-moé le matante Estelle, à matin! A' t'a sûrement pas dit de gâcher les dessins des autres. Contente-toé, mon garçon, de gâcher les tiens. Astheure, file dans ta chambre pasque j'ai la main qui me démange encore... J'veux pas te revoir la face avant qu'Adrien soye revenu de l'école. M'as-tu ben compris?

— Ouais, j'ai compris.

Il n'y eut pas de promenade au parc au cours de l'après-midi ni de baloney pour le souper. Et ce soir-là, avant d'aller au lit, Évangéline mit un disque sur le gramophone avant de prendre le cadre en bois travaillé par son mari, et que Marcel avait abandonné sur le piano. Du bout des doigts, elle suivit le contour des fleurs qu'Alphonse avait gravées, se l'imaginant travailler dans le secret de son atelier, à la cave, simplement pour lui faire plaisir. Puis, elle glissa sous la vitre la seule photo qu'elle avait de son mariage: au bras de son Alphonse tout jeune et tout souriant, elle était resplendissante.

Que d'espoir et d'amour dans ces deux regards clairs qui se posaient sur l'avenir!

Ensuite, Évangéline rangea soigneusement le disque de La Bolduc, puis elle se rendit à sa chambre pour se coucher, ce qu'elle fit encore une fois en pleurant.

Mais ce soir-là, c'étaient tous les deuils qui avaient traversé sa vie qu'elle pleurait.

Il y eut d'abord la mort de ses deux petites filles, puis celle de son mari. Ensuite, il y eut le départ d'Estelle, qui fit couler ses larmes. Que se passait-il pour que sa sœur ne donne aucun signe de vie de la sorte? Et pour finir, il y avait le plus beau souvenir que lui avait laissé Alphonse qui venait de disparaître sous les coups de crayons maladroits de son plus jeune. Bien sûr, Évangéline comprenait qu'il n'y avait aucune malice dans le geste, mais le désastre n'en était pas moindre, et elle ne pouvait s'empêcher de ressentir une grande rancune envers Marcel qui, malgré son intelligence, agissait trop souvent, hélas! sans réfléchir.

La vie s'arrêterait-elle un jour de s'acharner sur elle ainsi?

Évangéline poussa un long soupir tout tremblant des larmes qu'elle tentait maintenant de retenir.

Oui, il faudrait bien que la vie se montre un peu plus clémente, car elle se sentait épuisée. Sans Estelle à la maison, c'était non seulement moins joyeux, mais aussi beaucoup plus éreintant.

La jeune femme finit par s'endormir en se disant que, bientôt, elle irait faire un tour au presbytère. Avec Noëlla et Angélique, qui ne l'avaient jamais laissée tomber, le curé Marcellin Ferland était devenu à son tour un bon ami, et ses conseils l'aidaient parfois à retrouver le courage de continuer.

PARTIE 4

1939-1943

CHAPITRE 13

« C'est si bon
De partir n'importe où
Bras dessus bras dessous
En chantant des chansons
C'est si bon
De se dire des mots doux
Des petits riens du tout
Mais qui en disent long »

C'est si bon (A. Hornez/E. Betti Ange)
Par Louis Armstrong en 1950, et plusieurs
autres, dont Yves Montand

Juillet 1939, dans le salon d'Évangéline, près de la fenêtre donnant sur la rue, par une superbe journée d'été

De temps en temps, Évangéline aimait bien mettre un peu de musique autre que celle offerte par le poste de radio qui trônait sur la table de la cuisine, depuis plusieurs années déjà. Ce gros appareil en bois verni avait été un cadeau de son fils Adrien. Le premier qu'il lui ait offert, d'ailleurs, quand il n'avait pas tout à fait quinze ans. Il avait passé tout un été à faire des livraisons à bicyclette pour Benjamin Perrette, afin de ramasser un peu d'argent. Il en avait gardé une belle part pour lui, certes, mais il avait aussi voulu gâter sa mère.

— Pasque je sais que vous aimez ben ça, la musique, avait-il expliqué, visiblement très fier de lui. Joyeux Noël m'man!

Depuis la mort de son mari, c'était le premier cadeau d'importance qu'on lui offrait, et la jeune femme en avait eu les larmes aux yeux.

À partir de ce jour-là, la première chose qu'Évangéline faisait en se levant le matin, c'était d'allumer sa radio pour entendre les nouvelles, puis, tout au long de la journée, elle la laissait fonctionner en sourdine, disant que les voix entendues créaient un peu de compagnie dans la maison.

— Et tant pis si les lampes finissent par brûler, on les remplacera!

Toutefois, aujourd'hui, elle avait plutôt envie de musique enlevante, sans interruption de l'annonceur. Elle avait donc baissé le son de la radio et elle était venue dans le salon.

Il faisait particulièrement beau, et elle était heureuse d'avoir un peu de temps libre devant elle pour savourer ce qu'elle appelait « ses petits moments de fierté ».

En effet, Évangéline venait de livrer une superbe robe de mariée, et la cliente, débordant d'enthousiasme devant le résultat obtenu, lui avait laissé un généreux pourboire pour la remercier.

— Ma fille a l'air d'une princesse dans cette merveilleuse robe. Merci, madame Lacaille, vous avez des doigts de fée! Comptez sur moi pour vous faire de la publicité!

Alors, en ce moment, la musique de Tommy Dorsey soutenait la réflexion d'Évangéline, souvent la même lorsqu'elle était particulièrement heureuse, et avec plaisir, elle s'était tournée vers son passé, à cette époque où Alphonse et elle mordaient dans la vie à belles dents.

— Bâtard que j'ai été heureuse avec lui, murmura Évangéline, tout en battant du bout du pied la mesure de *Boogie Woogie,* un disque assez récent qu'elle venait de se procurer chez Eaton. Ouais, c'est ben dommage que mon homme aye pas eu le temps de partir sa *shop* de meubles, pasque je pense qu'on aurait été encore plus heureux, lui pis moé...

Sur ce, Évangéline esquissa une moue.

— Du moins, lui, y aurait été plus heureux, pasque moé, j'en avais pas besoin. Cher Alphonse! Y en rêvait tellement, de c'te compagnie-là... Ouais, chus sûre que ça aurait ben marché, son affaire. Y était tellement bon, mon mari, dans le travail du bois.

Mais comme nécessité fait loi, à la place d'un atelier d'ébénisterie appartenant à son Alphonse, c'était elle qui avait, aujourd'hui, un atelier de confection renommé, et cela lui permettait de vivre dans une belle aisance financière. Oh! Le pain ne lui était pas tombé dans le bec tout droit du ciel, comme elle se plaisait à le répéter parfois au curé Ferland, mais à force de persévérance et de travail minutieux, elle pouvait se vanter d'avoir une belle clientèle qui lui était fidèle, de mère en fille.

— Pis ça, monsieur le curé, c'est un peu grâce à vous, qui avez eu l'idée de me dire de relancer les clients de mon mari! J'oublierai jamais c'te jour-là, vous saurez. Jamais! Vous vous en doutiez petête pas, mais vous m'avez vraiment sauvé la vie!

— Madame Lacaille! Quand même, vous exagérez un peu...

Évangéline Lacaille était bien la seule personne parmi ses paroissiens à réussir à faire rougir le prêtre, avec son franc-parler et ses remarques directes et pertinentes qu'elle lançait sans le moindre filtre.

Il n'en restait pas moins que les deux fils d'Évangéline n'avaient jamais manqué de rien, comme elle se l'était juré au décès de son Alphonse, et dans moins de deux ans, elle ne devrait plus un sou à la banque.

La grande maison grise au fond de la rue cul-de-sac, toujours la plus belle du quartier, selon Évangéline, serait désormais bien à elle. Et le jour où elle aurait en main la quittance de la banque disant qu'elle ne lui devait plus rien, elle irait fêter l'événement au casse-croûte de monsieur Albert avec ses deux fils. Elle le leur avait promis.

— Pis pas seulement pour un *sundae* ou des patates frites, bâtard! C'te jour-là, on va manger tout un repas... Au diable la dépense!

Au fil des ans, Évangéline avait entretenu sa maison soigneusement. D'abord parce que c'était là ce que son mari aurait fait, et ensuite parce qu'elle l'avait promis au directeur de la banque. Orgueilleuse comme dix, il n'était pas question pour Évangéline d'être prise en défaut. Au final, près de vingt ans après sa construction, le lourd bâtiment de pierre était encore comme neuf, ce qui aurait assurément plu à son Alphonse, s'il avait été encore de ce monde, et ce qui faisait en même temps la fierté d'Évangéline.

— Pis dire qu'y en a qui pensaient que je serais pas capable de garder la maison !

Et si comme cela ne lui suffisait pas, dans quelques années, Évangéline aurait aussi mis de côté suffisamment d'argent pour avoir droit à une retraite bien méritée.

— En autant qu'un des garçons reprenne la maison à son tour, comme de raison, murmura-t-elle. Ouais, si y en a un qui se marie pis qui s'installe icitte, ça serait vraiment parfait pour moé. Y pourrait voir à l'entretien, y paierait pour l'épicerie, pis moé, je le logerais gratis. Avec les deux appartements en location pis ma petite cagnotte, ça me suffirait pour vivre durant ben des années...

Cependant, lorsqu'Évangéline pensait à l'un de ses garçons, c'était toujours Adrien qu'elle voyait s'installer avec elle. Il occuperait, avec une éventuelle épouse, la chambre principale, qu'elle lui céderait avec plaisir. Et si Évangéline le voyait ainsi prendre sa place, ce n'était pas uniquement parce qu'Adrien était l'aîné, mais surtout parce qu'il était celui de ses garçons avec qui elle s'entendait le mieux.

Plus le temps passait, et plus cette façon d'entrevoir l'avenir se confirmait, car Marcel restait toujours aussi désagréable.

— C'est pas des maudites farces, mon plus jeune est juste pas parlable! argumenta-t-elle à haute voix, comme si elle avait besoin de le faire pour se donner bonne conscience. C'est comme rien qu'y trouvera pas chaussure à son pied, pis qu'y va rester vieux garçon. Bâtard! Qui c'est qui voudrait d'un chialeux comme lui? Si c'est le cas, pis que Marcel se retrouve tout seul dans la vie, ben, y aura pas besoin de la maison. Ça règle le problème. Tandis qu'Adrien, lui...

Un sourire retroussa le coin de sa bouche, comme si Évangéline n'avait plus le temps ni l'envie de faire de larges sourires.

— Mon grand gars m'annoncerait dans pas longtemps qu'y pense à se marier que je serais pas surprise, pis ça me ferait ben plaisir, ajouta-t-elle à mi-voix... C'est tellement plus facile de s'entendre avec Adrien. Y est toujours de bonne humeur, pis toujours content de toute. Pis c'est un verrat de bel homme! Comme son père... Je dis pas ça pour le favoriser par rapport à son frère, ben non, c'est juste un fait facile à voir... J'ai vraiment deux beaux garçons, mais viarge que Marcel est difficile à endurer! Pis c'est pas faute d'avoir essayé d'y faire entendre raison. C'est pas mêlant, y a pas plus ostineux que lui dans tout le quartier, pis on sait jamais par quel boutte le prendre pour pas froisser monsieur... Le pire dans tout ça, c'est qu'y a pas encore seize ans, maudit verrat! Que c'est ça va être quand y va vieillir?

Sur ces mots, Évangéline s'étira longuement. À force de toujours travailler assise devant sa machine à coudre, elle avait souvent mal au dos. Elle fit donc rouler ses épaules, craquer les jointures de ses doigts, puis elle se leva.

— Mais Dieu merci, chus pas encore rendue à marier mes garçons, lança-t-elle en se dirigeant vers son gramophone pour retirer le disque du plateau et le ranger soigneusement avec sa collection, qui occupait une bonne partie de la tablette du buffet de la salle à manger. Marcel, y est encore trop jeune, pis Adrien a même pas de blonde *steady*.

Évangéline jeta un regard à la ronde, apprécia ce qu'elle vit parce qu'au fil des années, elle avait réussi à bien décorer le salon, puis elle tourna les talons.

— Astheure, le souper! Pis à soir, après avoir fini de manger, si ça me tente encore pis que chus pas trop fatiguée, j'irai prendre une marche du bord de chez Noëlla pour voir ce qu'a' devient. Ça doit ben faire un bon cinq jours qu'on s'est pas parlées, elle pis moé... M'en vas l'inviter à venir manger un cornet de crème à glace, tiens! Ça serait bon en verrat, avec la chaleur qu'y fait.

Sur ce, elle entra dans la cuisine, comme elle le faisait tous les jours vers quatre heures.

* * *

Depuis le départ de sa sœur Estelle pour Québec, il y avait de cela plus de dix ans maintenant, Évangéline n'avait plus jamais tenté de modifier son destin de quelque façon que ce soit ni entretenu le moindre espoir de changement, d'ailleurs! Elle s'était donc créé une routine à sa convenance, ponctuée de petits plaisirs ou de petites douceurs, et elle avait appris à s'en contenter. Elle avait surtout travaillé jour et nuit, quand il le fallait, pour arriver à s'en sortir le mieux possible. Elle n'avait pas eu le choix, puisqu'elle ne pouvait compter sur personne pour lui tenir compagnie ou pour l'aider aux tâches ménagères. Elle n'avait gardé qu'Angélique et Noëlla comme amies, prenait plaisir à discuter avec le curé Ferland et assistait à l'occasion aux rencontres des Dames de Sainte Anne, quand Noëlla se faisait insistante.

— Bonté divine, Évangéline! Sors un peu de ta caverne. On dirait un ours, par bouttes!

Ce fut ainsi qu'Évangéline avait réussi à traverser le temps, et le but qu'elle s'était fixé était maintenant presque atteint!

Néanmoins, elle avait longtemps regretté la présence d'Estelle qui, de son côté, n'avait jamais envoyé la moindre lettre, ni appelé pour donner de ses nouvelles. En fait, Évangéline ne savait même pas si sa petite sœur avait eu un garçon ou une fille. Déçue, attristée, elle s'était donc lassée d'attendre en vain, et elle avait chassé l'image de sa sœur de ses pensées. Tout comme elle l'avait fait avec ses parents, d'ailleurs, le soir où la grande Georgette avait fait irruption dans sa vie, emportant avec Estelle les fragiles espoirs qu'Évangéline avait entretenus face à un probable avenir en compagnie de sa jeune sœur.

Et les parents Bolduc non plus n'avaient jamais donné signe de vie.

Alors, un peu à cause de tout cela, s'il y avait quelqu'un en ce bas monde qu'Évangéline détestait, c'était bien la grande Georgette... et son ancienne amie Arthémise qui, elle n'en doutait pas un seul instant, avait été l'instigatrice du départ d'Estelle pour Québec, avec ses médisances lancées à tout vent.

Quand leur curé avait publié les bans du mariage de Maurice Gariépy avec une jeune fille au prénom anglais qu'Évangéline ne s'était pas efforcée de retenir, elle en avait littéralement grincé des dents, et, dans le secret de son cœur, elle lui avait sou-haité tout le malheur du monde... sans ressentir la moindre envie de s'en confesser.

Et de voir Arthémise changer de quartier quelques mois plus tard avait été pour elle un réel soulagement. Comme elle l'avait alors dit à Noëlla, le jour où le camion de déménagement s'était pointé sur leur rue :

— Cré maudit ! Me semble que l'air est déjà plus respirable... Tu trouves pas toé ?

— T'exagères quand même un peu. C'est à peine si on la croise de temps en temps.

— Tu penseras ben ce que tu veux, Noëlla Pronovost, mais pour moé, c'est juste un bon débarras de la voir s'en aller... Pis pour filer vite de même, c'est clair que la grande Arthémise a pas l'esprit en paix. Viarge! On est même pas rendus au mois de mai. Ouais, je l'ai toujours dit: avec les femmes trop grandes, faut toujours se méfier de quèque chose, maudit bâtard, pis j'en ai eu la preuve deux fois plutôt qu'une... Astheure, Noëlla, que c'est tu dirais d'un bon casseau de frites chez Albert pour fêter ça? Pis c'est moé qui t'invite!

La nourriture avait toujours été au centre de la vie d'Évangéline, mais depuis qu'elle s'était retrouvée seule, sans mari et sans Estelle, l'obligation de manger était devenue essentielle au-delà des mots pour l'expliquer. Bien sûr, même quand elle était encore toute jeune et qu'elle devait aider sa mère à la maison de Saint-Eustache, les repas revêtaient déjà une grande importance à ses yeux, car sa mère disait qu'il en était ainsi dans toutes les familles. Puis, à la suite de son mariage avec Alphonse, Évangéline avait connu le plaisir qu'il y avait à planifier et à préparer les repas pour ceux qu'on aime. Tout comme elle prenait plaisir à cultiver son potager et à voir à la préparation des réserves et de quelques conserves. Depuis ces dernières années, elle y consacrait une belle part de son temps libre, alors que pour d'autres femmes, les repas étaient une véritable corvée. Mais pas pour Évangéline. En guise de gâterie, elle s'était même acheté, quelques années auparavant, le livre de recettes des Sœurs de la Congrégation.

— Pour me donner des idées neuves, comme elle l'avait alors expliqué à ses fils. Avec c'te livre-là, les garçons, on va pouvoir changer notre ordinaire en bons repas soignés. Comme si on allait au restaurant !

Et pour une fois, c'était Marcel qui s'était montré le plus intéressé. Tout comme sa mère, la gourmandise faisait partie de ce qu'il était depuis sa naissance.

— Marcel ? Y est né pour manger, disait parfois Évangéline. Ça fait plaisir à voir, pis moé, ça m'inspire pour me dépasser.

Alors, oui, elle s'était souvent dépassée, la belle Évangéline ! À un point tel que sa taille fine n'était plus aujourd'hui qu'un vague souvenir. Mais pour elle, ça n'avait aucune importance. Comme elle se le répétait souvent en son for intérieur : son avenir était derrière elle, et il fallait bien garder quelques menus plaisirs pour agrémenter une vie de labeur comme la sienne. Il y avait la musique, certes, mais la nourriture aussi savait la satisfaire à bien des égards. De toute façon, elle aimait cuisiner, c'était sa détente après de longues heures à coudre, penchée sur sa machine, et comme elle détestait le moindre gaspillage, il arrivait souvent qu'elle vide les plats, plutôt que de voir de la nourriture se retrouver aux ordures.

— Bâtard ! Faut ben que quèqu'un les mange, ces bons repas-là !

Puis, quand elle essayait de nouvelles recettes, ça lui faisait un sujet de discussion avec Marcel.

Toutefois, partager les plaisirs de la table avec son plus jeune était bien le seul bon côté qu'elle trouvait à devoir vivre au quotidien avec cet enfant bougonneux. Il était vrai, cependant, qu'une fois les repas écartés, Marcel n'aimait pas grand-chose dans la vie, et que les sujets de discussion étaient vite épuisés avec lui.

En premier lieu, Marcel détestait l'école et tout ce qui s'y rattachait, et ce, depuis le tout premier jour, donnant ainsi raison aux intuitions de sa mère. Durant de longues années, elle avait dû se battre avec lui pour qu'il fasse ses devoirs et apprenne ses leçons. Malgré cela, les résultats frôlaient souvent la catastrophe.

— Toé, Adrien, tu pourrais pas l'aider un peu? avait-elle un jour demandé à son aîné. Moé, j'sais pus quoi faire avec lui!

Adrien avait accepté à contrecœur, mais les leçons particulières n'avaient rien changé, sinon que les deux frères avaient un nouveau sujet de discorde. Au bout de quelques mois, Adrien avait laissé tomber le soutien offert à son frère, avec l'accord de sa mère, qui n'en pouvait plus de les entendre se chamailler pour des points et des virgules, et pour quelques chiffres.

— C'est ben de valeur, mon Marcel, avait-elle cependant souligné, mais t'es pas en train de te préparer un bel avenir, en boudant l'école comme tu le fais. Pourtant, maudit verrat, t'aurais toute ce qu'y faut pour ben réussir, mon pauvre garçon! T'es aussi intelligent que ton frère! Mais t'es paresseux comme dix!

À ces mots, Marcel avait réagi comme si sa mère l'avait piqué avec l'une de ses nombreuses épingles. Il l'avait alors fustigée du regard.

— Comment ça, paresseux? C'est pas vrai, ce que vous dites là. Chus pas paresseux, la mère. Pas pantoute. Quand vous me demandez de quoi, je le fais. Que ça soye des réparations sur la maison, de la peinture sur les galeries, ou ben sarcler votre potager, j'ai jamais refusé de vous aider. Jamais! Pis ça, c'est ben pasque chus d'accord avec vous qu'une maison, faut en prendre soin. Ça fait qu'arrêtez de dire que je fais rien. Mais l'école, par exemple, c'est pas pantoute pareil! J'haïs ça. Que c'est que vous voulez que je dise de plus pour vous l'expliquer? J'ai l'impression que je perds mon temps... Ça me donne quoi d'apprendre que Christophe Colomb ou ben Jacques Cartier, je me rappelle pus trop, a découvert l'Amérique? C'est pas ça qui va me donner une *job* plus tard.

— Ben voyons donc, toé! Ça te donnera petête pas une *job*, c'est vrai, mais me semble que c'est ben intéressant d'apprendre des choses nouvelles, non?

— Pour d'aucuns petête, mais pas pour moé... Ça fait que perdez donc pas votre temps à essayer de me convaincre, c'est pas vous qui allez me faire changer d'idée. Si je peux finir par avoir seize ans, je lâche toute, pis je me trouve une *job*, maudit calvaire!

— Marcel ! Que c'est j'ai déjà dit à propos des gros mots ?

— Je le sais, vous aimez pas ça. Mais c'est comme plus fort que moé, pis des fois, ça sort tout seul.

— Ouais, mettons... Mais pour en revenir à tes études, mon gars, tu sauras que tant que tu vas vivre sous mon toit, pis que tu seras pas majeur, c'est moi qui décide.

— On verra ben !

Ils n'en avaient jamais reparlé. Pourtant, Marcel aurait seize ans le mois suivant, et le fait qu'il ne se soit même pas trouvé de travail pour l'été laissait entendre qu'il retournerait à l'école en septembre, sans la moindre discussion. Du moins, était-ce là ce qu'Évangéline souhaitait ardemment, car ses prises de bec avec Marcel la laissaient chaque fois épuisée.

D'un autre côté, Marcel se passionnait toujours autant pour le hockey. Dans ce domaine-là, sa ferveur n'avait jamais baissé. Toutefois, il refusait systématiquement d'y jouer avec ses amis. En fait, c'étaient plutôt les amis de Marcel qui ne pratiquaient aucun sport, et comme l'avait déjà dit Évangéline à son amie Noëlla, elle avait souvent l'impression que ces derniers déteignaient sur son garçon.

— Y a surtout le sapré Jean-Louis qui a ben de l'influence sur Marcel. C'est pas des maudites farces, c'est depuis sa première année d'école que mon garçon parle de lui avec ben de l'enthousiasme, pis qu'y suit l'autre comme un p'tit chien de poche.

Demande-moé pas pourquoi, par exemple, je serais ben en peine de te le dire.

— Le Jean-Louis, y doit ben avoir une couple de belles qualités, non?

— Du temps qu'y venait chez nous régulièrement, j'y en ai pas vu... Non, si tu veux mon avis, y est ben drabe, c'te p'tit gars-là, comme ben délavé, pis je l'aime pas pantoute. C'est de valeur à dire, mais ça m'énerve juste d'entendre son nom!

— Ben voyons donc, Évangéline!

— C'est comme je te dis: moé, du monde avec un regard fuyant, chus pas capable! Ça fait que depuis un boutte, j'ai dit à Marcel que je voulais pus y voir la face chez nous. Y a toujours ben des saintes limites à endurer quèqu'un qui te tape sur les nerfs, pis dans ta propre maison, par-dessus le marché!

Et c'était encore à ce Jean-Louis qu'Évangéline pensait, alors qu'elle se dirigeait vers la cuisine pour préparer le repas. En effet, ce matin, Marcel était parti en disant qu'il rejoignait son ami Jean-Louis au parc, et comme cela se répétait jour après jour depuis plus d'une semaine, Évangéline s'était permis d'intervenir.

— Bâtard, Marcel! Ça a pas d'allure, ton affaire... Vous êtes pas tannés de vous voir la face à tous les jours que le Bon Dieu amène?

— Pantoute!

— Pis que c'est vous comptez faire de votre journée?

Pour une fois, Évangéline s'était levée de bonne humeur, car en après-midi, elle livrait une robe de mariée qu'elle avait particulièrement bien réussie. Alors, pour une fois, elle avait tenté de se montrer agréable avec Marcel.

— Pis, Marcel, que c'est t'attends pour me répondre? Que c'est tu vas faire de ta journée, mon garçon?

Marcel avait haussé les épaules avec désinvolture.

— On le sait pas trop encore... On verra ben. Jean-Louis a souvent des bonnes idées pour passer le temps.

Le simple fait d'entendre le nom de cet ami indésirable, et deux fois dans une même conversation, avait amplement suffi à gâcher la bonne humeur d'Évangéline.

— Ouais, j'ai ben vu ça, depuis le début de l'été, avait-elle alors lancé sur un ton grinçant. On dirait que c'est toujours lui qui décide de toute. Maudit bâtard, y a l'air de vous mener par le bout du nez. Ça m'énerve en verrat, tu sauras!

— Bon! Que c'est qu'y a encore qui fait pas votre affaire?

— Pasque tu veux vraiment que je te le dise?

— Ouais. Ça va petête m'expliquer pourquoi vous êtes tout le temps sur mon dos, calvaire!

À ce mot, Évangéline avait soupiré d'impatience, puis elle avait planté son regard dans celui de Marcel.

— C'est juste que le mois de juillet est en train de passer, pis t'as même pas essayé de te trouver une *job*.

— Encore ça ? On dirait ben qu'y va falloir que je vous le répète... Maudite perte de temps, ouais... Chus jeune encore, la mère, c'est vous-même qui arrêtez pas de le radoter quand je dis que j'veux lâcher l'école... Ça fait que j'ai envie de m'amuser un peu... De toute façon, j'ai ben le droit de voir mes amis quand ça me tente.

— L'un empêche pas l'autre, maudit verrat ! Tu pourrais travailler le jour pis voir tes amis le soir... Je te ferais remarquer que ton frère Adrien lui, y s'est trouvé de l'ouvrage aux Shops Angus, même si c'était pas son premier choix, pis...

— Ben voyons donc, la mère ! Adrien a vingt ans, lui. C'est juste normal qu'y travaille à temps plein, astheure. Pas moé !

— Je t'ai-tu demandé de travailler à plein temps ? Mais tu pourrais essayer de te trouver une jobine, par exemple, pis je démordrai pas de ça, Marcel. Moé, des grandes jeunesses en santé qui passent leur temps à flâner, ça m'enrage ! Pis en verrat, à part de ça !

— Ben vous saurez, la mère, que c'est pas toutes les parents qui pensent comme vous.

— Ah non ? Je serais ben curieuse de voir ça, moé, des parents qui laissent leur jeune faire juste ce qui y plaît.

— Ben c'est de même chez Jean-Louis, vous saurez, pis...

— Voyez-vous ça ! avait alors coupé Évangéline, narquoise. Tu serais-tu en train de me faire accroire, Marcel Lacaille, que t'es tout le temps le nez fourré chez eux pour savoir comment c'est que ça se passe ?

— J'ai pas dit ça pantoute, même si j'y vas quand même souvent... Pis j'en ai assez d'essayer de discuter avec vous. Je sais pas le diable comment vous faites, mais vous finissez toujours par toute retourner contre moé, ou ben par me faire enrager, pis c'est ben fatigant. J'ai même pas le temps de penser deux menutes que vous êtes déjà en train de me crier après... Ça fait que pour astheure, j'en ai assez entendu. Salut !

Et Marcel était parti en claquant la porte, ce qui n'était pas nouveau. Évangéline avait donc fini son thé bien calmement, puis elle avait fait la vaisselle, avant de se retirer dans sa salle de couture, où elle avait tout bonnement oublié le temps qui passait, occupée qu'elle était à finir la robe de mariée en y ajoutant une multitude de petites perles nacrées qu'elle cousait une à une sur le devant de la robe.

Ce ne fut qu'après le départ de sa cliente et de sa fille, plus tard en après-midi, qu'Évangéline avait pris conscience qu'elle n'avait même pas dîné, et que Marcel non plus ne s'était pas pointé pour manger.

Mais elle ne s'était pas inquiétée. Ce n'était pas la première fois que cela se produisait, et pour dire vrai, aujourd'hui, l'absence de son garçon l'avait plutôt arrangée. Alors, elle s'était préparé deux tartines couvertes de beurre et d'une bonne épaisseur de la belle confiture aux fraises qu'elle avait mise en pots la semaine précédente, puis, rassasiée, elle s'était rendue au salon pour écouter un peu de musique.

— Pis là, j'vas faire mon souper! lança-t-elle, une fois arrivée dans la cuisine. Tiens! J'vas même faire des saucisses de lard pour montrer à Marcel que chus capable d'être d'adon, des fois. Avec des patates que j'vas piler avec ben du beurre, pis j'vas ajouter des p'tites fèves jaunes... Depuis le temps que mes gars veulent juste manger des légumes d'été quand c'est l'été... Ouais, ça va faire plaisir à Marcel, pis à Adrien aussi... J'espère juste qu'y me reste un paquet de saucisses dans le frigidaire, pasque ça me tente pas pantoute d'aller chez Benjamin Perrette juste pour ça!

Sur ce, Évangéline ouvrit tout grand la porte du réfrigérateur, et elle prit alors une longue bouffée d'air froid.

Ce beau meuble tout blanc était, lui aussi, un autre sujet de fierté pour Évangéline. Jamais elle n'oublierait le jour où deux grands costauds étaient venus le livrer et l'installer, avant de repartir avec l'antique glacière.

Le temps du bran de scie sur le plancher de la cuisine de la famille Lacaille était désormais révolu, à sa grande satisfaction, et le lendemain, Évangéline invitait Noëlla à venir prendre le thé pour lui montrer la merveille des merveilles.

— C'est pas des maudites farces, Noëlla, j'peux même garder de la crème à glace achetée au magasin.

— Ah oui?

— Puisque je te le dis! Tu vois la porte, là en haut? Ben c'est un congélateur qui se cache en arrière. Tu le croirais-tu? Comme celui de monsieur Albert pis celui de l'épicerie. En plus p'tit, comme de raison, mais ça reste plein d'agréments quand même! J'aurai pus jamais besoin de me désâmer à tourner la maudite manivelle pour avoir de la crème à glace quand j'en ai envie... Ou ben d'être obligée de sortir à chaque fois pour en avoir. Je peux en acheter de la toute faite, astheure, quand je fais ma commande, pis ça me dure une grosse semaine!

— T'es ben chanceuse, toé là!

— Pis c'est pas toute! C'est ben pratique avec pour garder les gros restants. Pareil qu'en hiver, quand on peut les mettre dehors, avec nos réserves, pour que ça se conserve longtemps... Fini le temps d'être obligés de manger la même verrat d'affaire durant trois dîners d'affilée.

Deux semaines plus tard, Noëlla possédait, elle aussi, un réfrigérateur, et les deux amies en étaient encore tout à fait ravies!

Ce fut exactement ce qu'Évangéline se répéta, en dénichant effectivement un paquet de saucisses, tout à côté d'une brique de crème glacée à la vanille.

— Une verrat de belle invention, ça là! Astheure, j'vas aller me cueillir un beau panier de p'tites fèves, pis j'vas avoir tout ce que j'ai besoin pour faire mon souper... Bâtard, que c'est une belle journée, finalement!

Adrien revint du travail à l'instant où Évangéline mettait les saucisses à griller à petit feu pour les faire décongeler.

— Ça sent bon, m'man ! Que c'est qu'on mange ?

— De la saucisse, des patates pilées pis des p'tites fèves. Je m'en allais justement les cueillir quand t'es arrivé.

— J'peux y aller pour vous, si vous voulez.

Tout en parlant, Adrien avait déposé sa boîte à lunch sur le comptoir, et deux billets d'un dollar.

— J'ai eu ma paye, souligna-t-il. Je vous mets ma part pour le loyer juste ici... Pis ? Voulez-vous que j'aille chercher les fèves ?

— Pas besoin, mon homme. Merci quand même, mais j'aime ça, faire mon tour du jardin. Profites-en pour te rafraîchir un peu, pis tu viendras surveiller les saucisses pour moé. Après, tu me tiendras compagnie pendant que j'vas finir de préparer le souper.

— Bonne idée ! Y faisait chaud en ciboulot pour travailler, aujourd'hui... Marcel est pas là ?

Une ombre traversa le regard d'Évangéline.

— Non, ton frère est pas encore là... On s'est pognés un peu à matin, lui pis moé, pis y a filé sans dire où y s'en allait... En fait, y savait même pas ce qu'y allait faire de sa journée, maudit verrat, pis c'est un peu pour ça qu'on a eu une discussion pas très agréable. J'en ai plein le casque de le voir flâner à cœur de journée !

— Pauvre Marcel ! Je le sais ben pas quand c'est qu'y va se décider à devenir sérieux... On dirait qu'y pense juste à s'amuser! Y pourrait petête commencer par se trouver du travail pour l'été.

— En plein ce que j'y ai dit à matin, pis c'est là que ça a viré en chamaille. Envoye, Adrien, va te rafraîchir, pis moé, j'vas cueillir les p'tites fèves. On rejasera de tout ça tantôt.

En fait, Évangéline et Adrien eurent le loisir de discuter de leur situation familiale en long et en large durant tout le souper, car Marcel brilla par son absence.

— Maudit bâtard! Je le sais ben pas ce qu'y a dans la tête, cet enfant-là, mais ça se fait pas, laisser sa mère dans l'ignorance comme ça! souligna Évangéline, tout en desservant la table.

— C'est vrai que c'est pas tellement gentil... Voulez-vous que j'y parle quand y va revenir?

— Perds pas ton temps, Adrien, y va te répondre que c'est pas de tes affaires. Y est bête de même... Sais-tu comment je me sens en ce moment?

— Je dirais que vous devez être inquiète, non?

— Y a de ça, c'est ben certain. Une mère qui a le cœur à la bonne place, a' s'en fait toujours un peu pour ses enfants, même quand y vieillissent... C'est pour ça qu'en ce moment, je me sens comme le soir où ton frère était pas revenu de l'école... Tu t'en souviens-tu?

— Ben oui. Ça s'oublie pas, une affaire de même... C'est monsieur Perrette qui nous l'avait ramené pasque Marcel avait volé des bonbons dans son magasin.

— En plein ça... Benjamin Perrette avait gardé ton frère assis sur un banc dans le coin de la boucherie, le temps qu'y soye l'heure de fermer l'épicerie, pis y était venu le reconduire après... Je pense que ça avait fait ben peur à Marcel pasqu'y a jamais eu l'idée de recommencer...

— Tant mieux ! Nous voyez-vous avec un voleur dans la famille ?

— Verrat, Adrien, tu y vas pas avec le dos de la cuillère ! Je pense pas que ça serait allé jusque-là. Quand même ! Y a beau avoir mauvais caractère, notre Marcel, j'essaye de l'élever dans le sens du monde... N'empêche qu'à soir, je me sens comme c'te soir-là. On dirait qu'à cause du retard de ton frère, j'ai le cœur qui débat au moindre bruit. J'ai comme l'intuition qu'y se passe de quoi de grave, pis que j'vas recevoir une ben mauvaise nouvelle.

— Voyons donc, m'man... Que c'est que vous voulez qu'y arrive ? Y fait rien de ben dangereux, Marcel, y passe son temps à perdre son temps, ciboulot ! C'est pas dans le fait de se promener dans les rues ou ben de rester assis sur le gazon au parc qu'y peut se faire mal !

— Tant qu'à ça... Ouais, t'as ben raison, Adrien, je m'énerve pour pas grand-chose. C'est un boudeux, ton frère, pis un paresseux à ses heures. Y doit encore m'en vouloir pour à matin, pis quand ça va y passer, y va revenir. Je me demande juste ce qu'y a ben pu manger durant la journée. Pour un estomac pas de fond comme le sien, c'est comme rien qu'y doit être ben affamé à l'heure où on se parle... Tant pis pour lui. Y avait juste à être du monde avec moé... Bon, dans ce cas-là, que c'est tu dirais que je nous serve deux bons cornets de crème à glace? On pourrait manger ça sur la galerie en avant, en attendant que ton sacripant de frère revienne.

— Bonne idée! Pis après, j'vas aller rejoindre mes chums... On a décidé d'aller se promener sur Sainte-Catherine à soir.

Adrien ayant réussi à la rassurer, Évangéline passa en fin de compte une belle soirée. Quand Adrien la quitta pour rejoindre ses amis, le soleil baissait lentement derrière les toits, et ce fut Angélique qui vint la retrouver, car son mari était à l'extérieur de la ville pour son travail. Ensemble, les deux femmes mangèrent un peu de sucre à la crème, puis elles jouèrent aux dames en écoutant la radio dont Évangéline avait monté le son à tue-tête dans la cuisine. Ensuite, Angélique retourna chez elle.

Après un bref moment à examiner la rue, SA rue, comme le disait si souvent Évangéline, elle rentra à son tour, à l'instant où l'horloge du salon sonnait dix heures. L'inquiétude reflua à toute allure, au son du dernier gong.

— Veux-tu ben me dire ce qu'y fait, lui là? Bâtard que Marcel est pas drôle à vivre... Un vrai embarras sur deux pattes, quand y veut! Comme si j'avais besoin de ça.

Tourmentée, Évangéline fut incapable d'aller se coucher tout de suite.

Ce fut vers onze heures que l'attente cessa brusquement quand on frappa à la porte.

Évangéline s'y précipita, revoyant bien malgré elle le jour où Ti-Paul était venu lui annoncer que son mari Alphonse avait eu un accident de travail.

Évangéline n'était pas très loin de la vérité, car elle se retrouva face à un policier qui soutenait Marcel.

Son fils ne semblait pas en mener très large. Blême et les yeux injectés de sang, il était tout tremblant.

— Que c'est ça encore? Pis en plus, tu sens la bibine, mon garçon! lança alors Évangéline, tout en croisant étroitement sur sa poitrine les deux pans de sa robe de chambre, se trouvant indécente devant un étranger.

Puis, elle détailla Marcel des pieds à la tête.

Elle était soulagée de voir son fils, certes, mais aussi grandement déçue par son allure.

Sur le coup, elle en oublia presque la présence du policier.

Évangéline fit un pas en avant et elle glissa un index sous le menton de Marcel pour l'obliger à lever les yeux vers elle.

— Voir que c'est de même que je t'ai élevé, mon garçon, gronda-t-elle. Verrat d'affaire que chus tannée! Pis humiliée de voir que c'est la police qui est obligée de te ramener chez nous. Maudit bâtard, Marcel, tu tiens à peine debout!

Sur ce, Évangéline se tourna vers le policier, avec une lueur d'excuse dans le regard, puis elle revint à Marcel.

— Que c'est que t'as faite encore, toé là, pour que la police soye obligée de te ramener à la maison?

— Lui, pas grand-chose, madame, intervint alors le policier.

Puis, il jeta un regard derrière lui avant de revenir à Évangéline.

— Est-ce qu'on peut entrer? M'en vas toute vous expliquer ça.

— Ben oui... Où c'est que j'ai la tête, moé, coudonc?

Effarée, Évangéline glissa à son tour un rapide coup d'œil vers la rue. Heureusement, tous les résidents étaient rentrés chez eux. Alors, elle s'écarta pour laisser passer le policier, qui soutenait toujours Marcel.

— C'est pas mon genre de me donner en spectacle de même, expliqua-t-elle, pour être certaine de ne pas passer pour une mégère... Envoyez, entrez vite qu'on ferme la porte... Pis? Allez-vous me le dire ce qui s'est passé?

L'histoire était d'une grande tristesse.

Marcel et la bande de gamins avec qui il avait l'habitude de traîner avaient trouvé quelqu'un d'assez âgé pour leur acheter de l'alcool. L'idée était de Jean-Louis qui, comme à son habitude, avait de l'argent plein ses poches.

— Du moins, précisa le policier, c'est ça que les p'tits gars nous ont raconté, t'à l'heure.

342

Et pour ne pas se faire pincer par les parents, ou par des connaissances du quartier, Jean-Louis aurait alors proposé d'oublier le parc, pour un soir, et de se rendre plutôt sur le terrain vague, derrière l'école, près de la voie ferrée.

— Y paraîtrait que Jean-Louis aurait dit qu'y a jamais personne qui va là, le soir, ajouta le policier. Paraîtrait aussi que les jeunes ont débattu un peu de la question pasque d'aucuns trouvaient ça loin, mais Jean-Louis serait parti pareil, pis finalement, tout le monde a suivi... Pas besoin de faire un dessin pour comprendre la suite : en moins d'une demi-heure, tout le monde était plus que chaudasse... C'est là que le jeune Jean-Louis aurait proposé d'essayer de marcher sur les rails sans tomber. Paraîtrait qu'y était ben fier de lui pasque c'est lui qui a marché le plus loin sans trébucher. Ça a l'air aussi qu'y chantait comme un bon, pis qu'y narguait les autres en les traitant de pissous. C'est là que votre garçon l'aurait rejoint en disant que personne avait le droit de le traiter de peureux. Pas longtemps après, un des jeunes a vu le train qui s'approchait. Les ti-gars se sont mis à crier, comme vous devez ben vous en douter, mais Jean-Louis chantait tellement fort qu'y a rien entendu... Le train a sifflé, comme de raison, mais ça a l'air que leur ami était trop saoul ou ben trop concentré à pas tomber pour entendre quoi que ce soit. Heureusement pour lui, votre gars, lui, a entendu le train, pis y a sauté juste à temps.

Au fur et à mesure que le policier faisait le compte rendu de la soirée, tel que raconté par les jeunes,

Évangéline prenait conscience du danger qu'ils avaient tous couru. Aux derniers mots du policier, elle était blanche comme un drap.

— Verrat, Marcel, te rends-tu compte de ce qui aurait pu t'arriver ? murmura-t-elle.

— Ouais, c'est comme vous dites, reprit le policier. Toujours est-il, quand Jean-Louis a finalement levé la tête, il était trop tard. Le jeune a ben essayé de sauter, mais le train l'a frappé pareil.

— Ben voyons donc, vous...

Évangéline jeta un regard en biais vers son Marcel. Son fils avait beau avoir mauvais caractère, et selon elle, avoir par moments tous les défauts du monde, elle se dit alors que si c'était lui qui avait été frappé, elle s'en serait voulu jusqu'à la fin de sa vie.

— Je l'aimais pas ben ben c'te jeune-là, c'est vrai, admit-elle franchement, en se tournant vers le policier, mais pas au point d'espérer le voir se faire frapper comme ça... Pis, monsieur l'agent, y est où, astheure, Jean-Louis ? Vous l'avez-tu amené à l'hôpital ?

— Non, madame. Jean-Louis est mort sur le coup. C'est plutôt le conducteur de la locomotive qui est rendu à l'hôpital. Ça lui a fait un moyen choc, un accident de même.

— Je comprends donc... Mais pourquoi vous êtes là, dans mon entrée, finalement ? Mon gars aurait-tu quèque chose à voir là-dedans, quèque chose de grave, j'veux dire, à part avoir été sur les rails, lui avec ?

— Non. Sauf le fait qu'y était en boisson à un âge où y devrait être couché dans son lit depuis un boutte, votre garçon a rien à se reprocher... C'était juste un accident... Ben évitable, si vous voulez mon avis, pasque des enfants comme ça avaient rien à faire dehors à cette heure-là, mais ça restera toujours ben juste un accident pareil. Non, si chus ici, c'est pour être sûr que tout ce beau monde-là allait rentrer chacun chez eux, pis que les parents seraient mis au courant. Moé, chus avec votre fils, pis j'ai des confrères qui sont avec les autres jeunes... Pour eux autres avec, ça a été une soirée ben éprouvante !

— C'est ben certain.

— Tant mieux si vous voyez ça dans le même sens que moé... Bon, astheure, je peux m'en aller. Tout ce que j'ai à rajouter, c'est qu'à l'avenir, essayez donc de garder votre garçon chez vous, le soir... Ça serait pas mal mieux pour tout le monde.

Le policier était à peine sorti qu'Adrien entrait à son tour.

— Voulez-vous ben me dire ce que la police fait icitte, m'man ? demanda-t-il, tout en suivant des yeux l'homme en uniforme qui montait dans son auto.

Évangéline tourna un regard égaré vers son aîné. En le voyant, elle poussa un bref soupir de soulagement.

— Ah, t'es là, Adrien... Dieu soit loué...

— Ben voyons donc ! Que c'est qui se passe icitte, pour l'amour ? Pis t'es ben pâle, Marcel...

— Y a ben des raisons à tout ça, mon Adrien... T'irais-tu dans la cuisine pour me faire bouillir un peu d'eau? Je pense que je prendrais une bonne tasse de thé pour me calmer les émotions, pis j'vas toute te raconter. Pendant ce temps-là, Marcel, m'en vas t'aider à te préparer pour la nuit, pis...

— J'ai pas besoin de vous pour ça, la mère... Chus capable de me préparer tout seul... Pour astheure, j'ai juste besoin qu'on me fiche la paix!

D'une démarche encore un peu hésitante, Marcel chaloupa jusqu'à sa chambre, à l'autre bout du corridor, là où Estelle avait dormi durant plus d'une année. À le voir aller, Adrien fronça les sourcils.

— Coudonc, m'man, c'est moé qui vois mal ou quoi? On dirait que Marcel est en boisson.

— T'as pas tort, mon homme. Y a de ça, mais y a ben pire... Envoye, suis-moé. On va aller s'installer dans la cuisine, pis j'vas essayer de toute te raconter ça dans le bon ordre.

Dès le lendemain matin, la triste nouvelle avait déjà fait le tour du quartier, comme une traînée de poudre.

— On a tous eu vent de l'affaire, comme vous devez ben vous en douter, raconta Benjamin Perrette, quand Évangéline se présenta à l'épicerie pour acheter quelques tranches de baloney, sachant que Marcel avait un faible pour le saucisson italien. Moé, c'est monsieur le curé qui m'en a parlé, quand y est venu acheter son tabac, après le déjeuner... Après tout, le jeune Jean-Louis était un p'tit gars du quartier... Cré nom! Je l'ai vu grandir depuis le berceau. Si c'est pas de valeur de voir mourir une belle jeunesse de même, avant même d'avoir commencé la vraie vie... Pauvre enfant! Curieusement, il y avait une pointe de doute ou d'hésitation dans la voix de Ben Perrette.

— Pis chez vous, comment c'est que votre Marcel prend ça? Si j'ai bien vu, lui pis Jean-Louis avaient l'air de ben s'adonner.

— C'est un fait, ouais... Même si moé, j'aimais pas tellement voir mon garçon traîner avec Jean-Louis, les deux garçons étaient tout le temps ensemble.

— Ah... Selon ce que j'entends dans votre voix, vous l'aimiez pas tellement, le Jean-Louis, hein?

— Pas vraiment non. D'après ce que Marcel m'en disait, y avait des drôles de parents. De ceux qui laissent leur garçon faire tout ce qu'y lui plaît, pis mon gars aurait ben voulu que je fasse pareil. Mais j'ai dans l'idée que c'est pas normal pour des parents de pas savoir ce que leur enfant est en train de faire. Laissez-moé vous dire que ça a occasionné ben des chicanes chez nous, ça là! Pis en plus, toujours selon les dires de Marcel, j'avais l'impression avec que c'te p'tit gars-là avait toujours de l'argent plein ses poches. Pourtant, à ce que je sache, y avait pas de jobine. Ça fait que je trouvais ça louche un peu. De là à dire que j'aimais pas que mon Marcel se tienne avec lui, y a juste un saut de puce à faire... Que le Bon Dieu me le pardonne, mais moé, je l'aimais pas, Jean-Louis. J'avais l'intuition que c'était de la graine de bandit, pis ça m'achalait ben gros.

Même si je me réjouis pas de sa mort, comme de raison.

Ben Perrette ne contredit pas Évangéline. Sans avoir pris Jean-Louis sur le fait, à quelques reprises, il avait eu l'impression que le jeune s'était permis de fouiller dans la caisse, alors que lui-même était à l'arrière dans la chambre froide à préparer de la viande pour sa mère. Ce qu'il avait toujours trouvé un peu louche, puisque la mère de Jean-Louis ne fréquentait pas son commerce. À partir du jour où Benjamin Perrette avait refusé de le servir, le jeune n'était jamais revenu.

Mais à quoi bon ressasser ces mauvais souvenirs ? Noircir la réputation de Jean-Louis ne le ramènerait pas à la vie pour qu'il puisse faire amende honorable. Alors, le boucher se contenta de poser de nouveau sa question :

— Pis comment c'est qu'y va à matin, Marcel ?

— Je peux pas vous le dire, rapport qu'y est encore dans son lit à l'heure où on se parle. Une chose est sûre, par exemple, c'est que c'est fini pour lui, les soirées à traînasser dans la rue à faire je sais pas trop quoi. Par contre, y a quèque chose qui me dit que pour une fois, j'aurai pas ben ben à insister pour y faire entendre raison, à mon gars.

— Ça, je peux comprendre... Pis si j'avais des enfants, je ferais pareil... Mais dites donc, vous... Si j'avais un peu d'ouvrage pour Marcel, ça pourrait-tu vous aider ?

— Moé, c'est sûr que ça me rassurerait de le savoir icitte au lieu de flâner. Mais, lui, par exemple, chus loin d'être sûre qu'y va voir ça comme de l'aide.

— Ben oui, Marcel va comprendre tout ça. C'est loin d'être un imbécile, votre garçon. Depuis le temps que je le vois passer par mon magasin, j'ai eu le temps de me faire une opinion sur lui.

— Si vous le dites.

— Pour commencer, ça va l'aider à se changer les idées. Quand on travaille, on a pas le loisir de ressasser nos mauvais souvenirs. Pis sait-on jamais ? Si y aimait ça, icitte, ça l'occuperait par la suite. Que c'est vous en pensez ?

— Je viens de le dire : moé, j'y vois juste du bon, c'est ben certain... Cré maudit ! On en parlait justement hier matin, lui pis moé, avant que ça vire en chicane... C'est pour ça que je dis que chus pas sûre pantoute que Marcel va être d'accord avec l'idée de travailler.

— Laissez-moé donc y parler, à votre garçon. Entre hommes, des fois, ça passe mieux... Si j'ai votre accord, ben entendu.

— Si vous êtes pour amener mon grand flanc mou à vouloir travailler au lieu de se promener comme un fainéant à longueur de journée, vous avez toutes les permissions, monsieur Perrette. Pis si ça marche, maudit verrat, vous allez avoir en plus toute ma gratitude ! C'est pas facile pour une femme seule d'élever des garçons.

— C'est en plein ce que je me disais, aussi... Ben, on va faire comme ça ! Envoyez donc Marcel faire une p'tite commission, un peu plus tard à matin, pis laissez-moé aller avec le reste. Ça fait un boutte que je me dis que j'aimerais ça, avoir un *helper* du côté de la boucherie. On aurait petête là une belle occasion de mettre tout ça en branle.

Évangéline soupesa l'idée, tout en hochant la tête, puis elle leva son inimitable sourire vers Benjamin Perrette.

— Ben là, monsieur Perrette, vous m'enlèveriez une épine du pied. Une ben grosse épine, pasque le pauvre Marcel, y est pas toujours facile à gérer, depuis que mon Alphonse est décédé.

CHAPITRE 14

« I'm dreaming of a white Christmas
Just like the ones I used to know
Where the tree tops glisten
And children listen
To hear sleigh bells in the snow »

White Christmas (I. BERLIN)
PAR BING CROSBY, 1942

Décembre 1941, dans la chambre d'Adrien, par une belle soirée chargée de lourds flocons tout blancs

Même si Adrien s'était trouvé un emploi dans la construction, comme il en avait si souvent parlé avec sa mère, il n'y avait pas trouvé le plaisir et la satisfaction escomptés. Il n'appréciait pas ce travail trop répétitif, et il avait donc fini par admettre que ce n'était pas parce que son père aimait l'ébénisterie que lui était obligé de ressentir la même passion devant les travaux manuels.

En fait, s'il voulait être honnête, Adrien n'avait aucune espèce d'idée de ce qu'il aimerait faire dans la vie, et il aurait bientôt vingt-trois ans.

Pourtant, enfant, c'est avec entrain qu'il avait suivi son père dans l'atelier, afin de dessiner avec lui, pour ensuite le regarder travailler avec beaucoup d'attention, émerveillé de voir naître un pupitre ou une table à partir de quelques bouts de bois. Peut-être bien, si Alphonse avait vécu, qu'Adrien y aurait consacré plus de temps et d'énergie. Peut-être bien aussi, en passionné qu'il était, qu'Alphonse aurait réussi à allumer l'étincelle qui change l'enthousiasme en ferveur.

Peut-être...

Malheureusement, le papa d'Adrien était décédé alors que le petit garçon n'avait que sept ans, et à partir de ce jour-là, il avait eu beaucoup trop de chagrin pour descendre à l'atelier sans lui.

Adrien avait alors abandonné le dessin.

Puis, quand il avait été en âge de songer à se trouver un métier, Évangéline lui avait reparlé de son père, et elle avait mentionné, entre autres choses, qu'elle serait vraiment très fière si l'un de ses fils suivait les traces de son Alphonse.

— Savais-tu ça, mon garçon, que l'rêve de ton père, c'était d'avoir sa *shop* à lui pour fabriquer des meubles?

— Ah oui? Je sais depuis toujours que popa aimait ça, faire des beaux meubles. Je l'ai regardé souvent, quand y travaillait dans son atelier, pis je le trouvais ben bon. Mais je savais pas, par contre, qu'y espérait avoir une *shop* à lui.

— Ben, c'était le cas. Ton père m'en parlait régulièrement, tu sauras. Pis si ça avait pas été de l'accident, je pense que ça se serait faite durant l'année... Ouais... Y rêvait d'un grand atelier dans le sud de l'île pour avoir une belle vue, pis surtout, pour avoir la chance de travailler avec une belle clarté. Je pense qu'y en avait assez d'être coincé dans la cave... Veux-tu que je te dise de quoi, Adrien ?

— Pourquoi pas ? Allez-y, m'man, je vous écoute !

— Ben... J'étais en train de me dire que tu pourrais peut-être en avoir une, *shop,* toé. Astheure que ton frère est casé, pis qu'y va être boucher toute sa vie, y reste juste toé pour prendre la relève de ton père. T'es pas manchot, pis si je me rappelle ben, tu dessinais pas trop pire. J'ai quand même un peu d'argent de côté, tu sais, pis ça me permettrait de t'aider à partir une sorte d'atelier... Que c'est tu penserais de ça ?

— Encore faudrait-il que je soye capable de faire des meubles. J'ai jamais travaillé ça, le bois. À part planter un clou au besoin ou scier une planche à l'occasion, je connais pas grand-chose là-dedans.

— C'est pas grave, ça. Toute s'apprend, mon gars... Mais une chose que je peux te dire, par exemple, c'est qu'à partir de son ciel, ton père serait ben heureux de voir que t'as réalisé son rêve à sa place... Ouais, ben heureux.

— Disons que j'vas y penser, m'man !

— Bonne idée ! Penses-y ben comme y faut, mon Adrien, pis tu viendras m'en reparler. Comme le disait ton défunt père : chus sûre qu'y a pas mal d'avenir là-dedans.

Alors, Adrien avait tenté de se trouver du travail dans le domaine de la construction, question de tâter le terrain, après avoir été journalier aux Shops Angus.

Or, là non plus, le jeune homme ne prenait aucun plaisir à se lever à l'aube, chaque matin, pour répéter toujours les mêmes gestes. Il ne détestait pas le métier, mais la menuiserie n'était pas une passion.

Cependant, comment le dire à sa mère sans la désappointer ?

Pour Adrien, ce serait un non-sens de voir Évangéline encore une fois déçue par la vie. Elle avait connu son lot de tristesses et de contrariétés, il serait inutile et méchant d'en ajouter. Pourtant, elle n'avait jamais abandonné, et Adrien avait été le témoin privilégié de tout le labeur qu'elle s'était imposé pour donner le meilleur à ses deux fils. Voilà pourquoi le jeune homme ressentait beaucoup de respect et de considération à l'égard de cette femme qui n'avait jamais compté ses heures pour leur confort à tous les deux, Marcel et lui.

D'autant plus qu'au-delà de la reconnaissance, Adrien aimait sincèrement cette femme un peu bougonne, même si, par moments, il la trouvait étouffante, à toujours revenir sur ce qui lui semblait important. Tant et si bien que c'était devenu une véritable obsession, cette histoire de *shop,* alors que lui-même était en train de réaliser qu'il n'aimait pas vraiment travailler en équipe. Et cette opinion valait autant pour les mois passés aux Shops Angus que pour ceux qu'il vivait présentement sur un chantier de construction. De là à concevoir qu'il ne serait pas à l'aise avec des employés à sa charge, il n'y avait qu'un tout petit pas à faire, et il l'avait franchi allègrement!

De plus, clouer des madriers et des lattes de plancher, comme il le faisait jour après jour, depuis maintenant un an, n'avait rien à voir avec le fait de dessiner de jolis meubles qu'il serait ensuite capable de bâtir. Toutefois, si Adrien en était conscient, cela ne lui donnait pas envie d'apprendre le métier pour autant.

Ce fut en se promenant en ville après l'ouvrage, retardant ainsi le moment où il devrait retourner chez lui, que l'idée de s'éloigner de Montréal prit racine, devant une publicité de l'armée.

Même si l'enrôlement n'était pas encore obligatoire au Canada, rien ne l'empêchait de se porter volontaire.

— Et pourquoi pas? avait-il murmuré d'une voix pensive mais assez forte pour que certains passants se retournent vers lui.

Un vague sourire avait alors déridé le visage d'Adrien. L'idée était vraiment séduisante, et sa mère ne pourrait rien argumenter devant le patriotisme de son garçon. Au contraire, elle devrait en être fière. Adrien n'avait qu'à prétendre qu'à son retour, ils reparleraient sérieusement de l'atelier, parce que l'idée lui semblait attirante, et le tour serait joué.

Alors, quand il était rentré chez lui, un peu plus tôt, il avait prétexté un mal de tête et il s'était enfermé dans sa chambre pour réfléchir un peu.

— Je mangerai plus tard, m'man. J'vas essayer de dormir, ça devrait me faire du bien. Y avait vraiment trop de bruit dans la maison où je travaillais aujourd'hui.

Une façon comme une autre de montrer qu'il n'appréciait pas la vie de chantier.

Adrien en était là.

En ce moment, il était allongé sur son lit, tourné vers la fenêtre. Il avait les yeux grands ouverts sur la nuit, et il fixait les lourds flocons qui tombaient lentement, se demandant comment annoncer la nouvelle à sa mère. En effet, même si l'idée était récente, il n'en restait pas moins que l'avenir immédiat lui semblait très clair : il n'espérait plus qu'une chose, et c'était de quitter Montréal et la maison familiale le plus rapidement possible.

Bien sûr, il devrait laisser sa famille derrière lui et quelques bons amis, et son patron serait déçu de le voir partir. Toutefois, rien n'empêcherait Adrien, à son retour, de reprendre le métier là où il l'aurait laissé. Puis, si la jolie Patricia était une gentille fille, son cœur était libre de toute attache amoureuse sérieuse, et il y avait tant d'horizons nouveaux en perspective qu'Adrien voyait le sacrifice comme bien léger.

Puis, il reviendrait, n'est-ce pas ? Après tout, les guerres ne durent pas indéfiniment, et il serait suffisamment prudent pour ne pas y laisser sa peau. C'était dans sa nature de l'être.

En moins d'une heure, Adrien avait pris sa décision. Il irait chercher le sapin et achèterait un cadeau pour sa mère comme d'habitude. Ils assisteraient à la messe de minuit en famille, puis ils mangeraient les petits fours, comme Évangéline appelait les bouchées de fantaisie qu'elle s'entêtait à leur servir, année après année.

— C'est comme ça que votre père aimait son réveillon, pis y a pas personne icitte qui va me faire changer mes habitudes !

Puis, au matin de Noël, il offrirait son cadeau à sa mère. Un cadeau princier, pour qu'elle comprenne à quel point il tenait à elle.

Oui, c'est ce qu'il allait faire. Il laisserait passer la fête de Noël, et au matin du jour de l'An, après avoir demandé à sa mère de les bénir, il lui parlerait de son projet. Calmement mais fermement, et il ne se laisserait pas gagner par la tristesse de sa mère, ni par ses objections, si jamais il y en avait.

Et d'ici là, il s'informerait auprès de l'armée pour connaître les conditions d'engagement, et les démarches à suivre.

Et c'est exactement ce qui se passa.

Toutefois, quand Adrien parla enfin de son projet, à la table du premier dîner de l'année 1942, ce fut un lourd silence qui succéda à ses paroles.

De toute évidence, Évangéline était sous le choc, et son frère Marcel ne comprenait pas.

— Tu veux aller te battre de l'autre bord ? demanda-t-il la bouche pleine.

— Je veux faire ma part, oui, pour ramener la paix dans le monde.

— T'as des grandes ambitions, Adrien...

Le ton employé par Marcel était moqueur. Il reprit une autre bouchée de dinde, puis, il poursuivit.

— Moé, vois-tu, je me contente d'aider à nourrir le monde de notre quartier. Ça me suffit comme ambition, dans la vie. Ça me donnerait rien d'aller essayer de sauver le monde entier, si je sais que le monde de par icitte est pas heureux.

— C'est une façon de voir les choses. Mais c'est pas la mienne.

— On sait ben, Adrien ! Tu penses jamais comme moé.

— C'est vrai qu'on pense rarement pareil, toé pis moé...

— Ça serait-tu un défaut, pis je le saurais pas ?

— J'ai jamais dit ça.

— Mais t'as l'air de le penser, par exemple. Maudit calvaire, Adrien ! Faut toujours que tu fasses l'important aux yeux de la mère, pis...

— Marcel, baisse le ton, veux-tu ! Pis arrête de sacrer.

La voix d'Évangéline était cassante, chargée de sévérité, et elle avait arrêté Marcel en plein élan, lui qui ne parlait presque jamais. Quand il tourna la tête vers elle, ses yeux brillaient de colère.

— Dire « calvaire », c'est pas vraiment sacrer. Ça fait cent fois que je vous le répète !

— Ben moé, ça m'agace. Pis pour astheure, c'est pas de ça que ton frère parlait. Faut toujours que tu mélanges tout, Marcel.

— C'est pas moé qui mélange les affaires. C'est Adrien qui a parti une discussion de cave en plein jour de l'An !

Sur ces mots, Marcel se tourna vers son frère.

— C'est quoi l'idée, Adrien, de nous annoncer ton départ au beau milieu du bon dîner que la mère nous a préparé ? Au jour de l'An, en plusse.

— C'est juste que je voulais pas avoir besoin de me répéter, pis je savais que tu serais là à midi.

— Tu parles d'une raison imbécile...

— Marcel ! Un peu de respect pour Adrien. Ton frère est pas un imbécile.

— Ben non, y veut juste prendre le risque d'aller mourir pour du monde qu'y connaît même pas... Voyons donc, la mère, si c'est pas cave, ça, je me demande ben ce que c'est.

— Si tout le monde pensait comme toé, Marcel, y a rien qui changerait, pis...

— Pis laisse donc tomber, Adrien. On est en train de tourner en rond ! Ça nous mènera à rien de continuer d'en parler.

Là-dessus, Marcel repoussa son assiette et se tourna vers sa mère.

— Je m'excuse de pas vider mon assiette. C'est vraiment bon, mais j'ai pus faim pantoute... Comme d'habitude, Adrien va faire à sa tête, pis vous, la mère, vous allez le laisser faire, comme toujours. Même si ça a pas d'allure, son affaire.

Sur ce, Marcel revint vers son frère.

— Si tu veux partir, Adrien, fais-le donc. C'est pas moé qui vas te retenir, même si je te trouve cave en calvaire de risquer ta vie quand c'est pas nécessaire !

— Je viens de te le dire, mon pauvre Marcel : si tout le monde pensait comme toé, la guerre finirait jamais. De toute façon, le jour où l'enrôlement va devenir obligatoire est pas tellement loin. Je fais juste avancer mon départ d'une couple de mois. Guette ben si tu viens pas me rejoindre bientôt !

Devant la menace, Marcel haussa les épaules.

— Petête ben que t'as raison, ça, j'en sais rien... On verra dans le temps comme dans le temps. Mais une chose que je sais, par exemple, c'est que tu vas faire de la peine à notre mère... T'imagines-tu de quoi ça aurait l'air, icitte, si on partait tous les deux ? Ou pire, si a' recevait une lettre qui lui annoncerait que t'es mort ? Essaye donc de penser aux autres, des fois...

À la suite de ces mots, un silence lourd d'inconfort plana un instant sur la salle à manger.

— Mais c'est ton choix, hein Adrien ? reprit alors Marcel. Va-t'en sauver le monde, c'est clair qu'y sera pas capable de faire ça sans toé, tandis que moé, j'vas rester icitte pour m'occuper de la mère pis de la maison... Pasqu'y faut ben que quèqu'un le fasse, non ? Astheure, vous allez devoir m'excuser, mais j'vas aller souhaiter la bonne année à mes chums... Salut la compagnie, on se reverra t'à l'heure au souper.

Adrien quitta définitivement la maison par une froide matinée de mars, après avoir passé une dernière permission chez lui, alors que Marcel était parti travailler, comme de coutume.

— Ça me donnerait quoi de rester icitte, la mère ? Adrien est capable de s'en aller sans moé.

— Viarge, Marcel ! C'est fou comme tu dis des niaiseries, des fois ! Je le sais ben que ton frère a pas besoin de toé pour sortir de la maison. Mais me semble que...

— Me semble que rien pantoute. J'ai de l'ouvrage qui m'attend à la boucherie, pis j'haïs ça être en retard dans mon horaire. Mon frère, c'est un grand garçon, y est même assez grand pour aller se battre dans les Vieux Pays. Y a pas besoin de moé pour se rendre à la gare. J'y ai dit salut hier soir, ça fait que j'attendrai même pas qu'y se lève pour m'en aller... Pis nos deux, on se reverra à soir, pour le souper... Que c'est vous diriez d'un beau steak en tranche, la mère ? Me semble que ça serait bon, non ? Pis c'est moé qui vous l'offre.

— Ça serait ben gentil de ta part, mon Marcel.

Évangéline avait beau critiquer son plus jeune fils, elle savait tout de même reconnaître ses bons côtés. En fin de compte, elle non plus n'accompagna pas son fils Adrien à la gare.

— Pas question que je me donne en spectacle au monde qui va être là... Tu devais ben t'en douter, non ?

— Ben voyons donc, m'man! C'est comme rien que vous serez pas la seule à être émue.

— Bâtard, Adrien, ça change rien, ça là. Si chus pour brailler, c'est icitte que j'vas le faire, pis pas ailleurs... J'ai toujours détesté ça ben gros, les adieux... Pis oublie pas de m'envoyer une photo dans ton beau costume...

Sur ce, Évangéline recula d'un pas en dévisageant son fils aîné. Puis, elle fronça les sourcils comme elle le faisait devant ses clientes quand elles essayaient une robe.

— C'est vrai que ça te fait ben en verrat, c'te bel habit-là, constata-t-elle, émue, tout en faisant signe à Adrien de tourner sur lui-même. Pis c'est du ben beau tissu. Si j'avais un Kodak, aussi, j'aurais pu te poser pis garder un beau souvenir...

Tout en parlant, Évangéline s'était approchée de la porte du vestibule, et elle se pencha pour soulever le barda d'Adrien.

— C'est un Kodak que t'aurais dû me donner pour Noël, au lieu d'un autre poste de radio pour mettre dans ma salle de couture, souligna-t-elle en se redressant... T'es ben certain que tu veux pas que je t'appelle un taxi?

— Non, m'man. J'vas prendre les p'tits chars... Je vous téléphone dès que j'arrive à Québec. De toute façon, je pars pas tusuite pour l'Angleterre, pis vous le savez. J'vas rester un boutte à Halifax avant de prendre le bateau... Craignez pas, j'vas vous écrire le plus souvent possible pour vous donner de mes nouvelles.

— Dans ce cas-là, viens m'embrasser, maudit fatigant, pis va-t'en...

Évangéline resta un moment dans l'entrebâillement de la porte à regarder Adrien descendre l'escalier, puis enjamber le monticule de neige accumulé le long du trottoir, parce que la rue de L'Impasse était maintenant déblayée après chaque tempête. Elle observa son fils aîné qui remontait la rue vers l'artère principale puis, avant qu'Adrien soit rendu trop loin, elle lança, de sa voix rauque :

— Pis compte pas trop sur mes lettres, j'haïs ça, écrire !

Adrien se retourna, la salua d'un large geste du bras, puis il reprit son chemin. Alors, Évangéline referma la porte et vint se poster à la fenêtre du salon, essuyant maladroitement ses yeux larmoyants.

— Pis toé, Alphonse, murmura-t-elle en soulevant le fin rideau de dentelle avec l'index, protège notre gars du mieux que tu peux, pasque je sais ben pas ce que je deviendrais si y fallait que lui avec, y me revienne pas... Bâtard, Alphonse, penses-y comme y faut ! Si je me retrouvais toute seule avec Marcel, de quoi c'est que ma vie aurait l'air ?

CHAPITRE 15

« Ta mère t'a donné comme prénom
Salade de fruits, Ah ! quel joli nom
Au nom de tes ancêtres hawaïens
Il faut reconnaître que tu le portes bien
Salade de fruits, jolie, jolie, jolie
Tu plais à mon père, tu plais à ma mère
Salade de fruits, jolie, jolie, jolie
Un jour ou l'autre il faudra bien
Qu'on nous marie »

Salade de fruits (N. ROUX/N. ROUX ET A. CANFORA)
PAR BOURVIL, 1959

Mars 1942, à l'épicerie, en compagnie de monsieur Perrette et de Marcel

Jusqu'à maintenant, Marcel ne s'était jamais vraiment intéressé à la politique, au grand désespoir de sa mère. Il faut tout de même le comprendre, il n'avait pas encore l'âge de voter. C'était donc ce qu'il répondait invariablement à Évangéline quand celle-ci tentait d'entamer une discussion avec lui sur le sujet, et que le jeune homme avait seulement envie de se défiler.

En fait, Évangéline était une passionnée de la chose politique, tant municipale, que provinciale ou fédérale. Contrairement à plusieurs électeurs, qui gardaient leurs allégeances cachées, voire secrètes, elle ne se gênait pas pour en discuter, parfois même âprement !

— Calvaire, la mère ! Si je vous dis que ça m'intéresse pas, vos histoires de politique, c'est que ça m'intéresse pas. Arrêtez de revenir là-dessus à tout bout de champ !

— Maudit verrat ! Ça se peut pas, ce que tu dis là, Marcel. Tout le monde doit choisir un parti ou ben un autre. C'est important pour la suite des choses dans notre pays.

— Ça, je peux le comprendre, pis chus d'accord avec vous. Mais y sera ben le temps de me choisir un parti, comme vous dites, le jour où j'aurai le droit de voter. En attendant, perdez pas votre temps avec moé, la mère, ça m'énerve !

En fin de compte, ce fut l'annonce d'un plébiscite sur la conscription qui alluma la première étincelle d'intérêt chez Marcel.

— Que c'est vous en pensez, vous, monsieur Perrette ?

Depuis que Benjamin Perrette avait pris Marcel sous son aile, l'épicier était devenu la référence du jeune homme.

Il y avait surtout qu'aux côtés de son patron et mentor, Marcel réapprenait tout doucement à faire confiance à la vie qui, jusqu'à maintenant, s'était souvent montrée mesquine à son égard. Du décès de son père, alors qu'il n'était qu'un tout petit garçon, jusqu'au départ de sa tante Estelle qu'il avait pleurée en secret, caché sous son oreiller, et sans oublier la mort brutale de son ami Jean-Louis, Marcel était devenu un être renfermé. À sa fougue naturelle et à son envie constante de gagner et de bouger s'était jointe la désillusion. La crainte viscérale d'être de nouveau meurtri et déçu, et celle encore plus grande de perdre quelqu'un qu'il aimait, l'empêchaient de s'ouvrir aux autres. S'il ne s'attachait à personne, Marcel était persuadé qu'il n'aurait plus jamais aucune raison de pleurer ou d'avoir mal.

Benjamin Perrette était l'exception.

Marcel ignorait pourquoi son patron avait droit à ce traitement de faveur, mais une chose était certaine, c'est que jour après jour, l'épicier-boucher du quartier l'attendait avec le sourire, fidèle au poste, et toujours heureux, semblait-il, de retrouver son jeune apprenti. Ce fut ainsi que de fil en aiguille, et de mois en mois, la confiance avait refleuri dans le cœur de Marcel, et il s'en remettait souvent à son patron quand venait le temps de prendre des décisions d'importance parce que les deux hommes se faisaient mutuellement confiance.

D'où le questionnement de Marcel sur la conscription.

— Pis, monsieur Perrette, vous en pensez quoi, vous, du plébiscite qui s'en vient?

— J'en pense que ça va être aux citoyens de décider, mon Marcel, pis que ça va être une bonne affaire, répondit donc l'homme entre deux âges qui, de célibataire endurci, était devenu, par la force des choses, une sorte de maître à penser, ce qui n'était pas pour lui déplaire. Je pense que c'est ça, l'important... Ouais, c'est pas une mauvaise chose, le plébiscite. En 17, quand la conscription a été obligatoire, ça nous a occasionné ben des émeutes en ville, icitte à Montréal, pis à Québec aussi... Ça me tente pas de revivre ça.

Le temps de soupeser les propos de son patron, de les faire siens, puis Marcel demanda :

— Ouais, je comprends ce que vous cherchez à expliquer... Mais si jamais le monde votait en faveur de la conscription, ça voudrait-tu dire que moé avec, j'aurais pas le choix, pis que je devrais m'engager ?

— Y a un peu de ça, le jeune... T'es grand, t'es fort, pis en santé. En plein le genre de gars que l'armée recherche... À ce que j'ai pu comprendre, ça serait comme en 17, pis tous les hommes entre vingt et quarante-cinq ans seraient mobilisés.

— Calvaire ! Ça me tente pas pantoute, d'être mobilisé.

— C'est ça qui est ça, mon pauvre Marcel. Mais ça veut pas dire pour autant que tout ce beau monde-là va être obligé de partir pour les Vieux Pays. N'empêche que ça risque de t'obliger à faire ton service militaire, par exemple. Mais pas tusuite. Juste quand tu vas avoir tes vingt ans.

À ces mots, Marcel soupira bruyamment. Visiblement, cette perspective ne faisait pas du tout son affaire.

— Ah bon... Chus vraiment pas sûr que ça me tente de faire mon service militaire, non plus, admit-il en se grattant vigoureusement la tête et en tournant les yeux vers son patron. Vous savez ben comment chus, hein, monsieur Perrette? Recevoir des ordres, c'est pas tellement mon fort, sauf quand c'est ben expliqué, pis surtout que c'est demandé calmement.

À ces mots prononcés avec une naïveté quasi enfantine, Benjamin Perrette esquissa un sourire moqueur.

— Je sais ça, Marcel, que t'aimes pas trop les commandements! Malheureusement pour toé, c'est exactement comme ça que ça se passe dans l'armée.

— C'est en plein ce que je me disais, aussi. De toute façon, moé, c'est icitte, à la boucherie, que chus ben, répéta Marcel, en se retournant pour montrer le comptoir réfrigéré avec la main. J'aime ça faire ma p'tite affaire dans mon coin, pis faire plaisir à mes clientes. Ça fait que ça me tente pas d'être obligé de m'en aller pour un boutte.

— Je peux te comprendre... Remarque qu'y a quand même des exceptions dans tout ça...

Une lueur d'intérêt traversa le regard bleu glacier de Marcel.

— Ah ouais... Quelles sortes d'exceptions?

— Les hommes mariés qui ont charge de famille, par exemple. Ceux qui ont des *jobs* nécessaires à la population, icitte au Canada, pis ceux qui ont des problèmes de santé... Ouais, des affaires de même, c'est considéré comme assez important pour avoir une exemption... Mais on en est pas rendus là, le jeune. Laisse passer le plébiscite, pis on en reparlera après... Astheure, en attendant de partir ou pas pour la guerre, pis même si t'aimes pas trop être commandé, t'avais pas du steak haché à préparer, toé, à matin ?

— Vous avez ben que trop raison... Chus là qui placote comme une vraie fille, pis j'oublie mon ouvrage ! J'y vas tusuite, monsieur Perrette. Vous en voulez combien de livres ?

Ce fut ainsi que Marcel passa la journée, essayant d'oublier la guerre entre deux tranches de jambon pour un dîner, un rôti de porc pour le dimanche suivant et du veau haché pour une tourtière.

À la fin de la journée, quand son comptoir réfrigéré fut vidé et lavé, et que l'étal dans la chambre froide fut luisant comme un sou neuf, Marcel enleva son tablier, et il le mit dans un sac pour le ramener chez lui, afin que sa mère puisse le laver.

Ensuite, il regarda longuement autour de lui, se répétant que c'était à la boucherie qu'il voulait passer les prochaines années de sa vie, pas dans une tranchée à l'autre bout du monde. Ce travail, il avait appris à l'aimer et rien ne lui plaisait autant qu'une cliente satisfaite qui le félicitait pour la qualité de sa viande. Ce métier de boucher, il voulait le garder. Et comme son père le disait souvent quand il jouait au hockey avec lui : Marcel Lacaille serait le meilleur.

— De toute façon, grommela-t-il, en remontant l'allée des conserves, la maudite guerre en Europe, ça me regarde pas. C'est ben que trop loin pour que ça m'intéresse. Ça fait qu'y est pas question que je me garroche là-bas comme Adrien l'a fait.

Néanmoins, s'il était finalement obligé de partir, parce que Marcel était conscient que certaines lois étaient nettement plus fortes que son vouloir, qui s'occuperait de leur mère, hein ?

Pour le jeune homme, c'était de la première importance, même si les relations entre eux n'étaient pas au beau fixe. On pouvait même aller jusqu'à dire que Marcel n'avait jamais été très proche d'Évangéline, et il ne s'en portait pas plus mal. Cela faisait longtemps qu'il avait compris qu'ils se ressemblaient beaucoup trop, sa mère et lui, pour arriver à vivre en harmonie permanente. Cependant, cela ne voulait pas dire pour autant qu'il allait l'abandonner.

— Pis en plus, y a la maison que mon père a bâtie qu'y faut garder en bon état. C'est important. Pis pour ça, ben, ça prend un homme pour y voir, maudit calvaire !

Tout en marmonnant, Marcel était arrivé à la hauteur de la caisse enregistreuse, là où Benjamin Perrette faisait les comptes de la journée. Celui-ci leva un regard amusé.

— Coudonc, le jeune, te v'là rendu à parler tout seul, ma parole ! Comme un p'tit vieux.

À ces mots, Marcel se sentit rougir, exactement comme le jour où il s'était fait prendre la main dans le gros bol de lunes de miel. La sensation lui fut aussitôt désagréable. Par réflexe, il fit un petit haussement des épaules, comme si ce geste allait camoufler son embarras.

— Ça m'arrive, ouais, reconnut-il d'emblée. Même si chus pas un p'tit vieux, comme vous dites, y me semble que j'arrive à mieux comprendre les affaires quand j'entends les mots.

— Ben, ça parle au diable! Moé avec, ça m'arrive de parler tout seul. Je me dis que c'est pas pasque j'ai personne à la maison avec moé que chus obligé de vivre dans le silence tout le temps... Mais c'est pas de ça que je voulais te parler. Demain, j'aimerais ça que t'arrives vers sept heures. On a un porc qui va nous être livré, ben de bonne heure demain matin, pis je pense que t'es rendu assez habile avec les couteaux pis les scies pour apprendre à dépecer la carcasse.

— Ah ouais? Ben là, vous me faites ben gros plaisir, monsieur Perrette.

Marcel était de plus en plus rouge, mais de satisfaction, cette fois-ci, et chose extrêmement rare chez lui, le jeune homme était tout souriant.

— Depuis le temps que je me dis que je devrais être capable de dépecer une carcasse... Ouais, j'avais ben hâte que vous m'en parliez.

— Ben, c'est demain matin que ça va se faire, mon Marcel... On va commencer par un cochon. Tu vas voir, c'est pas si compliqué que ça. Si toute va ben, pis toute va ben aller, j'en suis certain, on verra au veau pis au bœuf par après.

— Soyez pas inquiet, monsieur Perrette. J'vas faire de mon mieux, pis m'en vas être là pile à l'heure que vous voulez.

— Je sais que je peux compter sur toé. Pis préviens donc ta mère, en même temps, que j'vas te garder après l'ouvrage aussi.

— Pourquoi?

— Pour pas qu'elle s'inquiète, pardi, pasqu'après l'ouvrage, tu vas venir souper chez nous.

— Comment ça, souper chez vous? Ça serait-tu votre fête, monsieur Perrette? Pasque si c'est le cas, j'vas plutôt demander à ma mère de vous inviter, pis...

— Pantoute, Marcel! C'est pas ma fête... De toute façon, à force de vivre tout seul, je me rappelle même pus la date... Non, je dirais plutôt que ça va être la fête à notre cochon.

— Ben là... Je vous suis pas pantoute.

Soudainement, Marcel avait froncé les sourcils, tout sourire disparu.

— Est-ce que vous seriez en train de vous moquer de moé, coudonc?

— Non, Marcel, j'oserais jamais me moquer de toé, rapport que j'ai ben de l'estime pour le bon travailleur que t'es. Non, ce que j'veux dire par là, c'est que demain soir, j'veux faire de la tête fromagée, comme chaque fois que je reçois une carcasse de porc. Pis cette fois-ci, j'aimerais ben ça que tu m'aides, rapport que c'est de la grosse *job*.

— Ah ouais? J'vas faire aussi de la tête fromagée avec vous? Ça va être toute une journée, ça là! Mais j'y pense! Ça serait-tu que vous allez me donner votre recette secrète?

— Pourquoi pas? Si t'es pour garder le secret, ben entendu.

— Ça c'est sûr!

— C'est ben ce que je me disais aussi. Astheure que t'es pour me remplacer de plus en plus souvent à la boucherie, pour un jour devenir le boucher officiel du quartier, faut ben que tu saches tout faire, non?

— Ah ça, c'est sûr, répéta Marcel, à court de mots, tellement il était fier... Calvaire que chus content... Ma mère avec, a' va être contente. A' dit qu'après ses cretons, c'est votre tête fromagée qui est la meilleure pour mettre sur nos toasts le matin.

— Pasque ta mère dit ça?

— Aussi vrai que chus là devant vous, monsieur Perrette.

— Ben si c'est de même, dis donc à ta mère de venir, elle avec. On sera pas trop de trois pour tout préparer. En plus, ça va me faire plaisir de la recevoir à souper. C'est une ben bonne femme, ta mère... Ouais, une ben bonne personne, pis elle l'a pas eu facile. En revanche, elle a jamais lâché son boutte. Des fois, quand elle venait faire des commissions, elle m'en parlait, pis c'est ben évident pour moé qu'elle a travaillé sans jamais compter ses heures. Oublie pas ça, mon Marcel: une mère, on en a juste une, pis c'est ben précieux...

— Craignez pas, monsieur Perrette, chus conscient de toute ce que j'y dois, même si je pense pas à ça tous les jours.

— Ben tu devrais! C'est le jour où notre mère est pus là qu'on se rend compte à quel point elle était importante... Tout ça pour dire que t'avertiras ta mère qu'on va fermer l'épicerie à quatre heures, pis qu'on va se rendre chez nous tusuite après. Si ça y tente, comme de raison, elle aura juste à venir nous rejoindre à mon logement. Elle sait où je demeure.

— C'est sûr que ma mère va dire oui. A' l'aime ben ça, faire à manger, pis en plus, est pas mal bonne!

* * *

Quelques semaines plus tard, d'apprendre que le Québec avait voté contre la conscription, alors que le reste du pays avait voté en faveur avec une belle majorité, n'eut pas pour Marcel l'effet de soulagement escompté. Malgré la promesse du premier ministre Mackenzie King de ne pas rendre le service militaire obligatoire pour l'instant, le jeune homme restait inquiet quant à son avenir, et cela jouait souvent sur son humeur.

On était à la fin de l'été, et Marcel venait d'avoir dix-neuf ans. Chaque matin, en entrant à l'épicerie, il se répétait, inquiet, qu'en un an, bien des choses pouvaient changer, et comme dans un an, il aurait vingt ans, cela l'empêchait parfois de s'endormir. Le peu qu'il savait de la politique, et ce, pour l'avoir souvent entendu dans la bouche de sa mère, c'était que les politiciens étaient passés maîtres dans l'art de faire des promesses qu'ils ne tenaient pas. Alors, pour le moment, rien ne lui garantissait qu'à vingt ans, il ne serait pas obligé de se présenter à l'armée. C'était devenu une véritable obsession pour lui.

Voilà pourquoi, afin d'éviter des discussions interminables avec sa mère, de celles qui se prolongeaient tard dans la soirée, avec souvent des éclats de voix désagréables, et qui ne donnaient au final aucun résultat intéressant, Marcel avait pris l'habitude de rejoindre son ami Bertrand à la taverne du coin de plus en plus souvent. Bien sûr, le jeune Lacaille n'avait pas encore l'âge de fréquenter les débits de boisson, tout le monde le savait dans le quartier, mais comme il travaillait aussi fort qu'un homme et n'exagérait jamais, ni dans le ton ni dans la consommation, le patron de la taverne, Philippe Duclos, tolérait sa présence et ce, depuis plusieurs mois déjà.

— Mais si jamais tu fais du grabuge, icitte dans ma taverne, ou ailleurs dans le quartier, tu vas avoir affaire à moi. C'est-tu clair?

Ça avait été par ces mots que le tavernier avait accueilli le jeune Marcel la première fois qu'il s'était présenté chez lui.

— Euh ouais, monsieur Phil...

— Tant mieux. C'est pas pasque ton ami est mort que ça en fait un saint pour autant. Les p'tits voyous pis les bagarreurs, je les vois venir de loin, pis dans le temps, tu faisais partie de la gang des p'tits baveux du quartier. En plus, t'as pas l'âge de boire. Par contre, tu travailles comme un homme, pis

Ben Perrette dit juste du bien de toé, ces derniers temps. Si tu te tiens tranquille, t'auras toujours une place chez nous. Mais si c'est pas le cas...

La menace avait porté fruit, et à partir de ce jour-là, le tavernier aussi avait toute l'estime de Marcel. Surtout que son ami Bertrand avait eu droit au même traitement que lui.

Par la force des choses, au fil des mois et maintenant des années, des liens d'amitié sincère s'étaient tissés entre les deux jeunes hommes, qui, en ce moment, discutaient du plébiscite et de ses conséquences.

— Pour moé, c'est clair : y est pas question pantoute que j'aille me battre en Europe, répéta Marcel, comme s'il avait besoin de persuader un ami qui était déjà plus que convaincu, à force de l'entendre radoter son mantra sur tous les tons.

— Ben dans ce cas-là, dépêche-toé de te marier.

— Calvaire, Bertrand ! C'est quoi cette idée de fou-là, à soir ? Je connais même pas de filles.

— Pis ça ? Y est jamais trop tard pour commencer à chercher. T'as juste à t'ouvrir les yeux pis à regarder autour de toé. Des belles brunettes ben en chair, y doit ben y en avoir une couple dans le quartier....

— Ouais, on verra...

Curieusement, Marcel n'était pas à l'aise avec ce sujet, qu'il trouvait pour le moins hasardeux.

— Pis toé, la guerre, ça te fait pas peur ? lança-t-il sans trop réfléchir, question de changer le fil de la conversation. Me semble que t'as l'air au-dessus de tes affaires à chaque fois qu'on en parle.

— Non, ça me fait pas peur. Pantoute, même! T'aurais-tu oublié?

— Oublié quoi, Bertrand?

— Sacrifice, Marcel! Je fais de l'asthme. Je serai même pas obligé de faire mon service militaire, des fois que ça deviendrait obligatoire.

— C'est ben vrai... T'es pris des poumons, toé. Remarque que ça paraît pas ben ben... Ça doit être pour ça que j'y pensais pus. En tout cas, si tu dis que c'est vrai, ça doit l'être, hein? Pis t'as raison de croire que tu seras pas appelé sous les drapeaux, comme le dit ma mère. Monsieur Perrette m'en parlait justement, au printemps dernier. Y a des exceptions pour se sauver de la guerre, pis une mauvaise santé, c'en est une... On dirait ben, calvaire, qu'y reste juste moé qui vas être obligé de s'inquiéter pour ça. Voir que j'avais besoin d'une affaire plate de même. Maudite guerre, aussi!

— Je te le répète, Marcel: marie-toé, sacrifice, pis dépêche-toé de faire un p'tit à ta femme! Comme ça, tu serais sûr de rester icitte, à Montréal, en train de trancher ta viande, au lieu d'aller te faire massacrer de l'autre bord.

— Ben d'accord avec toé, Bertrand, pis monsieur Perrette m'en a parlé, lui avec, mais j'ai toujours ben juste dix-neuf ans, calvaire! Chus loin d'être sûr que ça me tente de me caser tusuite.

— Ben là, va falloir que tu te branches, mon vieux! Tu veux éviter la guerre, oui ou non?

— C'est sûr que oui.

— Ben prends les moyens pour y arriver, sacrifice! Le mariage, c'est quand même pas si pire que ça, voyons donc! J'ai dans l'idée que d'avoir une femme qui t'attend dans ton lit à tous les soirs, c'est pas mal mieux que d'aller se battre en Europe!

— Ouais... Tant qu'à ça...

Sur ce, Marcel s'étira longuement, puis, prenant son verre, il cala sa bière.

— C'est pas que je te trouve plate, Bertrand, mais pour moé, la soirée va s'arrêter là. J'entre à l'ouvrage de bonne heure demain, pis j'veux être en forme. J'ai un demi-bœuf à mettre en rôtis, pis c'est pas mal dur comme travail, rapport que c'est des gros os solides. Depuis que monsieur Perrette m'a montré comment faire, c'est moé qui s'occupe des carcasses tout seul, maintenant.

— Ouache! Je te comprends pas, Marcel. Tu me parles de ça comme si c'était le fun, d'étriper une bête.

— On l'étripe pas, maudit calvaire, on la débite, notre carcasse. C'est pas pareil. Pis ouais, ça me plaît comme *job*. Quand j'offre un beau rôti ou une belle tranche de steak à une cliente, pis que c'est ben clair que ça fait son bonheur, ben moé, ça fait ma journée. De toute façon, si tu veux manger de la viande, faut ben que quèqu'un s'en occupe, non?

— Là-dessus, t'as pas tort.

— Bon, tu vois ben que j'ai raison! Pis ça s'adonne que c'est ma *job* à moé de préparer la viande qu'on va manger. Salut, Bertrand, on se reverra un autre tantôt. J'ai un travail qui me tient ben occupé !

Il n'en demeurait pas moins que tout occupé qu'il était, Marcel ne cessait de penser à la guerre. À un point tel qu'il se décida finalement à en discuter avec sa mère, même s'il savait à l'avance que la conversation risquait de déraper, puisqu'à chaque lettre reçue d'Adrien, Évangéline en faisait l'éloge. Dans leur salon, elle avait même changé la photo de son mariage pour celle d'Adrien dans sa tenue militaire. En ce moment, son frère venait d'arriver en Angleterre, et il avait écrit que l'entraînement était particulièrement intense.

— Mais tant pis ! murmura Marcel, tout en grimpant l'escalier qui menait à la cuisine. Si j'veux me marier un jour, faut toujours ben que je sache si la mère est prête à vivre avec une étrangère dans sa cuisine. Après toute, la maison est à elle, pis maudit calvaire, même si ça fait pas mon affaire, a' va avoir son mot à dire là-dedans. Ouais, c'est le temps d'y parler de mes projets avant de me mettre à chercher sérieusement quèqu'un qui pourrait me faire une bonne femme, pis une bonne mère pour nos enfants. J'ai fait une grosse journée, monsieur Perrette était content de moé, pis chus de bonne humeur. Ça devrait aider à avoir une discussion normale.

Malheureusement pour lui, Évangéline brillait par son absence. Un petit mot laissé sur la table lui apprit qu'elle était chez son amie Noëlla et qu'elle souperait avec eux.

— Me v'là ben avancé, maudit calvaire! À croire que la mère savait que je voulais y parler pis qu'a' l'a fait exprès pour pas être là...

Marcel jeta un coup d'œil autour de lui dans la cuisine.

— Pis en plus, y a rien de prêt pour souper. Ça me tente-tu, moé, de me faire à manger quand je reviens de l'ouvrage? Non, pas pantoute.

Le jeune homme quitta la pièce en furie.

Même après s'être changé, et s'être rafraîchi le visage et les mains, Marcel continuait de tempêter.

— Calvaire de calvaire! Pourquoi c'est toujours de même avec la mère? Y a jamais rien qui marche à mon goût quand chus avec elle!

Le jeune homme ouvrit le réfrigérateur et grimaça devant un restant de jambon.

— J'en ai assez tranché pour aujourd'hui, j'ai pas le goût d'en manger en plus pour souper... Maudit calvaire, quand ça va mal, ça va mal! La mère qui est pas là, le souper qui est pas prêt... Y me reste juste à aller manger à la taverne chez Phil. Petête même que Bertrand est déjà rendu, pasque ça y arrive souvent de souper là. De toute façon, ça fait longtemps que je me suis pas payé un p'tit plaisir de même, pis je l'ai pas volé! Je travaille assez dur pour ça.

Ce fut en arrivant au coin de la rue, juste avant de tourner devant le casse-croûte Chez Albert que l'envie de quelques hot-dogs bien garnis accompagnés d'une montagne de frites chatouilla l'esprit et l'estomac du jeune homme.

— Bonne idée! Ça serait ben bon, avec un grand Coke glacé, grommela Marcel, en approchant du commerce. C'est un repas que la mère fait jamais, pis j'aime ça en calvaire. En plus, chus sûr que Bertrand sera pas icitte à me rabattre les oreilles avec ses histoires de mariage, tandis qu'à la taverne, je risque de tomber sur lui. Tant que j'ai pas discuté de mariage avec la mère, j'veux pus en entendre parler!

Et sur cette décision, Marcel poussa la porte du petit restaurant.

En cette belle soirée de fin d'été, il y avait foule chez monsieur Albert, et Marcel ne put s'empêcher de soupirer en se disant que s'il restait ici, il ne serait pas à la veille de manger.

— Une autre maudite affaire qui va pas dans le sens que je le voulais, maugréa-t-il.

Et comme la patience n'était pas sa qualité première...

Le jeune homme allait faire demi-tour à l'instant où une jolie blonde l'interpella.

— Hé Marcel!

Tout au fond du restaurant, Agathe, une ancienne compagne de classe, lui faisait signe. Marcel s'approcha.

— Donne-moé une p'tite menute, pis je te trouve une place, promit Agathe, tout en soulevant son calepin de commandes.

Puis, elle offrit un beau sourire à Marcel qui, avouons-le, faisait partie des plus beaux gars du quartier.

— Chus justement en train de préparer la facture de mes clients, expliqua-t-elle, en faisant un clin d'œil à son ami. Le temps de débarrasser, pis de laver leur table, pis tu vas pouvoir t'assire.

Quelques instants plus tard, et à son grand plaisir, Marcel se retrouva devant un grand verre de Coke bien froid, tandis qu'Agathe criait sa commande à monsieur Albert, qui passait toutes ses journées dans sa cuisine.

— Trois hot-dogs relish moutarde, avec un peu d'oignons crus pis du chou, avec une grosse frite, s'il vous plaît !

Au même instant, Marcel aperçut une nouvelle serveuse qui sortait justement des cuisines. Ce fut plus fort que lui, et le jeune homme se détourna pour cacher le sourire moqueur qui lui vint spontanément aux lèvres.

« Une p'tite brunette avec tout ce qu'y faut aux bonnes places, pensa-t-il aussitôt. En plein le genre de fille qui plairait à Bertrand. »

Puis, son sourire ravalé, Marcel la suivit discrètement des yeux, le temps que la nouvelle venue passe d'une table à l'autre. Toutefois, dès qu'Agathe déposa son repas devant lui, Marcel s'en désintéressa.

Il oublia même son existence jusqu'au jour où son ami Bertrand lui offrit un cornet de crème glacée.

— Sacrifice, faut en profiter ! Dans une couple de semaines, l'automne va nous tomber dessus comme la misère sur le pauvre monde, pis à part un *sundae* de temps en temps, on aura pus envie de manger de la crème glacée jusqu'à l'été prochain. Envoye,

Marcel, amène-toé, c'est moé qui t'invite! On se paye chacun une grosse frite pis un cornet.

Bertrand tomba sous le charme dès qu'il aperçut la belle inconnue.

— T'as-tu vu ça, Marcel? chuchota-t-il quand Agathe eut pris leur commande. C'est qui, c'te fille-là, à l'autre bout du restaurant? Sûrement pas une fille de par icitte, sinon je l'aurais remarquée ben avant aujourd'hui.

Marcel tourna la tête, observa la jeune serveuse durant un instant, puis il acquiesça.

— C'est ce que je me suis dit, moé avec.

— Pasque tu l'as déjà vue?

— Ouais... L'autre soir, quand chus venu souper icitte pasque la mère était partie manger chez son amie Noëlla.

— Pis tu m'en as pas parlé?

— Non... Pourquoi je l'aurais fait?

— Pasque c'est un maudit beau brin de fille, ça là, mon Marcel!

Ce dernier se détourna encore une fois, haussa imperceptiblement les épaules, puis il revint à Bertrand.

— Ouais, si on veut.

— Comment, si on veut? Sacrifice, mon homme! Que c'est tu veux de plus que ça? Des beaux cheveux bruns toutes bouclés, un sourire comme celui de la statue de la Sainte Vierge dans la crèche de Noël à l'église, des belles rondeurs aux bons endroits... Même son p'tit air timide est beau à regarder.

— Calvaire, mon Bertrand! La p'tite serveuse t'est tombée dans l'œil, pis pas à peu près! Envoye fort, mon homme, tente ta chance, si tu la trouves belle à c'te point-là.

— Oh! Pour être belle, est belle. Ça prend juste un aveugle pour pas s'en rendre compte. Malheureusement, c'est pas moé qui a besoin d'une fille pour rester icitte au pays, c'est toé. T'aurais-tu oublié la guerre?

— Calvaire non!

— Ben que c'est que t'attends, d'abord?

Comme Agathe revenait à l'instant avec leurs portions de frites, cette dernière interrompit la conversation tenue à voix basse.

Mais Marcel ne l'oublia pas pour autant.

Ce fut ainsi qu'il décida de se donner la chance d'observer la belle inconnue de loin durant quelques jours avant de l'aborder franchement.

Et surtout pas question de demander à Agathe de la lui présenter, car entre filles, on ne pouvait savoir ce qui pourrait se dire, et c'est peut-être là qu'il gâcherait sa chance. Agathe connaissait Marcel depuis la petite école, et elle savait fort bien qu'il n'avait pas toujours été un enfant de chœur.

— Si jamais la belle serveuse apprenait que j'peux être le genre à lever le ton pis à montrer les poings, murmura-t-il pour lui-même, c'est comme rien qu'a' serait pas intéressée.

Il commença donc par offrir à sa mère de ramener deux beaux steaks de la boucherie.

— Pis pendant que vous allez les faire cuire, moé, j'vas aller nous chercher deux casseaux de frites pour manger avec.

— Cré maudit! C'est une bonne idée, Marcel. M'en vas faire de la p'tite sauce brune pour aller avec. Ça va être ben bon.

Puis, deux jours plus tard, le jeune homme parla de prendre deux pointes de tarte en passant.

— Pourquoi pas? apprécia Évangéline. Ça va me faire ça de moins à cuisiner durant la journée. Ça tombe ben, j'ai pas mal de couture devant moé.

Mais quand le surlendemain, Marcel offrit un cornet à sa mère, celle-ci ne déborda pas d'enthousiasme comme d'habitude, et elle regarda son fils par-dessus les lunettes qu'elle devait désormais porter pour travailler.

— Que c'est ça, c'te nouvelle manie d'aller chez Albert à tout bout de champ? Ça serait-tu que mon manger est pus assez bon pour toé?

— J'ai-tu dit ça?

— Non, mais tu le penses petête, par exemple, pis t'essayes de me le faire comprendre avec toutes tes simagrées, sans le dire franchement... Maudit verrat! Pourquoi un cornet? La crème à glace que j'achète chez Perrette est pas à ton goût? Si c'est le cas, faudrait petête que tu le dises à ton patron, pasque c'est lui qui choisit la marque.

— Ça a rien à voir! Calvaire, la mère! J'essaye juste de vous faire plaisir, pis ça fait pas encore.

— J'ai pas dit que ça faisait pas, Marcel, je me renseigne, c'est toute! Pis essaye pas de déformer mes propos. Tu le sais, avec moé, ça pogne pas. Mais t'avoueras quand même que c'est ben particulier. En dix-neuf ans, à part de la viande de temps en temps, tu m'as jamais fait de cadeau. Pis là, tout d'un coup, tu te fends en quatre pour me faire plaisir ? Je trouve ça particulier, c'est toute.

— Ben, c'est ça qui est ça. Que c'est vous voulez que j'ajoute de plus ?

— Rien, Marcel, rien en toute... Si c'est ce que t'avais de bon à dire, pis que c'est la vérité, à mon tour, de te faire plaisir, pis de te dire un gros merci... Dans ce cas-là, on va aller manger un cornet après le souper, comme tu me l'as proposé. Même si y fait moins chaud depuis les derniers jours, ça reste bon pareil.

— Pasque vous voulez aller le manger là-bas ?

— Pourquoi pas ? Bâtard, Marcel ! T'es ben blême tout d'un coup.

— Pantoute ! C'est juste que j'veux vous éviter de marcher, pis...

— Là mon garçon, tu pousses un peu fort. Viarge ! Chus pas si vieille que ça, pis chus encore capable de me rendre au coin de la rue sans m'enfarger dans les craques du trottoir... En courant, si y faut ! Disons que ça va me permettre de saluer monsieur Albert en même temps.

— Ah bon...

Le souper fut plutôt silencieux, et au moment de partir pour le casse-croûte, il n'y eut qu'Évangéline pour entretenir une conversation qui se transforma rapidement en un long monologue sur les attraits de leur rue et ses habitants.

Toutefois, il suffit d'un simple regard sur Marcel rougissant devant la nouvelle serveuse, comme un gamin pris en faute, pour que la mère comprenne ce qui se tramait derrière les gentillesses de son fils.

Cette jeune femme lui plairait-elle?

Sur ce, Évangéline haussa les épaules. Inutile d'en parler avec Marcel, il nierait le tout en bloc.

Voilà pourquoi Évangéline ne laissa rien voir de sa découverte, sinon qu'elle passa plus de temps que nécessaire à jaser avec monsieur Albert.

— Ça fait longtemps que chus pas venue manger tout un repas chez vous! Si on disait dimanche prochain, après la messe, ça serait-tu possible de me garder la table dans le coin, proche de la fenêtre?

— Pas de problème, madame Lacaille.

— Ben contente! Pis toé Marcel, que c'est tu dirais de venir dîner icitte dimanche midi?

— Ouais, ça serait une idée.

— Ben, c'est réglé.

Le retour à la maison fut tout aussi silencieux que l'aller au restaurant.

Une fois ses chaussures remplacées par de vieux chaussons de laine, Évangéline se rendit à la cuisine afin de mettre l'eau à chauffer pour son dernier thé de la journée, et contrairement à son habitude, Marcel ne la suivit pas. Évangéline prépara donc une tasse bien fumante pour son fils, avec un trait de miel comme il aimait, et sans hésiter, elle se rendit à la porte de sa chambre et y cogna.

Un grognement lui répondit.

— J'ai une tasse de thé pour toé, Marcel. J'peux-tu entrer?

— Ouais.

Le jeune homme était allongé sur son lit. Un bras sous la nuque, il fixait le plafond. Cela faisait plusieurs fois qu'il avait la chance d'observer la jeune serveuse qui, chaque fois, lui souriait gentiment, de plus en plus gentiment, et il ne savait trop ce qu'il devait en penser. Ils avaient même échangé quelques mots, et le moment lui avait paru agréable. En outre, elle était franchement jolie, Bertrand avait raison. Toutefois, ce n'était pas suffisant pour que son cœur se mette à battre plus fort lorsqu'il la voyait.

Alors...

Était-ce bien nécessaire d'avoir le cœur en émoi pour se dire amoureux?

Marcel l'ignorait, et plus il y pensait, plus il se sentait malhabile devant la situation.

Il soupira en tournant les yeux vers sa mère.

— Tu sais, mon garçon, déclara Évangéline sur un ton neutre, dans la vie, faut pas laisser passer les occasions qui se présentent à nous, au risque de se faire damer le pion par quèqu'un d'autre.

— Pourquoi vous dites ça, la mère?

— Comme ça... Une mère, tu sais, ça comprend ben des choses sans qu'on aye besoin d'en parler.

Sur ces mots, Évangéline déposa la tasse sur la table de nuit de Marcel, et elle revint sur ses pas vers la porte.

— Une invitation pour aller aux vues, ça engage pas grand-chose, ajouta-t-elle, sans même se retourner. Ça permet de sonder le terrain, pis ça peut faire plaisir, sans porter à conséquence... Là-dessus, j'vas aller me coucher. J'ai eu une grosse journée, pis j'en ai une pareille qui s'annonce pour demain. Bonne nuit Marcel.

Et sur ces mots, Évangéline referma la porte tout doucement.

Ce fut le spectre de la guerre qui l'emporta finalement sur les hésitations du jeune homme.

Quelques mois après cette discussion avec sa mère, Marcel fit sa grande demande dans le parc du quartier, près des balançoires.

Et Bernadette accepta de l'épouser avec empressement. Il avait un si charmant sourire, ce grand jeune homme, et la belle Agathe semblait le trouver bien à son goût !

Il fut donc décidé que le mariage entre Marcel Lacaille et Bernadette Gingras aurait lieu en décembre dans la paroisse de Saint-Eustache, au grand désespoir d'Évangéline.

— Voir que la promise de mon garçon aurait pas pu venir d'ailleurs. Saint-Eustache ! Maudit verrat que chus pas chanceuse ! déclara-t-elle à son amie Noëlla, pour qui elle n'avait plus aucun secret. Mais pour le reste, par contre, chus pas mal contente de savoir que mon Marcel va se marier. Qui aurait cru la chose possible, y a de ça quèques années à peine, hein Noëlla ? En plus, ça va me faire un peu de compagnie dans la maison.

Cependant, elle ne glissa aucun mot à son fils sur sa crainte de retourner à Saint-Eustache. S'il fallait qu'elle tombe sur ses frères, ou pire, sur ses parents, ce serait une véritable catastrophe pour Évangéline. En revanche, sa rancune envers sa famille ne concernait pas son fils, d'autant plus que Marcel ne se souvenait pas du tout que ses grands-parents maternels habitaient à Saint-Eustache. S'ils étaient toujours vivants, comme de raison!

Ainsi, prétextant un surplus de travail, Évangéline exigea de faire le trajet aller-retour dans la même journée.

— J'ai pas de misère avec ça, la mère. Ça va nous faire économiser sur l'hôtel.

— Ben contente que tu voyes les choses de la même manière que moé, mon Marcel.

— Ben là... Pour une fois qu'on est d'accord, j'vas toujours ben pas faire une histoire avec ça... De toute façon, Bernadette va être déjà rendue par chez eux depuis quèques jours. Ça fait que j'vas m'occuper de nous acheter deux billets pour le train, un pour vous pis un pour moé, plus un autre pour Bernadette quand a' va revenir à Montréal avec nous autres.

— Prends les billets de train juste pour l'aller, par exemple, pis en autant que t'es ben certain qu'on va arriver à l'heure.

— Pourquoi?

— Pasque pour le retour, j'apprécierais que tu nous trouves plutôt un taxi. On va toutes être ben fatigués, pis je...

— Un taxi ? Calvaire, la mère, ça va coûter la...

— Inquiète-toé pas, Marcel, c'est moé qui paye. On va dire que ça sera votre cadeau de noces, rapport que vous aurez pas besoin de vous greyer d'un ménage au grand complet, pis que je vois pas ce que je pourrais vous donner comme cadeau. Après toute, vous allez vivre icitte, pis chus déjà ben installée.

— Ça je le sais, la mère, pis je l'apprécie. Pis j'apprécie aussi le fait que vous nous laissiez votre chambre.

— C'est juste normal que ça soye de même, mon garçon. T'as pas besoin de me remercier pour ça. Pis oublie surtout pas d'inviter Bernadette à souper dimanche prochain. J'ai ben hâte d'apprendre à mieux la connaître... C'est pas des maudites farces, tu te maries avec elle dans moins d'un mois, on va se retrouver à virailler dans la même cuisine, elle pis moé, pis c'est ben juste si on s'est parlé trois fois quand chus allée au casse-croûte de monsieur Albert...

— Que c'est que vous voulez que je vous dise, la mère ? On travaille pas sur les mêmes horaires, Bernadette pis moé. Même pour nos deux, c'est ben difficile d'arriver à se voir pour la peine ! Mais on s'apprécie pareil, craignez pas. J'ai pour mon dire que c'est ça l'important. On se reprendra quand on sera mariés pis que Bernadette travaillera pus comme serveuse !

— Petête ben, mon garçon, que ça te suffit. Mais moé, j'ai ben hâte de mieux la connaître pareil. Des p'tites rencontres devant une patate frite, c'est pas assez. Pis c'est dimanche prochain que ça va commencer!

CHAPITRE 16

« J'aime les nuits de Montréal
Pour moi ça vaut la place Pigalle
Je ris, je chante
La vie m'enchante
Il y a partout des refrains d'amour »

Les nuits de Montréal (J. RAFA/É. PRUD'HOMME)
PAR JACQUES NORMAND, 1949

Février 1943, dans la cuisine d'Évangéline, par une belle matinée d'hiver

L e jour était à peine levé qu'Évangéline était déjà debout. Songeuse, elle sirotait un thé, assise au bout de la table, essayant de revoir les deux derniers mois pour tenter de comprendre où le bât avait blessé, car dès les premiers jours, la cohabitation avec Bernadette n'avait pas apporté la satisfaction escomptée.

Loin de là !

Ils étaient tout juste revenus de Saint-Eustache qu'Évangéline avait compris que Bernadette ne serait jamais sa petite sœur Estelle, qu'elle ne pourrait jamais la remplacer, et que le repos tant espéré ne serait pas pour tout de suite.

En effet, dès le lundi matin, alors qu'Évangéline s'était obligée à rester au lit plus tard que d'habitude, question de laisser un peu d'intimité aux jeunes mariés, le torchon avait commencé à brûler, et il continuait de s'enflammer facilement depuis.

Ce matin-là, Évangéline avait donc attendu que Marcel soit parti pour l'épicerie avant de se lever pour rejoindre Bernadette, qu'elle entendait s'affairer à la cuisine.

Le temps d'enfiler ses chaussons, de mettre une robe de chambre et de passer par la salle de bain, puis elle se pointait à la cuisine, reniflant bruyamment les bonnes odeurs qui s'échappaient d'un chaudron posé sur la cuisinière.

— On mangerait du gruau que je serais pas surprise, avait-elle lancé en guise de salutation, faisant ainsi sursauter la toute jeune Bernadette, qui lui tournait le dos.

Rougissante, celle-ci avait offert un timide sourire à sa belle-mère.

— Ben oui, j'ai fait du gruau, madame Lacaille. C'est Marcel qui m'a dit t'à l'heure que vous aimiez ça. Je voulais vous faire plaisir.

— Ben, c'est réussi, ma belle Bernadette! En hiver, y a rien de mieux qu'un bol de gruau ben chaud pour commencer la journée.

— Ben dans ce cas-là, assoyez-vous, m'en vas vous servir.

Ce fut à la première bouchée qu'Évangéline avait constaté qu'elle aurait probablement bien des choses à mettre au point avec sa belle-fille.

— J'veux pas faire ma capricieuse, mais me semble que ton gruau, Bernadette, y goûte pas pareil au mien, avait-elle alors fait remarquer, en grimaçant.

La jeune femme avait rougi de plus belle.

— Y est pas bon? avait-elle demandé d'une voix étranglée.

— Viarge! C'est pas ce que j'ai dit. Y est correct, ton gruau, mais y goûte pas pareil que d'habitude.

— Pourtant... Je l'ai fait comme ma mère m'a montré quand j'étais encore ben p'tite, pis c'est comme ça qu'on fait chez nous chaque fois qu'on veut en manger.

— Pis tu le fais comment?

— Ben... Comme tout le monde, je pense! Je mets les flocons dans le chaudron, j'ajoute une pincée de sel avec du lait, pis...

— Du lait? Depuis quand on met du lait pour faire cuire du gruau?

— Depuis toujours, je dirais.

— Pantoute!

En même temps qu'elle parlait, Évangéline avait assené une petite tape sur la table, faisant encore une fois sursauter Bernadette.

— Cuire du gruau avec du lait, c'est pour les riches. Pas pour du monde comme nous autres. T'apprendras qu'icitte, ma p'tite fille, c'est avec de l'eau qu'on fait cuire notre gruau. Le lait, on le garde pour en mettre un peu dans notre bol pour le refroidir, pis on ajoute de la cassonade pour que ça soye meilleur.

Sur ce, Évangéline avait poussé un long soupir.

Intimidée par le ton brusque employé par sa belle-mère, Bernadette était restée figée devant le comptoir, incapable d'articuler le moindre mot d'excuse. Devant le peu de réaction de la jeune femme, ce qui, pour Évangéline, était un signe flagrant de faiblesse, elle avait alors repoussé son bol.

— Non, finalement, je l'aime pas, ton gruau, avait-elle déclaré sans la moindre complaisance. Y est trop riche, pis ça m'a coupé l'appétit. J'vas me contenter d'une tasse de thé que j'vas aller prendre dans le salon... Pis tu m'attendras pour faire le dîner, des fois que tu ferais pas cuire les patates comme moé... Ah ouais, au fait, j'ai prévu de manger du steak haché pour souper. Va falloir aller en acheter à l'épicerie Perrette. Tu iras à ma place. Ça va te permettre de dire bonjour à ton mari en passant. Pour les légumes, y en reste tout plein dans le caveau. Y a un escalier qui descend à la cave juste en arrière de la porte, au bout du corridor, pis le caveau est dans le fond, contre le mur pas de fenêtre. T'as-tu ben compris?

— Oui, madame Lacaille.

— Ben tant mieux.

Ce fut ainsi que se déroulèrent les tout premiers instants de ce tête-à-tête entre les deux femmes, une sorte de promiscuité d'accommodement qui avait de fortes chances de durer durant des décennies.

Durant les minutes qui suivirent, Bernadette avait essuyé ses premières larmes silencieuses, tout en essayant de laver la vaisselle sans faire de bruit et se demandant avec quel argent elle allait payer le steak haché. Au même moment, au salon, Évangéline ruminait son amère déception. Non seulement elle n'allait pas pouvoir s'en remettre aveuglément à sa belle-fille pour s'occuper de l'ordinaire de sa maison, qu'elle faisait tout croche, mais de plus, elle allait devoir la garder à l'œil.

— Du lait dans le gruau, avait-elle grommelé, tout en suivant des yeux le vieux monsieur Leclerc, son fidèle locataire, qui, tout courbé par l'arthrite, partait à pas prudents faire sa promenade quotidienne dans le quartier. Voir qu'on a les moyens de faire du gruau avec du lait... Maudit verrat! Si je la laisse aller à sa guise, la Bernadette va nous ruiner! Non seulement la paye de mon garçon va y passer au grand complet, mais ma réserve avec, maudit bâtard!

Sur ce, Évangéline était retournée à sa chambre pour s'habiller, puis, sans dire un mot, elle était sortie pour se diriger d'un pas colérique vers la maison de son amie Noëlla.

— Tu sais, avait-elle alors expliqué, devant le second thé de sa journée, j'aurais aimé mieux, je pense, que la Bernadette me remette vertement à ma place, plutôt que de pencher la tête comme une coupable.

— Mets-toé à sa place, la pauvre enfant! C'est ben intimidant, une belle-mère.

— Ah oui? J'aurais pas cru. Chus quand même pas un gérant de banque, maudit verrat! De toute façon, j'en ai pas eu, moé, de belle-mère, je pouvais pas savoir. N'empêche... Me semble, au contraire, que j'aurais ben aimé ça avoir quèqu'un avec qui jaser, quèqu'un qui aurait pu me renseigner sur les préférences de mon nouveau mari.

— Donnes-y le temps! Bernadette vient tout juste d'arriver chez vous. Déjà que de se retrouver dans le lit d'un homme, c'est quèque chose à apprivoiser, a' peut toujours ben pas deviner tes goûts en plus!

— Pas sûre que ça va donner de quoi, d'y laisser du temps! Viarge, on discutait, pis v'là que Bernadette est venue les yeux pleins d'eau en même temps qu'a' devenait muette comme une tombe. Je vois pas comment on va pouvoir en arriver à jaser ensemble, elle pis moé. Va falloir qu'a' se fasse à l'idée que j'ai mon franc-parler, pis quand j'ai quèque chose à dire, j'y vas pas par quatre chemins...

— Ouais, on sait ça!

— Coudonc Noëlla, ça serait-tu un reproche?

— Pantoute, Évangéline. Pis je dirais même que ça a l'avantage de toujours être ben clair avec toé. C'est juste un peu surprenant, les premières fois.

— Ouais... C'est vrai que chus directe. J'ose espérer que Bernadette va finir par comprendre la même chose que toé... Y a pas de méchanceté là-dedans, voyons donc, c'est juste que j'ai pas de temps à perdre en faisant dans la grande politesse. Maudit bâtard! Je la mangerai pas tout rond, même si je parle fort.

— Mais tu pourrais petête essayer d'être juste un peu plus *smooth* dans ta manière de parler ?

— Pourquoi ?

— Pasque tu peux être vraiment à pic, des fois. Pour une jeunesse comme Bernadette, ça doit être un brin déroutant. Surtout que probablement, à matin, la pauvre enfant cherchait juste à te faire plaisir.

— Ben d'accord avec ça. Mais c'est pas une raison pour gaspiller, par exemple. Y a toujours moyen de faire plaisir au monde tout en restant raisonnable, maudit bâtard ! C'est de même que j'ai élevé mes garçons, pis je changerai pas ma manière de penser pour faire plaisir à ma bru... Bon, assez parlé de ça, j'ai de la couture en masse pour me changer les idées. Merci de m'avoir écoutée, Noëlla, ça m'a fait du bien de te parler. On se reverra un autre tantôt !

L'instant d'après, Évangéline remettait son manteau pour repartir tambour battant. Cependant, une fois arrivée à la porte, elle avait hésité un instant, puis elle s'était retournée pour ajouter :

— M'en vas penser à toute ce que tu m'as dit, Noëlla. Je promets rien, par exemple ! Que c'est tu veux, chus faite de même, chus brusque. Mais j'vas essayer d'être plus *smooth,* comme tu dis... Je peux toujours ben pas partir en guerre contre une jeune femme que je connais à peine. La femme de mon Marcel, en plus ! T'as raison, j'vas essayer de faire attention. Astheure, passe une belle journée. Moé, mon moulin à coudre m'attend !

* * *

Les mains de Marcel tremblaient tellement qu'il voyait les mots danser devant ses yeux, sans arriver à tout relire posément.

Était-ce possible? Avait-il vraiment bien compris?

Il laissa tomber la lettre sur l'étal reluisant, puis il prit une profonde inspiration pour se calmer, en se frottant les tempes avec les doigts. C'est comme rien qu'un lancinant mal de tête se pointait, et la journée n'était même pas commencée!

— Maudit calvaire de batince! On dirait ben que je me suis marié pour rien, constata-t-il sur un ton découragé. Maudite guerre!

Le temps de retrouver ses esprits, puis Marcel reprit la lettre, la relut le plus posément qu'il était capable, suivant les mots avec l'index, comme sa mère l'avait toujours fait, pour finalement la froisser entre ses deux mains, avant de la laisser tomber sur l'étal une seconde fois.

— J'ai ben compris, maudit calvaire! lança-t-il aux murs de béton grisâtres C'est ben une lettre de l'armée qui me dit qu'y veulent que je m'enrôle, marmonna-t-il, tout en jetant un regard furieux sur le papier chiffonné qu'il avait bien envie de déchirer. En fin de compte, monsieur Perrette pis Bertrand s'étaient trompés de boutte en boutte! Le mariage, c'est pas une excuse valable. Avoir su...

Incapable de rester en place, Marcel se leva du tabouret qu'il gardait toujours près de sa table de coupe, là où il préparait ses commandes, faisait ses comptes et mangeait rapidement son repas du midi, un œil sur la petite vitre de la porte qui lui permettait d'avoir un regard constant sur la clientèle, puis il se mit à marcher de long en large, comme un ours en cage. Chaque fois qu'il passait devant l'étagère où il rangeait les rôtis non vendus de la veille et qu'il devrait trimer avant de les remettre dans le comptoir, et les bacs contenant la viande hachée qu'il avait soigneusement lavés avant de quitter la boucherie, la veille, en fin de journée, il se frappait la paume d'une main avec son poing tellement il était déçu. Tant d'efforts pour absolument rien, et il devrait agir durant toute la journée comme si de rien n'était devant une clientèle qui ne serait plus la sienne dans quelque temps.

Mais avait-il le choix?

Marcel était peut-être un homme impatient, un peu trop prompt, mais il était aussi un homme de devoir.

Alors, tout à l'heure, quand il se serait calmé, il préparerait la viande pour l'avant-midi, même si, pour l'instant, il n'avait pas le cœur à l'ouvrage, et il essaierait de sourire à chacune des clientes qu'il verrait, même s'il avait envie de crier sa colère. Sur ce point, il était tout à fait d'accord avec sa mère : quand on donnait sa parole, on allait jusqu'au bout.

Il régnait dans la pièce une odeur ferreuse, et un relent d'épices qui servaient à assaisonner parfois les côtelettes de porc. Pour quiconque n'était pas habitué, l'odeur prenait à la gorge. Pour Marcel, cependant, c'était l'odeur de son travail, celui qui lui permettait de gagner honorablement sa vie, et il en était fier.

Le jeune homme regarda autour de lui.

Dire qu'il allait devoir quitter tout cela pour aller s'entraîner, et peut-être même aller se battre à l'autre bout de la planète!

— Ah, t'es là toé?

Marcel sursauta et se retourna vivement. Son patron se tenait dans l'embrasure de la lourde porte de la chambre réfrigérée, et il le regardait avec son air habituel, plutôt bon enfant.

— Ben oui, monsieur Perrette. Chus là comme tous les matins. Pourquoi vous avez l'air surpris?

— Pasque la porte d'en avant était encore barrée quand moé chus rentré à l'ouvrage, t'à l'heure.

— Ouais, je sais. J'ai refermé à clé en arrière de moé pasqu'y était ben de bonne heure, pis que je voulais pas être dérangé. J'avais pas mal de choses à préparer pour ma journée.

— Ah ouais?

Ben Perrette regarda autour de lui.

— C'est curieux que tu me dises ça, pasqu'on dirait ben que t'as pas fait grand-chose!

À son tour, Marcel jeta un coup d'œil à l'étagère.

— C'est vrai, vous avez raison.

Puis, le regard de Marcel se posa spontanément sur la feuille chiffonnée, et il se durcit aussitôt.

— C'est à cause de l'armée, aussi, expliqua-t-il tant bien que mal.

— L'armée? Veux-tu bien me dire ce que l'armée vient faire dans ma boucherie?

— A' vient toute massacrer ce qu'on était en train de bâtir, monsieur Perrette. C'est pas vrai que le mariage allait me garantir de...

— Wo! Deux menutes, toi là! J'ai ben de la misère à suivre ce que t'es en train d'essayer de me dire...

— Ben lisez la lettre, pis vous allez comprendre. Non seulement je me suis marié pour rien, mais en plus, Bernadette va avoir un p'tit dans l'année, pis ça, c'était pas pantoute prévu pour tusuite... Mais vous le savez, pasque je vous en ai parlé la semaine passée, drette le jour où je l'ai appris moi-même. Ça fait que...

— Arrête-toé là, Marcel. T'as l'air pompé comme ça se peut pas, pis moé, je comprends rien à ce que t'essayes de m'expliquer. On va commencer par sortir de la chambre froide, si tu veux qu'on jase dans le sens du monde. Y fait frette sans bon sens ici. Je peux-tu te dire que je m'ennuie pas de ça pantoute? Méfie-toé, mon gars! À force de rester dans la chambre froide aussi souvent que tu le fais, tu vas finir par attraper ton coup de mort. Astheure, avant tout, moé, j'vas aller appeler ta mère pour qu'a' l'arrête de s'inquiéter.

— Ma mère? Pourquoi c'est qu'a' s'inquièterait, ma mère? A' sait que chus icitte. J'y ai dit bonjour avant de partir, comme je le fais à tous les matins.

— Ben justement! Moé, quand j'ai vu que huit heures arrivaient pis que t'étais toujours pas en arrière de ton comptoir, j'ai appelé chez vous pour voir si t'étais pas malade.

— Pantoute... De toute façon, chus jamais malade, vous le savez ben! Même pas un rhume durant l'hiver... Mais c'te lettre-là pourrait petête me rendre malade, par exemple.

Du doigt, Marcel désignait le papier chiffonné en boule sur l'étal. Ben Perrette soupira.

— Encore la lettre? Ben voyons donc, que c'est ça? Envoye, Marcel, donne-moé c'te papier-là, pis viens me rejoindre dans mon bureau dans quinze menutes, quand t'auras commencé à monter ton comptoir. On va regarder ça ensemble après que j'aye parlé à ta mère...

Quelque vingt minutes plus tard, dès qu'il eut fini de lire la lettre, Benjamin Perrette leva un grand sourire à l'intention de Marcel.

— Me semblait aussi que tu t'en faisais pour pas grand-chose.

— Que c'est vous voulez dire par là, monsieur Perrette? Ça serait-tu que vous avez pas lu la même affaire que moé?

— Aucune idée de ce que toé t'as lu, mais pour moé, c'est juste un papier sans importance. Ça a rien à voir avec un mot officiel du gouvernement qui t'ordonnerait de te présenter à l'armée.

— Ah non? Ben voyons donc! Me semble que j'ai lu le mot « engagement » pis les mots « armée canadienne »...

— Ouais, t'as raison, coupa Benjamin Perrette. Mais c'est juste une manière d'attirer le monde. À date, au Canada, y a aucune obligation de s'enrôler pour personne. Si ça avait été le cas, on en aurait entendu parler dans les nouvelles.

— Ah ouais? Ben coudonc... Vous êtes ben sûr de ça, vous là?

— Ben certain, mon Marcel. Ce que t'as reçu, c'est juste une lettre que le Ministère a envoyée un peu partout dans le Canada pour essayer d'attirer les jeunes à s'engager, pasqu'y en a qui disent que notre pays ferait pas son effort de guerre.

— Je m'en fiche pas mal, de l'effort de guerre, moé! Pis si c'était juste une manière de faire pour nous prévenir que ça s'en vient, la conscription?

— C'est ben certain que ça risque d'arriver.

— Bon! Vous voyez ben que j'ai raison de m'énerver.

— Non, t'as pas raison, Marcel, pis ôte-toé ça de la tête pour tusuite...

— Ouais. Si vous le dites...

— Pauvre Marcel! T'as l'air complètement découragé... Pis si je te disais que j'vas essayer de les appeler, les gens du gouvernement? Question d'avoir l'heure juste. Ça ferait-tu ton bonheur?

— Vous feriez ça pour moé?

— Pourquoi pas? M'en vas juste leur dire que t'es marié, que tu vas avoir un p'tit dans pas trop longtemps, pis qu'en plus, avec les coupons de rationnement, t'es ben plus utile en arrière de ton comptoir de viande qu'en Europe à te faire suer... Je leur annoncerai pas ça exactement de même, mais je trouverai ben une manière de dire pour que tout le monde comprenne que Marcel Lacaille a toutes les raisons du monde de rester ici, à Montréal.

— Ben là, monsieur Perrette, je vous en devrais une!

— T'as même pas besoin de me remercier pour ça, Marcel. C'est vrai que t'es ben utile à ton quartier, pis que moé, j'ai besoin de toé. J'vas juste dire la vérité... Donne-moé une couple de jours, pis je te reviens là-dessus... Astheure, ta mère!

— Quoi ma mère? Vous y avez parlé, non?

— Justement. A' m'a paru ben fatiguée, t'à l'heure, dans le téléphone.

— Ah ça! Non, est pas fatiguée, ma mère, est juste ben découragée... Pis moé avec, par la même occasion.

— Découragés? Vous êtes découragés de quoi?

— De Bernadette, maudit calvaire!

— Laisse tes gros mots en dehors du magasin.

— Je m'excuse, monsieur Perrette, mais c'est juste que ça va pas ben pantoute chez nous, pis que je sais pus par quel boutte prendre ça...

— Que c'est ça encore? Bernadette est malade?

— Même pas... Toute va ben côté santé, rapport qu'est en famille. Un peu mal au cœur le matin, mais c'est toute. Pis ma mère dit que c'est ben normal. Non, c'est côté attitude que ça va pas pantoute.

— Attitude? Je comprends pas. J'ai rarement vu plus souriant pis gentil que ta femme, mon Marcel.

— Ça, c'est sa face en dehors de la maison. Pis c'est c'te belle face-là qui m'a enfirouapé, vous saurez... Mais ça a pas duré. Quand Bernadette est chez nous, c'est comme si a' s'éteignait, pis a' dit quasiment pus un mot... J'ai ben essayé d'y parler, pis sur toutes les tons en plus, mais ça a rien donné. Tout ça pour dire que je m'en fais pus avec ça. Mais pour la mère, par contre, c'est plus compliqué, rapport qu'a' passe ses grand' journées avec elle. Mais que c'est que vous voulez que je fasse de plus? Je me suis convaincu que ça va ben finir par y passer, pis Bernadette va se tanner de jamais rien dire.

— Ah ça, c'est sûr, mon Marcel. Toute finit par passer un jour. Toute! Mais en attendant, toé, t'es pas heureux, ta mère a pas l'air heureuse, elle non plus, pis je gagerais une grosse piastre que Bernadette est pas ben là-dedans, même si a' laisse rien voir de ça quand a' vient à l'épicerie... Tu sais, Marcel, des fois, juste un mot gentil, ça peut faire une grosse différence.

— Des mots gentils? Que c'est que vous voulez dire par là, monsieur Perrette? Les compliments pis les flatteries, c'est pas trop notre fort, dans notre famille, pis je saurais pas trop comment m'y prendre pour en faire.

— N'empêche... Un p'tit merci de temps en temps, une appréciation devant un bon dessert, ça peut pas faire de tort. Mets-toé à la place de ta femme, pis tu vas petête comprendre. Ça doit être ben malaisant de se retrouver dans une maison qui est pas la tienne, avec du monde qui ont probablement pas les mêmes habitudes que toé... Mais je me trompe petête, c'est à toé de voir. Moé, j'ai jamais été marié... Astheure, dépêche-toé de finir de préparer ton comptoir, pis fais pas mal de porc pis de steak haché. On est jeudi, pis c'te jour-là, on a ben du monde, d'habitude !

* * *

Bernadette avait tenu son bout, et elle avait finalement accouché d'une belle fille en santé à l'hôpital Notre-Dame, malgré le désarroi de sa belle-mère, qui gardait un souvenir douloureux de ses deux brefs passages au même établissement. Sans compter que c'était là aussi qu'elle avait appris le décès de son mari.

— T'es ben certaine que tu veux accoucher à l'hôpital, Bernadette ? Moé, pour mon aîné, j'ai faite ça dans mon lit, pis toute a ben été. Pis dans ton cas, même le docteur Lalonde dit que toute se présente ben.

— Petête, oui, que toute va ben pour l'instant, mais on sait jamais ce qui peut se passer à la dernière menute. Libre à vous d'avoir préféré accoucher à la maison, c'est votre droit. Mais là, c'est moé qui vas avoir un bebé, pis j'aimerais mieux faire ça à l'hôpital. Le docteur Lalonde est d'accord avec moé.

— T'es ben certaine ? Ça va coûter cher à ton mari, tu sais, pis...

— Pis rien pantoute, madame Lacaille. C'est moé qui l'a dans le ventre, c'te bebé-là, c'est moé qui a eu mal au cœur durant deux mois, c'est moé qui dors mal depuis un boutte, pasque j'ai pus de positions pour être confortable, pis c'est moé qui vas souffrir pour le mettre au monde. Ça fait que je pense que c'est à moé de décider comment ça va se passer.

Devant cette tirade, Évangéline était restée sans mots. Jamais Bernadette n'avait autant parlé tout d'une traite, et l'image de cette femme décidée, quasi autoritaire, lui avait plu.

Cette attitude un peu étrange chez quelqu'un autrement plutôt effacé avait même atténué sa déception de ne pas avoir été la première à apprendre l'heureuse nouvelle.

— Te rends-tu compte, Noëlla? Ça a même pas été mon garçon qui l'a appris en premier, avait-elle confié à sa bonne amie.

— Ah non?

— C'est comme je te dis. En premier, Bernadette a annoncé sa maternité à sa sœur Monique, qui demeure un peu plus loin, dans le quartier voisin. C'est Bernadette elle-même qui me l'a dit. Pis j'cré ben que toute la famille Gingras le savait déjà quand ma belle-fille s'est décidée à le dire à mon Marcel qui lui, à son tour, me l'a annoncé... Trois mois, viarge! Bernadette était rendue à son troisième mois quand j'ai enfin su que j'allais être grand-mère. Me semble qu'entre femmes de la même maison, ça aurait été gentil qu'a' me le dise en premier, non?

Mais tout cela n'avait plus d'importance, maintenant qu'Évangéline se tenait devant la grande vitre de la pouponnière, en train d'admirer la petite Laura. C'était en taxi qu'elle était venue pour faire le plus vite possible, et elle n'était pas encore passée voir Bernadette à sa chambre.

Une fille!

Enfin, il y avait une petite fille dans la famille Lacaille.

Cela faisait combien d'années au juste qu'Évangéline espérait cet instant? La belle enfant n'avait pas encore vingt-quatre heures que la grand-mère projetait déjà de coudre robes, bonnets, manteaux, édredons et rideaux dans tous les tons de rose imaginables.

Et quand Laura entrerait à l'école, ce serait elle qui serait la mieux vêtue!

Enfin, Évangéline allait pouvoir gâter une petite fille.

Elle allait la bercer, lui donner son biberon et la garder, quand Bernadette irait faire les commissions.

«Te rends-tu compte, Alphonse, pensa-t-elle alors, tout émue, on a enfin une fille qui va grandir dans notre grande maison. J'aimerais tellement ça que tu soyes là, avec moé, pour voir comment c'est qu'a' l'est belle, notre petite-fille. Laura, qu'a' va s'appeler, des fois que tu le saurais pas encore. C'est un beau nom, pis ça sonne ben avec Lacaille.»

Ce fut donc portée par l'allégresse qu'Évangéline se dirigea vers la chambre de Bernadette, une chambre qu'elle partageait avec trois autres femmes, ce qui fit penser à Évangéline que sa belle-fille aurait été beaucoup plus tranquille pour se reposer si elle était restée à la maison pour donner naissance à la petite Laura. Mais bon! Bernadette voyait les choses autrement, et Évangéline eut la décence de ne pas en parler. S'approchant du lit, elle sortit un petit paquet de son sac à main et le déposa sur la table de chevet, tout à côté.

— Tiens, Bernadette, c'est pour la p'tite. Des pattes de laine toutes blanches, pour son baptême. Mais astheure que je sais qu'on a une fille, j'vas m'acheter de la laine rose pour la prochaine fois. Pis comment c'est que tu te sens?

— Fatiguée, c'est sûr, ça fait tout juste huit heures que j'ai eu ma fille. Mais dans l'ensemble, ça va ben. C'est un peu bruyant icitte pour dormir, mais j'vas me reprendre la nuit prochaine, entre deux boires de la p'tite.

— Crains pas, tu vas pouvoir te reposer en masse, quand tu vas revenir à la maison. J'vas m'en occuper, moé, de notre Laura, pis la nuit, c'est moé qui vas lui donner sa bouteille.

— C'est ben gentil, madame Lacaille, mais ça sera pas possible.

— Comment ça? Laura mangera pas?

— Ben oui, voyons. Mais c'est moé qui vas l'allaiter. Ça fait que ma fille aura pas besoin de biberon. Du moins pas avant un bon boutte.

— Voyons donc, toé! C'est pus à la mode d'allaiter son bebé... Ça serait ben plus simple pour toé que je m'en occupe à l'occasion, comme la nuit, pis que je...

— Non, ma décision est prise, pis j'vas allaiter ma fille, que ça soye à la mode ou pas.

Tout en parlant, Bernadette s'était redressée dans son lit, et elle soutenait le regard de sa belle-mère.

— Je veux rien enlever à votre plaisir d'être grand-mère, tenta-t-elle d'expliquer, comprenez-moé ben, mais faudra pas oublier que Laura, c'est notre fille, à Marcel pis moé, d'abord et avant tout. Les décisions d'importance, c'est à nous deux de les prendre...

— J'ai jamais dit que je voulais prendre ta place, Bernadette.

— J'espère ben, mais j'veux quand même que les choses soyent ben claires. Au besoin, on vous demandera votre avis, c'est certain. Mais pour le reste, j'aimerais mieux que vous vous en mêliez pas. Sinon, la pauvre Laura, quand a' va grandir, a' saura pus sur quel pied danser quand son père pis moé, on va dire non, pis que vous, vous allez avoir envie de dire oui. J'ai eu neuf mois pour y penser, madame Lacaille, pis chus certaine que c'est de même que ça va être le plus facile pour tout le monde... Ça va petête éviter ben des chicanes.

La pauvre Évangéline avait l'impression que le cœur allait lui sortir de la poitrine tellement il battait fort. Elle fut sur le point de parler de ses deux petites filles mortes avant même d'avoir eu la chance de vivre un peu. Elle fut à deux mots de dire que Laura était pour elle cet espoir réalisé d'avoir enfin une petite fille sous le toit de la maison que son Alphonse avait construite pour abriter leur famille.

Une sorte de pudeur maladive l'empêcha de dire les mots qui auraient peut-être ouvert un sain dialogue entre Bernadette et elle.

Évangéline baissa la tête, meurtrie, dévastée. Elle savait qu'elle risquait de se mettre à pleurer si elle racontait sa vie, et sa fierté ne pouvait s'y résoudre.

Maladroitement, elle prit le petit paquet enveloppé de papier de soie rose et le déposa sur le lit de Bernadette.

— Tu l'ouvriras quand ça te tentera... C'est pas grand-chose, mais c'est de bon cœur... Le temps m'a manqué pour faire mieux, je dirais ben. Astheure, j'vas te laisser te reposer. C'est pas mal fatigant de mettre un bebé au monde, j'en sais quèque chose. On se reverra quand tu reviendras à la maison... Pis félicitations encore, c'est une ben belle fille, Laura... Ouais, t'es ben chanceuse d'avoir eu une belle fille de même, Bernadette. Ben ben chanceuse !

Et avant même que cette dernière puisse retenir sa belle-mère, celle-ci avait déjà quitté la chambre, ravalant ses larmes pour ne pas se donner en spectacle.

Elle traversa tout l'étage sans le voir, descendit deux escaliers, parcourut un autre corridor interminable, et quand elle arriva dehors, devant l'hôpital, Évangéline prit une longue inspiration, comme si elle était sur le point de manquer d'air. D'un petit geste de la main, elle refusa le taxi qui venait de déposer quelqu'un, et elle remonta la courte allée.

Heureusement, c'était une belle journée d'automne. Évangéline en profita pour retourner chez elle à pied, et elle eut ainsi tout son temps pour repenser à ce que Bernadette venait de lui dire. Elle fut obligée d'admettre que la jeune maman n'avait pas complètement tort. Elle en aurait fait tout autant à la naissance d'Adrien, si jamais elle avait dû affronter un peu trop de zèle face à son garçon.

Toutefois, la grand-mère s'autorisa quand même à verser quelques larmes de déception. Puis, elle entra chez elle, sans passer par chez Noëlla. Elle avait encore le cœur trop lourd.

Ce fut l'arrivée de Marcel à la fin de la journée qui lui redonna son erre d'aller. Face à ses garçons, Évangéline avait rarement laissé voir ses émotions, et ce fut toute souriante qu'elle accueillit son fils.

— Pis mon Marcel? C'est-tu une assez belle fille que ta Laura?

— Ah ouais? Moé, je l'ai pas trouvée si belle que ça. A' l'était toute rougeaude, pis...

— M'as t'en faire, moé, des «pas si belle que ça»! T'aurais petête besoin de lunettes, mon garçon, pasque ta fille est de loin le plus beau bebé de la pouponnière. Est même plus belle que toé quand t'es venu au monde, pis t'étais un verrat de beau bebé!

— Ah ouais?

— Si je te le dis... Voyons donc, Marcel! T'es pas ben ou quoi? De toute façon, Laura, c'est ta fille, pis pour toé, y est juste normal qu'a' soye la plus belle. Y a rien à discuter là-dessus, pis t'es mieux de changer ton discours, pasque ça se fait pas, pour un père, de pas aimer son enfant.

— Bon bon, pognez pas le mors aux dents, la mère. J'ai jamais dit que je l'aimais pas, ma fille, pis si ça peut vous faire plaisir, m'en vas dire comme vous: Laura, c'est un beau bebé. Sauf que moé, calvaire, j'aurais préféré un garçon.

— Ben tu te reprendras une autre fois pour un garçon. Vous êtes encore jeunes, Bernadette pis toé. En attendant, profite de ta fille... Pis? T'es-tu passé par le presbytère pour l'enregistrer?

— Pantoute! Pensez-vous que j'ai eu le temps de faire ça? Déjà que j'avais pas dormi de la nuit pis qu'y fallait que j'aille à ma *job* pareil, ça m'est sorti de la tête. Je ferai ça demain, pis...

— Pis si je t'offrais d'y aller à ta place? interrompit Évangéline, toute ragaillardie. Je connais ben monsieur le curé Ferland, pis j'avoue que ça me ferait un p'tit velours d'y annoncer la bonne nouvelle moi-même.

— Faites-vous plaisir, la mère, c'est pas moé qui vas vous en empêcher. J'en ai déjà plein les bras à l'ouvrage.

— Ben c'est ce que j'vas faire. Demain matin, j'vas assister à la messe pour remercier le Bon Dieu de nous avoir donné un beau bebé en santé, pis après, j'vas parler avec notre curé... Je pourrais même discuter du baptême avec lui. Que c'est t'en penses, Marcel?

— Vous ferez ben à votre guise, la mère, pasque moé, j'ai pas l'intention de me mêler de ça. Ce qui se passe icitte, c'est entre vos deux, les femmes, que ça se discute, pis c'est ben correct de même. Astheure, vous allez m'excuser, j'vas aller me changer pour aller voir Bernadette à l'hôpital, tusuite après le souper. J'veux vraiment pas me coucher tard à soir! J'ai du sommeil à rattraper.

Quand Évangéline se glissa sous les couvertures, ce soir-là, elle avait retrouvé son entrain. En pensée, elle avait déjà tout planifié pour le baptême, et elle jugeait que sa belle-fille serait bien malvenue de s'y opposer.

— Après toute, icitte, c'est ma maison, murmura Évangéline, après avoir longuement bâillé. Hein, Alphonse, que j'ai raison de croire que ce qui se passe dans notre maison, c'est d'abord et avant tout à moé d'y voir? Ça fait que laisse-moé te dire que ça va être tout un baptême. M'en vas inviter ben du monde, à commencer par Noëlla pis Angélique. Pis faudrait aussi penser à monsieur Perrette. Déjà qu'y était pas au mariage, pasque c'était à Saint-Eustache, on peut pas passer à côté. Pis je pourrais inviter aussi la veuve Sicotte. Pauvre femme, a' sort quasiment jamais, ça y ferait petête du bien de voir du monde... Ah oui! J'vas inviter monsieur Leclerc. C'est tellement un bon locataire. Pis instruit, en plus. On rit pus: y a été maître d'école pendant quarante ans. Y aurait aussi monsieur Albert qu'y faudrait pas oublier. Après toute, c'est dans son casse-croûte que Marcel pis Bernadette se sont connus, pis fréquentés... Ouais, c'est de même que ça va se passer. J'vas faire une belle grande réception que le monde va parler longtemps dans le quartier. L'appartement est grand en masse pour organiser ça. Si Bernadette a sa fille, pis je comprends que c'est juste normal qu'a' veuille s'en occuper, ben moé, j'ai une maison, pis c'est moé qui vas décider du comment des choses dans c'te maison-là, maudit bâtard!

Là-dessus, Évangéline donna un coup de poing dans son oreiller pour en ébouriffer les plumes, souhaita bonne nuit à son Alphonse comme elle le faisait tous les soirs, puis elle s'endormit du sommeil du juste.

UN DERNIER MOT D'ÉVANGÉLINE

— Tu vois, l'écrivaine, c'est de même que ma vie s'est passée avant qu'on se connaisse, toé pis moé...

En ce moment, Évangéline me regarde avec une lueur que j'ai rarement vue chez elle. Comme une sorte de complicité qu'elle voudrait partager avec moi. Ça me touche, car je l'aime bien, cette femme directe et bougonne, certes, mais aussi soucieuse du bonheur de tous les siens. Alors, je lui fais un grand sourire.

— C'est vrai, Évangéline, vous aviez raison : la vie n'a pas toujours été facile pour vous.

— En plein ce que je te disais... Par contre, j'ai eu des bons moments, faut quand même que je le reconnaisse... C'est sûr qu'y a des détails du quotidien que j'ai pas mentionnés, mais dans l'ensemble, c'est ça que tu savais pas de moé. Pis ? Penses-tu que ça te suffirait pour que ça donne un bon livre ?

— Je dirais que oui ! Si moi, je n'ai pas vu le temps passer pendant que vous me racontiez votre histoire, il y a de bonnes chances que les lecteurs verront les choses de la même façon... Oui, finalement, c'est avec vous que j'aurai écrit mon cinquantième roman.

— Ben là, tu me fais plaisir, l'écrivaine... C'est pas des maudites farces ! Ma vie au grand complet qui va se retrouver dans des bouquins. Si je me rappelle ben, notre première rencontre a eu lieu dans le milieu des années 50.

— Effectivement.

— Ben dans ce cas-là, ça veut dire qu'y manque petête une petite dizaine d'années à mon récit, mais à part la naissance d'Antoine, quèques années après Laura, ça a été plutôt tranquille.

— Et Ti-Paul?

— Quoi Ti-Paul?

— Comme il semblait être un bon ami de votre mari, je me demandais ce qu'il était devenu... L'avez-vous revu?

— Une couple de fois, ouais. Pendant quèques années, Ti-Paul est venu nous visiter à Noël. Il avait toujours un bouquet de fleurs pour moé. Tu sais, la sorte de fleurs rouges qu'on voit juste à Noël.

— Des poinsettias?

— En plein ça! Pis y avait aussi des bonbons pour les garçons, comme de raison. Pis, un bon jour, il m'a annoncé qu'il allait se marier au printemps suivant. Sur le tard, comme on dit par chez nous. Mais il a eu quand même deux beaux enfants.

— Je suis heureuse d'apprendre ça. Je l'aimais bien, moi. Tout comme je continue d'aimer tous les vôtres.

— C'est vrai que j'ai une belle famille. Y a des hauts pis des bas, comme partout ailleurs; des p'tites joies pis des grosses douleurs, mais c'est la vie qui veut ça, on dirait ben... Mais y a aussi des beaux cadeaux du Ciel, comme de voir qu'en fin de compte, c'est mon p'tit Antoine qui va avoir hérité du talent en dessin de son grand-père. C'est ben pour dire ce que l'hérédité peut faire.

— Et Antoine va avoir une très belle carrière comme peintre, ça aussi, je l'ai raconté dans les premiers livres.

— Ouais... C'est mon Alphonse qui aurait été heureux de voir ça. Petête même qu'y serait venu avec moi pour voir l'exposition des peintures de notre petit-fils, quand chus allée avec lui à New York... Tout un voyage, ça là...

Sur ces mots, Évangéline donne un coup de talon sur le plancher et elle recommence à se bercer.

— Sais-tu à quoi je pense, l'écrivaine ?

— Non... Vous auriez oublié quelque chose d'important ?

— Oui pis non... J'étais en train de me dire que l'écriture a un p'tit quèque chose d'un peu magique.

— Comment ça ?

— Ben la première fois qu'on s'est parlé, toé pis moé, t'étais encore une jeunesse, tandis que moé, j'avais déjà pas mal de vécu en arrière de la cravate. Verrat ! Je frôlais déjà les soixante ans.

— Oui et alors ?

— Tu vois pas ? Moé, aujourd'hui, je me retrouve autour de soixante-quatorze ans, exactement là où j'étais le jour où j'ai marié mon Roméo. Tu t'en rappelles-tu ?

— Bien sûr. C'est moi qui ai écrit votre histoire. Mais je ne vois pas où vous voulez en venir.

— Au fait qu'aujourd'hui, on dirait, ma grand foi du Bon Dieu, que t'es en train de me rattraper. Tu dois ben arriver proche soixante-dix ans, toé avec, non?

— En effet, oui.

— C'est ben pour dire ce que l'écriture peut faire... C'est ça la magie dont je parlais. Bon! C'est pas que je m'ennuie, mais j'pense ben que c'est ici que j'vas te laisser. J'ai promis à Laura de garder la p'tite Alice... Pis y a Adrien qui m'a demandé d'y faire du sucre à la crème pour la fête de la jeune Michelle.

Pendant qu'Évangéline me faisait ses adieux à sa manière, en parlant de tout et de rien, je suivais machinalement des yeux un petit lièvre en train de traverser ma cour. Quand je me suis retournée pour saluer la vieille dame, elle était déjà partie. Comme ça, sans faire le moindre bruit.

Dommage!

Toutefois, comme Évangéline l'a si bien dit, grâce à la magie de l'écriture, s'il m'arrive un jour de trop m'ennuyer d'elle, je n'aurai qu'à reprendre ses *Mémoires* et ses *Souvenirs* pour la retrouver. C'est donc avec cette assurance dans le cœur que je reviens à ma cour, où les arbres commencent tout doucement à changer de couleur.

Dieu que j'aime l'automne!

À VENIR

Chers lecteurs,

C'est fou comme la vie se fait pressante, en ce moment! Évangéline avait à peine quitté mon bureau que déjà je croyais entendre la voix du King... Oh! Ce n'était tout d'abord qu'un murmure, puis petit à petit, le rythme s'est précisé, puis les mots, et j'ai enfin reconnu la chanson «*It's now or never*». J'avais raison, il s'agit bien d'Elvis Presley. Ça me donne des fourmis dans les jambes. Vous l'ai-je déjà dit? J'adore danser!

Et voilà que sur un claquement des doigts, je me retrouve dans un quartier différent, à une époque que j'ai l'impression de reconnaître, entourée de personnes qui, ma foi, me semble habillées à la mode des années soixante... J'ai déjà eu de ces robes un peu trop courtes au goût de ma mère, et qui affichaient ces mêmes teintes plutôt criardes. C'est fou, et je suis gênée de l'avouer, mais j'ai déjà trouvé ça beau... Ouache! Heureusement, les préférences changent avec le temps.

Comme je porte un jeans en ce moment, je peux me mêler à la foule sans trop attirer l'attention. Je vais donc me diriger vers le parc. Un écriteau précise qu'il s'agit de la «Place des Érables»...

Ça serait joli comme nom de roman, vous ne trouvez pas ?

C'est plutôt beau, par ici. Comme une sorte de petite ville, ou plutôt un quartier avec, en son centre, cette jolie place ombragée par des érables majestueux. Les rues du quartier s'y rejoignent comme les bras d'une étoile.

Il semble y avoir beaucoup d'enfants dans ce quartier, car j'entends des cris et des rires. J'aime bien quand on fait de la place aux enfants. Ils m'ont toujours fascinée avec leur franc-parler et leurs questions interminables. Dans le gamin et la gamine un peu malhabiles, je sais qu'il y a l'homme et la femme en devenir, et ça m'émeut.

Alors de les entendre s'amuser ainsi, ça me pousse à m'installer sur un des bancs de ce parc pour observer cette faune colorée qui semble se laisser porter par une sorte de joie de vivre que l'on voit moins souvent, hélas, depuis quelque temps. Ici, tout respire la tranquillité. C'est frais, c'est joyeux, c'est attirant, et ça donne envie d'inspirer profondément.

Venez, suivez-moi. Je vais vous laisser une place à côté de moi, et ensemble, nous allons écouter ce que ce coin de ville a de bon à nous raconter.

Mémoires d'un quartier 2 – 1960-1965

Personnages plus grands que nature, les Lacaille et ceux qu'ils aiment (ou pas!) sont en plein cœur de leur propre révolution tranquille, au début des années 1960. À l'aube de ses trente-six ans, Bernadette Lacaille réalise que, toute seule, elle ne vaut pas grand-chose. Si elle travaillait, si elle avait de l'argent, elle serait tellement plus autonome et utile à ses enfants! Mais comment y arriver sans que Marcel ne se fâche?

Contient: Mémoires d'un quartier, tome 4: Bernadette
Mémoires d'un quartier, tome 5: Adrien
Mémoires d'un quartier, tome 6: Francine

Disponible en librairie

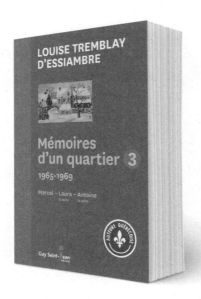

Mémoires d'un quartier 3 – 1965-1969

Marcel vient de vivre la pire année de sa vie. Il doit pourtant se tirer d'affaire : c'est le bien-être de toute sa famille qui en dépend. Son épouse Bernadette, elle, n'a pas envie de voir partir Adrien même si elle prétend le contraire. De plus, Antoine s'est mis en tête d'aller passer l'été à New York pour tenter d'intéresser quelques galeries à ses toiles et Laura n'a pas annoncé à son père qu'elle retourne à l'université. Orages à l'horizon !

Contient : Mémoires d'un quartier, tome 7 : Marcel
Mémoires d'un quartier, tome 8 : Laura, la suite
Mémoires d'un quartier, tome 9 : Antoine, la suite

Disponible en librairie

Mémoires d'un quartier 4 – 1969-1972

À l'approche des années 1970, les bancs d'église se vident et les Américains marchent sur la Lune. Chez les Lacaille, Évangéline vit de grands chambardements... Tout ça grâce à Antoine et à Laura! Ne sachant plus à quel saint se vouer, la vieille dame un peu bourrue irrite les siens avec ses principes bien arrêtés. Un certain monsieur Blanchet, galant et poli, saura-t-il adoucir son cœur?

Contient: Mémoires d'un quartier, tome 10: Évangéline, la suite
Mémoires d'un quartier, tome 11: Bernadette, la suite
Mémoires d'un quartier, tome 12: Adrien, la suite

Disponible en librairie

MARQUIS

Québec, Canada

Achevé d'imprimer le 21 octobre 2020

Imprimé sur Rolland Enviro.
Ce papier contient 100% de fibres postconsommation,
est fabriqué avec un procédé sans chlore
et à partir d'énergie biogaz.

100%

PCF

PERMANENT